P9-AOL-693

ZAWÓD: SZPIEG

CHICAGO PUBLIC LIBRARY
PORTAGE-CRAGIN BRANCH
5108 W. BELMONT AVE.

prawolubni ♥

Książka, którą nabyłeś, jest dziełem twórcy i wydawcy. Prosimy, abyś przestrzegał praw, jakie im przysługują. Jej zawartość możesz udostępnić nieodpłatnie osobom bliskim lub osobiście znanym. Ale nie publikuj jej w internecie. Jeśli cytujesz jej fragmenty, nie zmieniaj ich treści i koniecznie zaznacz, czyje to dzieło. A kopiując jej część, rób to jedynie na użytek osobisty.

Szanujmy cudzą własność i prawo.
Więcej na **www.legalnakultura.pl**
Polska Izba Książki

PAWEŁ RESZKA
MICHAŁ MAJEWSKI

ZAWÓD: SZPIEG

ROZMOWY Z ALEKSANDREM MAKOWSKIM

WYDAWNICTWO CZARNA OWCA
WARSZAWA 2014

Opracowanie redakcyjne
Mirosław Grabowski

Projekt graficzny serii i projekt okładki
Magda Kuc

Zdjęcie na okładce
Marcin Mazurowski

Zdjęcia zamieszczone w książce pochodzą
z prywatnych zbiorów Aleksandra Makowskiego

DTP
Marcin Labus

Korekta
Maciej Korbasiński

Text copyright © by Aleksander Makowski, Michał Majewski, Paweł Reszka
Copyright © for the Polish edition by Wydawnictwo Czarna Owca, 2014

Wydanie I

Druk i oprawa
Read Me
Książka została wydrukowana na papierze Ecco Book Cream 70 g/m², vol. 2,0
dystrybuowanym przez antalis® | map

ISBN 978-83-7554-812-9

Wydawnictwo

ul. Alzacka 15a, 03-972 Warszawa
e-mail: wydawnictwo@czarnaowca.pl
Dział handlowy: tel. (22) 616 29 36
Księgarnia: tel. (22) 619 12 72

Zapraszamy do naszego sklepu internetowego:
www.czarnaowca.pl

R06026 60705

Spis treści

Przedmowa

Skąd pomysł na tę książkę? Dlaczego akurat Aleksander Makowski?

Zanim się poznaliśmy, wyprzedzała go dobra i zła sława.

– Aleks? – mówił nam kiedyś jego znajomy. – W szkole wywiadu był najzdolniejszy na roku. Zresztą potem skończył prawo na Harvardzie, to się nie zdarza zbyt często.

– Makowski był wyjątkowo niebezpieczny – opowiadał nam Bogdan Borusewicz, jeden z legendarnych przywódców Solidarności.

W latach osiemdziesiątych Aleks tropił zachodnie kanały przerzutu sprzętu i pieniędzy dla opozycji. I na przełomie lat osiemdziesiątych i dziewięćdziesiątych właśnie to zadecydowało, że musiał się pożegnać ze służbą. Był jednym z dwóch negatywnie zweryfikowanych oficerów.

Jednak wywiad nigdy z niego nie zrezygnował. Mimo że oficjalnie wyklęty, ciągle brał udział w tajnych misjach polskich służb.

Długo był dla nas człowiekiem cienia.

Kiedyś od znajomego, młodego biznesmena, usłyszeliśmy taką oto anegdotę:

– Elegancki raut. Rozmawiam z Janem Kulczykiem. Wokół nas nikogo nie ma, ale widzę, że wianuszek ludzi otacza człowieka, którego nie znam. Mówię więc do Kulczyka: „Nic z tego nie rozumiem. Pan jest słynny i najbogatszy. A ludzie stoją wokół jakiegoś nieznajomego gościa. O co tu chodzi?". Na co Kulczyk: „Proszę pana, przecież to jest Makowski". „A kto to jest Makowski?", pytam. „Nie wie pan, kim jest Aleksander Makowski?! Niemożliwe!" Jeden z najbogatszych Polaków nie posiadał się ze zdumienia.

Spotkaliśmy się w 2007 roku, gdy Antoni Macierewicz ujawnił jego nazwisko w Raporcie z likwidacji WSI.

Zaczęliśmy rozmawiać. O ojcu, który był oficerem wywiadu, o życiu na słynnej alei Przyjaciół, o wychowaniu w Londynie i Waszyngtonie, o szkoleniu w Kiejkutach, studiach na Harvardzie. O szpiegowskiej robocie w USA i tropieniu pieniędzy Solidarności.

Wreszcie o dzikim biznesie lat dziewięćdziesiątych, handlu bronią, wyjazdach do Afganistanu po szmaragdy i szpiegowskie informacje.

Wczesną wiosną zeszłego roku spotkaliśmy się z Makowskim na kawie. Pod koniec rozmowy rzucił słowa, na które gdzieś tam czekaliśmy od dawna:

– To może zrobimy te moje wspomnienia…

Tydzień później nagrywaliśmy pierwszą rozmowę do książki.

Michał Majewski
Paweł Reszka
Warszawa, październik 2013

1
Sztuka werbunku

Sztuka werbunku – Rozpracowanie człowieka – Najlepsze sposoby na złowienie agenta – Czy zdrajcą zawsze należy pogardzać

Na czym polega dobra taktyka werbunku?

Zacznijmy od tego, że w wywiadzie najważniejsza jest informacja. To zresztą przypomina pracę dziennikarzy. Dobry dziennikarz ma dobrych informatorów. Dobry szpieg ma dobrych agentów. Zaczynamy od oceny sytuacji. Należy wyczuć, czy werbunek ma sens. Zanim wygłosisz formułkę: „Jestem oficerem wywiadu, chcę z panem pracować", musisz ocenić, czy są szanse powodzenia. Ryzykujesz dużo, bo się przed człowiekiem odkrywasz. Dlatego należy zacząć od rozpracowywania delikwenta. To znaczy ustalić na jego temat dosłownie wszystko co się da: gdzie się urodził, szkoły, hobby, nawyki, żony, kochanki, dzieci, co lubi, czego nie lubi, jakie jada potrawy, jakie książki czyta. Czasami takie rozpracowanie trwa rok, czasami dwa, trzy lata. Wiesz o panu doradcy ministra albo prezesie koncernu wszystko. Wtedy należy oszacować, czy jest podatny na werbunek.

Co czyni człowieka podatnym na werbunek?

Hazard, zamiłowanie do kobiet, kosztowne hobby: diamenty, zegarki, sztuka. W sumie rozpracowanie powinno odpowiedzieć na dwa pytania: czy jest szansa na werbunek oraz jaką taktykę, podstawę do werbunku przyjąć: pieniądze, szantaż, jedno i drugie, czy może jakieś górnolotne argumenty.

Rozpracowuje jedna osoba czy zespół?
Niekiedy cała rezydentura. W ramach rozpracowania kogoś istotnego dokonuje się nawet werbunku mniej istotnych osób tylko po to, by uzyskać wiedzę o tej, o którą najbardziej nam chodzi. Wypytuje się je oczywiście o wiele spraw, tak żeby ukryć nasze właściwe zainteresowanie. Bywało nawet, że dochodziło do dwóch werbunków – tylko w celu lepszego rozpracowania. No, ale tu szło o cele z najwyższej półki. Na poziomie ministrów obrony.

To znaczy, że rozpracowywanie to praca zespołowa?
Tak. Tak samo jak typowanie werbownika. Szuka się kogoś, kto będzie w jakimś sensie pasował do celu. Oczywiście jest jedna lub dwie osoby, które „prowadzą", czyli nadzorują rozpracowywania. Dają polecenia, wyznaczają kierunki, ślą pytania do innych rezydentur, zbierają to do kupy.

I co potem?
Należy przesłać raport werbunkowy do centrali, do wydziału terytorialnego. W takim raporcie jest wiele punktów, w których opisuje się szczegółowo: kogo, po co, jak, za ile chcemy werbować. Najważniejszy punkt brzmi: przedsięwzięcia na wypadek nieudanego werbunku. Czyli co zrobić, jeśli się nie uda. Trzeba mieć gotowy plan, jak się wycofać, no i jak udawać, że to właściwie nie my.
Raport trafia do naczelnika albo zastępcy naczelnika wydziału terytorialnego.

A dalej?
Teoretycznie zgody na niektóre werbunki mógł zatwierdzać naczelnik wydziału terytorialnego – czyli jak werbunek w Stanach, to naczelnik wydziału amerykańskiego. Jednak na ogół, jeśli szło o obcokrajowca, zgodę wydawał wicedyrektor albo dyrektor wywiadu. To już w zależności od tego, jak potencjalny agent był wysoko.

Dlaczego?
No, jeśli werbujemy urzędnika ministerstwa obcego państwa i operacja nam nie wyjdzie, to jest niezbyt dobrze. Zaraz pojawiają się protesty, skandale i zaczyna marudzić MSZ.

Jak się wybiera werbownika?
Jego też trzeba wymienić w reporcie. Jest pewna pula oficerów, którzy są do dyspozycji w całym wywiadzie. Kombinujesz: mężczyzna czy kobieta? Jeśli chcesz werbować znawcę sztuki, to dobierasz kogoś, kto się na tym zna albo szybko się tego nauczy. Niech mają o czym pogadać. Niech będzie jakiś punkt zaczepienia do kultywowania znajomości. Przy werbunku najważniejsze są drobiazgi.

Jakie?
Werbowany musi czuć, że jesteś dla niego partnerem. Najlepiej byłoby, gdyby uznał, że przewyższasz go intelektualnie i jesteś rozsądnym człowiekiem.

Ludzie raczej wolą głupszych od siebie.
Nie w tym przypadku. On za chwilę zdradzi ojczyznę, czyli odda swój los, swoje życie w twoje ręce. Musi czuć, że jesteś inteligentny, profesjonalny, że nie wysypiesz go przy najbliższej okazji. Gdy już to wszystko wiadomo, trzeba wymyślić miejsce do werbowania i podjąć próbę. Miejsce też jest istotne. W grę wchodzą dwie opcje: albo łowimy go na terenie jego kraju, albo czekamy, aż wyjedzie. Ta druga opcja, werbunek na terenie kraju trzeciego, jest oczywiście bezpieczniejsza. Nie ma zagrożenia ze strony kontrwywiadu albo jest mniejsze, no i w ogóle gdyby delikwent chciał się poskarżyć swoim służbom, to jednak miałby dalej.

Czyli nie ma specjalnej spontaniczności podczas werbunku.
Jest, ale w granicach punktów opisanych w raporcie. Raport o werbunek przygotowuje starszy oficer, przekazuje zastępcy naczelnika, ten tekst podrasowuje, zmienia czy uzgadnia,

naczelnik podpisuje i pismo idzie do zastępcy dyrektora wywiadu. Jeżeli figurant – czyli kandydat na agenta – zajmuje znaczącą pozycję, to ostateczna decyzja musi być uzgodniona z dyrektorem. W szczególnych przypadkach o tym, czy werbować, czy też nie, decyduje wiceminister kierunkowy. Kwestią zasadniczą jest tu granica opłacalności.

Co konkretnie jest w punktach raportu werbunkowego?
Jak zacząć rozmowę, jak ją prowadzić, jakiej argumentacji użyć i kiedy. Czy i kiedy posuniemy się do wykorzystania materiału kompromitującego, czyli do szantażu. Czy i ile pieniędzy będziemy oferować.

Na czym polega trik łowcy?
Całość argumentacji powinna przekonać człowieka, że zdradzając, właściwie nie zdradza. Że robi to dla dobra ludzkości albo z jakichś wyższych pobudek. Że te informacje nie będą szkodzić jego krajowi, tylko pomogą… nie wiem… zapobiec kataklizmowi jądrowemu czy coś w tym stylu. Na ogół wiemy oczywiście, ile facet zarabia, wiemy, jak mieszka, na jakim poziomie, wiemy, jakimi jeździ samochodami, ile z grubsza wydaje, na co. No i na tej podstawie trzeba przygotować i zaoferować taką sumę, jaka go nie rozśmieszy. Krótko mówiąc, nie dość, że robisz coś dla ludzkości, to jeszcze dostaniesz za to kasę.

A szantaż?
To jest delikatna sprawa. Jasne, że w wywiadzie wykorzystuje się materiały kompromitujące. Problem w tym, że łatwo przedobrzyć. Jeśli głęboko zranisz jego godność, to facet wstanie i wyjdzie. Tyle zyskasz. Szantażować należy, tak by nie obrazić, nie upokorzyć. Zawsze należy zostawić sobie margines na wycofanie się z takiej próby.

Jak ładnie zaszantażować człowieka, żeby nie urazić jego godności?
To zależy.

Ktoś ma kochankę.
Trzeba poruszyć temat kochanek. Mogę mu powiedzieć, że mam kochankę, czy rzucić uwagę, że byłem kiedyś w mieście i widziałem go z piękną kobietą.

I koniec.
To niby szantaż, ale ciągle jeszcze da się go obrócić w żart, prawda? Na ogół werbujemy ludzie inteligentnych, debile nie są nam potrzebni. Zresztą z debilami rozmowy są na ogół prostsze. Tak więc facet, któremu oświadczasz, że widziałeś go z piękną kobietą, rozumie, o czym mówisz. Generalnie w takiej rozmowie chodzi o to, żeby wyczuć, czy cel jest zainteresowany, czy podjął w głębi duszy decyzję, czy tylko przeciąga rozmowę, żeby wyciągnąć od ciebie jak najwięcej informacji dla swojego kontrwywiadu. Dlatego raport werbunkowy, w którym opisana jest w punktach cała strategia, jest tak szalenie ważny.

Żeby nie dawać się podpuścić?
Między innymi po to są te punkty. Bo jak może rozwijać się sytuacja, gdy już złożysz zawoalowaną propozycję? Gość orientuje się nagle, że jest werbowany. Wstaje i mówi: „Miło było pana poznać, do widzenia, mam nadzieję, że już nigdy się nie zobaczymy" – i koniec.
Wariant drugi – orientuje się, że jest werbowany, i mówi: „Okej, dobra, tylko ja chcę tego, tego i tego". No i wariant trzeci, najtrudniejszy. Piłujesz, piłujesz, a on mówi: „Wie pan, nie jestem przekonany, spotkajmy się jeszcze". Wtedy masz dylemat: „Co on chce zrobić? Może powiadomić swój kontrwywiad i przyjść już z obstawą?". Ale jednocześnie nie chcesz odpuścić, więc umawiasz się na kolejne spotkanie. No i wtedy wracasz do swojej centrali, siadasz i razem z pozostałymi zastanawiasz się, co z tym zrobić. W sumie, przy pewnej dozie doświadczenia, można wyczuć, czy gość się waha, czy też nie ma ochoty na współpracę i próbuje cię wykiwać.

Ale jak to wyczuć?
Rzecz jest delikatna. W sumie obaj, i ten, który ma ochotę zostać agentem, i ten, który cię podpuszcza, zadają pytania. Ten pierwszy chce się upewnić, że jesteś fachowcem i będziesz w stanie zagwarantować mu bezpieczeństwo. Drugi pyta wiadomo po co – chce jak najwięcej informacji sprzedać swoim. Pytania będą się delikatnie różniły. W pierwszym przypadku spodziewam się usłyszeć: jak mi zapewnisz bezpieczeństwo? gdzie będziemy się spotykać? ile możesz mi dać pieniędzy? W drugim: z jakiej jesteś jednostki? skąd przyjechałeś? jak długo tu jesteś?

Czy z twojego praktycznego punktu widzenia są lepsze i gorsze motywacje, dla których człowiek podejmuje współpracę?
Dla mnie najlepszą motywacją są pieniądze.

Czysty układ handlowy?
Tak, no, chyba że ktoś zechce współpracować ze względów ideologicznych. Ale takie cuda były najczęściej w czasach Kominternu: socjalizm, komunizm, Związek Radziecki, rozbrojenie i powszechne szczęście.

Czyli jednak układ handlowy.
Tak, z elementem delikatnego szantażu. To znaczy dobrze, jeśli jeszcze wiemy na temat tego człowieka coś, co go lekko kompromituje. Ale wspaniałomyślnie o tym „zapominamy" i po prostu wypłacamy mu pieniądze.

Dlaczego z twojego punktu widzenia pieniądze są najpewniejsze?
Jeżeli facet pracuje dla pieniędzy, to ciągle chce ich mieć więcej i coraz bardziej się stara. Agent potrafi się wykazać nieprawdopodobną inwencją. Jeżeli jest odpowiednio zmotywowany, dokonuje cudów. Czasami musisz go wręcz hamować. Mówi: „Zdobędę taką a taką informację". „A masz do niej dostęp?" „Nie, ale wiem, kto ma". To już robi się niebezpieczne.

Rośnie ryzyko.
Zdecydowanie. Takiego agenta trzeba bardzo umiejętnie prowadzić, bo sam sobie może zrobić krzywdę.

Mówiliśmy, że gdy sytuacja nie jest jednoznaczna, decyzję o kontynuacji bądź zaprzestaniu werbunku podejmuje po dyskusji specjalny zespół. Kto wchodzi w jego skład?
Doświadczeni oficerowie wywiadu i wicedyrektor kierunkowy. Trzeba znaleźć odpowiedź na pytanie: „Czy dalsze ryzyko nam się opłaca?". Z zasady taka rozmowa odbywa się w Polsce, w wyjątkowych sytuacjach decyzję może wziąć na siebie rezydent. Oczywiście musi powiadomić o niej centralę. Centrala zawsze może decyzję zmienić.

Dlatego pytamy, jak wygląda takie spotkanie. Oficer – co zrozumiałe – obstaje za werbunkiem, przełożeni się wahają. Co decyduje?
Jak zwykle w życiu zależy to od ludzi, ale na ogół rozjemcą jest wicedyrektor, a nawet dyrektor wywiadu. Opowiem o swojej praktyce. Miałem kilka takich spotkań. Przewodniczył im Władysław Pożoga, wiceminister odpowiedzialny za wywiad. Brałem w nich udział jako naczelnik i wicenaczelnik wydziału. Typowa dyskusja robocza, każdy się wypowiada. Ja jako naczelnik jestem najbliżej sprawy. Pożoga zazwyczaj na koniec pyta: „A wy co, naczelniku?". Mówię na przykład: „Werbujemy dalej". A on: „To proszę uzasadnić". Więc uzasadniam. No i Pożoga: „Dobrze, ale na waszą odpowiedzialność". Ja: „Na moją". On: „No to robimy tak, jak naczelnik uważa". Pożoga bez oporu zmieniał decyzję pod wpływem czyjejś argumentacji. Jeśli ktoś był pewny, dobrze uzasadnił, chciał wziąć odpowiedzialność na siebie – to okej, proszę bardzo. Wiceministrowi też zależało na sukcesie.

Czy spotkania werbunkowe są nagrywane przez werbownika?
Wszystko jest nagrywane. Mieliśmy zresztą znakomity sprzęt Nagra Stefana Kudelskiego. Kudelski to Polak z bardzo patriotycznej

rodziny. Jego ojciec oficer nie wrócił po wojnie do Polski. Więc syn robił karierę naukową i biznesową w Szwajcarii. Dziś pisze się o nim „szwajcarski naukowiec", a warto wiedzieć, że nazwa „Nagra", którą dał swoim magnetofonom, pochodzi od słowa „nagrać". To był niewielki – jedna trzecia strony formatu A4 – magnetofon szpulowy. Taśma była dość cienka, ale wystarczała na trzy, cztery godziny nagrania. Sprzęt nie był lekki, ale wchodził do wewnętrznej kieszeni marynarki. Oczywiście w lecie, pod lnianą marynarką, raczej nie dało się go nosić, bo odkształcenie materiału było zbyt widoczne. Można go więc było wsadzić do tylnej kieszeni spodni albo przykleić taśmą do ciała. Kabel z mikrofonem wyprowadzało się przez rękaw lub pod klapę marynarki. Wystarczało, mikrofony były bardzo czułe.

W trakcie spotkania jesteś więc okablowany?
Tak. Magnetofon w kieszeni, mikrofon wyprowadzony albo wbudowany w spinkę czy guzik.

A gdy ktoś cię zwodzi, to na drugą rozmowę werbunkową też idziesz z magnetofonem? Szalenie ryzykowne.
Podczas burzy mózgów podejmuje się decyzje także w sprawie tego, czy idziesz z magnetofonem, czy nie. Jasne, że to ryzykowne, bo możesz zostać wciągnięty w pułapkę. Jeśli kontrwywiad zatrzyma cię ze sprzętem do nagrywania, to będzie niewesoło. Zazwyczaj umówione jest następne spotkanie, ale to jeszcze nic nie znaczy. Przecież delikwenta można spotkać „przypadkiem" wcześniej, prawda? My do niego podchodzimy, gdy nie jest przygotowany. Przyciskamy go. Ryzyko jest mniejsze.

Czy rozmowę werbunkową odsłuchują przełożeni?
Przełożeni czytają raport. Jeśli ktoś bardzo chce, to może sobie oczywiście odsłuchiwać. Nagranie ma dwa cele. Po pierwsze, dokumentuje, że agent zgodził się na współpracę. Po drugie, ułatwia werbownikowi napisanie dokładnego raportu.

Nagranie jest archiwizowane?

Tak, leży w aktach sprawy. Jeśli jest ważne, może tak leżeć latami.

No i stanowi największy hak, jaki możesz mieć na człowieka.
Nagranie rozmowy werbunkowej? Oczywiście. Skoro on pod wpływem twojej argumentacji mówi „tak" i jeszcze ustalacie za ile, to już nawet nie musisz go prosić o podpisanie zobowiązania.

Zobowiązanie może skomplikować sprawę?
Jasne, bywają przecież różne sytuacje. Często zdarza się tak, że werbowany pojmuje, o co chodzi. Chce dostarczać dane, dostawać za to „prezenty", ale woli, by nie padały takie słowa jak „wywiad" czy „wynagrodzenie". Rozmowa się toczy, ty go pytasz, on odpowiada. Ty coś sugerujesz, on przed następnym spotkaniem zdobywa wiedzę na sugerowany temat. To jest zawsze wygodna sytuacja. Bo jeśli człowiek jest doświadczony życiowo, to ma pewien komfort. Przyjdzie do niego kontrwywiad i zapyta o ciebie. „Znam, naturalnie, rozmawiamy. Ale jaki wywiad? No co pan powie! W życiu bym nie podejrzewał! To taki miły człowiek".

Wywiad musi być elastyczny?
To dobre słowo. Liczy się informacja, a nie kwit. Dlatego wywiad nie wymaga, żeby każdy podpisywał zobowiązanie, kwitował każdego dolara. Wywiad nie chce wiedzieć, czy zjedliście dwa obiady, czy cztery. Kogo obchodzi, czy twój agent wie, że jest twoim agentem? Kogo obchodzi, czy coś podpisał? Ważne, żeby dostarczał informacje. To wszystkich obchodzi, reszta – tak naprawdę – nie ma znaczenia.

Miałeś problem z ukrywaniem pogardy dla swoich agentów?
Pogardy? Skąd! Dlaczego?

Przecież oni byli zwykłymi zdrajcami.
W stosunku do źródła nigdy nie czułem pogardy. To, że jest ono zdrajcą, w ogóle mnie nie interesowało. Dla mnie mój informator

jest wybitnie pozytywną jednostką. On świadczy mi usługi, a ja
mu za nie płacę. Taki mamy układ. Zdrajca? Pogarda? Taka myśl
nie może nawet zaiskrzyć w głowie oficera wywiadu. Dla źródła trzeba mieć najwyższy szacunek. Tak nas od pierwszego dnia
uczono w szkole. Pracowano nad nami, wbijano nam to do głowy. Źródło czy – jeśli wolicie – agent to twoje „być albo nie być".
Nie masz agentów, nie masz sukcesu. A jeśli umiesz werbować,
jeśli zdobywasz agentów, to jesteś w wywiadzie kimś. Psycholo-
gicznie masz wbity do głowy szacunek dla źródła – agent jest
najwyższym dobrem.

**Spójrzmy obiektywnie: agent to szmata. Nie dość, że daje się
szantażować, to jeszcze sprzedaje swój kraj za pieniądze.**
Jesteście dziennikarzami. O swoich informatorach też tak myślicie?

Nie, ale oni rzadko zdradzają ojczyznę.
Wasi informatorzy zdradzają przyjaciół, instytucje, w których
pracują, swoich przełożonych. Ujawniają wam tajemnice państwowe, sekrety naszej ojczyzny, nie? A jednak nie powiecie
o żadnym z nich „szmata", prawda? Tłumaczę wam sytuację
psychologiczną, tor myślenia. Jeżeli masz dobrego agenta, który dostarcza informacje wysoko oceniane przez twoją służbę,
to – wierzcie mi – nie przychodzi ci do głowy słowo „zdrajca",
„szmata". Myślisz o nim: „Fajny facet, na poziomie, sporo wie,
oby żył wiecznie" – i tyle. Oczywiście nikt też agenta nie ide-
alizował. Wiadomo było, że jak ktoś raz zdradzi, może to zrobić kolejny raz. Stałym elementem pracy z agentem jest ciągłe
sprawdzanie go na różne sposoby.

Jak?
Głównie poprzez weryfikację jego informacji u innych źródeł,
wszelkich możliwych.

A inne metody?

Można zrobić kombinację sprawdzeniową. Podstawiasz własnemu agentowi kogoś, kto rzekomo reprezentuje inny wywiad. I próbujesz przewerbować. Patrzysz, jak zareaguje. Oczywiście sytuacja jest idealna wtedy, gdy agent uwierzy, że podstawiona osoba rzeczywiście reprezentuje inny wywiad, i od razu nam o tym opowie. Zdarzały się takie kombinacje.

Stosuje się je, gdy są podejrzenia, tak?
Generalnie tak. Jeżeli materiały są okej i się potwierdzają, to nie ma powodu do prowadzenia takich operacji. Ale na przykład czasem materiały są tak dobre, że kierownictwo zaczyna nabierać podejrzeń. Im lepsze materiały, tym wyższy rozdzielnik. I to nie tylko krajowy, czasem idą też do zaprzyjaźnionych służb. Kombinację sprawdzeniową uruchamia się po to, by mieć stuprocentową pewność, że agent nie robi nas w konia.

Okej, podstawiacie oficera, który udaje przedstawiciela innego wywiadu, i wasz cenny agent zgadza się na współpracę. Co wtedy?
To oczywiście problem, ale jest jeszcze kwestia, z czego to wynika. Mógł się przecież zgodzić, wyobrażając sobie, że będzie miał jeszcze jedno źródło dochodu.

I co wtedy?
Wtedy musimy próbować ciągnąć ten nowy związek i patrzeć, czy podstawionemu człowiekowi daje te same materiały. To naturalnie oznacza, że gość jest chciwy i za chwilę może pójść na jakieś kolejne układy. A to grozi dekonspiracją, wpadką. To nie jest dobra sytuacja, ale jeżeli agent dostarcza supermateriały, ciągniemy związek. Jeżeli materiały są takie sobie, to wtedy trzeba się zastanowić. Znowu zrobić burzę mózgów.

Mówiliśmy o wyborze werbownika. O tym, że szuka się człowieka o zainteresowaniach podobnych do zainteresowań figuranta, takiego, jaki będzie mu odpowiadał. Trzeba jeszcze

stworzyć werbownikowi legendę. Doprowadzić do naturalnego spotkania z obiektem.

Oczywiście, bo trudno jest tak podejść do kogoś na ulicy i zaprosić na kawę. Dobre jest hobby. Marian Zacharski spotkał swoje źródło na kortach. Można znać się na gruncie zawodowym: dyplomata – urzędnik. Można się widywać na wykładach, debatach politycznych, w klubie dyskusyjnym. Można się zaprzyjaźnić z kimś spośród znajomych naszego celu. Wiele jest sposobów.

Jakiś konkretny przykład? Coś z życia?
Nie mogę.

Często werbuje się pod obcą flagą?
Jeżeli na przykład dojdziemy do wniosku, że my, jako Polska, jesteśmy za malutcy, by figurant zechciał dla nas pracować, to udajemy kogoś innego. Tak samo, jeśli nie chce pracować z naszym krajem ze względów ideologicznych. Kiedyś takim powodem był komunizm. „Nigdy nie będę pracował dla czerwonych". „A to się dobrze składa, bo jesteśmy Anglikami".

Taki człowiek nigdy się potem nie dowiaduje, że pracował dla was?
Zależy. Zdarzają się agenci, z którymi się spotykasz dwa, trzy razy w roku. Nie ma co zawracać im głowy detalami. No, ale czas leci, po dwóch, trzech latach, kiedy taki informator dostarczył ci już tyle materiału, że głowa boli, a ty w pełni panujesz nad sytuacją, możesz mu ewentualnie ujawnić, kim naprawdę jesteś. Możesz robić to stopniowo. Coś tam rzucisz, raz, drugi, i w końcu się domyśli. On nie powie do końca, ty nie powiesz do końca, a sprawy i tak zaczynają być oczywiste.

2
Dzieciństwo w cieniu resortu

W ZSRR – Adiutant Radkiewicza – Czystki w ministerstwie – Polowanie na emigrantów – Sąsiedzi z alei Przyjaciół – Dzieciństwo w Londynie

Kiedyś pytaliśmy cię, kim był twój ojciec. Odparłeś: „Jak to kim? Szpiegiem!".
Bo to prawda. Był wiceszefem wywiadu, rezydentem w Wielkiej Brytanii i Stanach Zjednoczonych. Notowania w resorcie miał dobre, bo sprowadził do kraju dwóch premierów emigracyjnych: pierwszym był Hugon Hanke, który piastował stanowisko premiera urzędującego. Drugim – wielkie nazwisko emigracji, czyli były premier Stanisław Cat-Mackiewicz.

Do tej pory twój ojciec, Czesław Makowski, „nie wyświetlał" się przy tych sprawach.
Fakt, było o tym raczej cicho. Ówczesnym władzom bardzo zależało na tej operacji. Chodziło o to, żeby pokazać Zachodowi, zwłaszcza Brytyjczykom, że polska emigracja jest niepoważna i nie ma co inwestować w nią pieniędzy.

Jak mówią materiały źródłowe, pogłębianie „rozkładu kierowniczych ogniw emigracyjnych" było wówczas jednym z głównych zadań wywiadu.
No tak, bo oni wychodzili z założenia, że polityczne środowiska emigracyjne finansowane są z Zachodu i sterowane przez zachodnie wywiady. Dlatego były celem. Ojciec jako wiceszef

wywiadu, którym został w 1950 roku, tym między innymi się zajmował. Ponieważ sprawa dwóch premierów była traktowana jako priorytetowa, wysłano go w 1954 roku na placówkę do Londynu, by osobiście dopilnował powrotu obu dżentelmenów. Pojechał i dopilnował.

Hanke, co wyszło po latach, był kluczowym informatorem służb PRL w środowisku emigracji londyńskiej. W jaki sposób twój ojciec dopilnował jego powrotu?
Najbardziej spektakularna była operacja z Hugonem Hanke. Wszystko odbywało się jesienią 1955 roku. Hanke, jak wspomniałem, był urzędującym premierem. Oczywiście od jakiegoś czasu współpracował z wywiadem. Wyraził chęć powrotu, jednak był problem, jak go z tego Londynu bezpiecznie wydostać. Opracowano plan: Hanke poleciał do Wiednia, który był wówczas jeszcze podzielony na strefy okupacyjne. Ojciec także się tam udał i osobiście przeprowadził premiera do strefy radzieckiej. Tam na lotnisku czekał specjalny samolot, którym Hanke został przetransportowany do Warszawy. Ciekawe, że był to jeden z ostatnich dni – ojciec mówi nawet, że ostatni – funkcjonowania stref okupacyjnych w stolicy Austrii.

Jak było ze Stanisławem Catem-Mackiewiczem?
On nie był urzędującym premierem, ale to było potężne nazwisko. Dziennikarz, publicysta, historyk o niesamowicie ciętym piórze. Kierownictwu resortu musiało na nim szczególnie zależeć.

Sławomir Cenckiewicz pisze, że Cat dzięki pomocy bezpieki wydał broszurę *Od małego do wielkiego Bergu*. Od marca do czerwca 1956 roku otrzymał od oficera Departamentu I tysiąc osiemdziesiąt pięć funtów, później jeszcze trzysta dolarów amerykańskich. Krótko mówiąc, na pasku służb chodził od długiego czasu. Robota ojca?
Na pewno nie było tak, że ojciec spotkał Mackiewicza w parku w Londynie i zaproponował: „To co, panie Stanisławie, może

pan wróci do kraju?". „Dobrze, panie Czesławie, tylko się spakuję". Tyle że ja mogę się tego jedynie domyślać. Ojciec nigdy mi się nie zwierzał ze szczegółów operacyjnych.

Niektóre fakty są już znane. Na przykład ten, że przed twoim ojcem rozmowy operacyjne z Catem-Mackiewiczem, zarejestrowanym jako „Cezar", prowadził inny pracownik MBP, Marcel Reich-Ranicki, później słynny niemiecki krytyk literacki, który mieszkał w alei Przyjaciół, zanim wyście się tam wprowadzili.

Tak właśnie było. Mój ojciec i pan Ranicki się mijali. Ale wiem, że ojciec go kojarzy.

Cat wrócił, pisał książki przywalające w emigrację, ale potem rozczarował się PRL. Podpisał List 34 przeciwko cenzurze, władze wytoczyły mu nawet proces za działalność na szkodę państwa.

Ojciec pamięta Cata jako bardzo niepokornego człowieka o niezwykłej inteligencji. Gdy go poznał, Cat był mocno skłócony ze środowiskiem emigracji, co oczywiście zwiększało szansę na namówienie go do powrotu. Tyle że rzeczywiście po powrocie do kraju szybko skłócił się z władzami. Ojciec mówił, że przewidywał to od samego początku. Cat nie znosił, gdy nakładano mu jakiś gorset, był urodzonym buntownikiem.

Ciekawe, że wnukiem Cata jest Piotr Niemczyk, jeden z młodych dyrektorów w UOP, którzy przyszli zaraz po zmianie w 1989 roku.

Tego nie wiedziałem, ale to by pasowało. Bo Piotr Niemczyk też jest niezwykle inteligentnym człowiekiem.

Opowiedz, jak ojciec trafił do Ministerstwa Bezpieczeństwa Publicznego, a potem do wywiadu.

Pochodzi ze wsi Falenica pod Warszawą. Był robotnikiem, przed wojną pracował w Warszawie. Gdy wojna wybuchła, z grupą kolegów uciekł przed Niemcami do Lwowa. Miał wtedy dziewiętnaście lat. Lwów – miasto polskie, ale Ukraińcy, jak wiecie, mieli w tej sprawie inne zdanie. Sytuacja zaczęła się robić nieciekawa dla Polaków. W 1940 roku do miasta przyjechała grupa werbunkowa z Rosji, z Magnitogorska na Uralu. Szukali ludzi do pracy w fabrykach zbrojeniowych. Ojciec z czterema kolegami zgłosili się i pojechali pracować na Sybir.

Chłopak z Falenicy nagle rzuca się w środek komunistycznego państwa, na Syberię?
Przed wojną ojciec był w lewackiej młodzieżówce. Nie mamy żydowskich korzeni, ale tak wyszło, że ojciec mieszkał w dzielnicy żydowskiej, która w ogóle była lewicowa. Nie był – nazwijmy to – arystokratą. Wobec czego wyjazd do Sowieckiego Sojuza nie kojarzył mu się z czymś negatywnym.

Tata był młodym komunistą?
Nie, nie był członkiem partii komunistycznej. Należał po prostu do tych lewicujących. W Magnitogorsku byli jedynymi mężczyznami. Reszta facetów poszła na front. Zostali oni, czyli Polacy, i same kobiety. Ojciec miał dla nich wielki szacunek i podziw. Dźwigały, kuły, toczyły. Cała zbrojeniówka to były one, zaplecze logistyczne wojny. Opowiadał, że jadało się tam głównie kapustę – w różnych zresztą formach: od kapuśniaku po jakieś wariacje na temat bigosu. Tak więc chleb i trzy razy dziennie zupa z kapusty. Rozrywek szczególnych nie było. Praca, praca, praca i tyle. Nauczył się oczywiście super rosyjskiego. Później, jak był na różnych placówkach, to go Rosjanie nie odróżniali.

Aż tak?
Pamiętam to z Londynu. Do rosyjskiej rezydentury przyjechał jakiś nowy człowiek. Na jakimś przyjęciu stali w grupie. Nowy był przekonany, że ojciec jest od nich.

To nie wiedział, kto jest od nich?

Umówmy się, że radziecka rezydentura była niemała, więc na początku mógł wszystkich nie znać. W każdym razie uważał, że ojciec jest z ich ambasady. Traktował go więc jak czekista czekistę. Dopiero inni mu uświadomili, że jego rozmówca to Polak.

Wracamy do Magnitogorska.
Gdy zaczęła powstawać polska armia Berlinga, tata zgłosił się do wojska. Chciał zostać pilotem, właściwie przeszedł nawet wszystkie badania i już miano skierować go na kurs. Ale Rosjanie wymyślili, że obcokrajowcy nie mogą być pilotami. Bali się pewnie, że któryś ucieknie samolotem do Niemców. I tak ojciec trafił do zwiadu. To był zwiad zmotoryzowany, na samochodach pancernych. Szli pierwsi, na szpicy. Rozpoznawali teren. Dawali znać, czy są miny, gdzie się kryją Niemcy. Typowo zwiadowcza robota.

„W kwietniu 1944 roku w szkole NKWD numer 366 w Kujbyszewie rozpoczął się kurs dla 120-osobowej grupy polskiej. Do połowy 1944 roku w szkole NKWD przeszkolono 217 przyszłych oficerów polskiego aparatu bezpieczeństwa" – to cytat z książki Leszka Pawlikowicza *Tajny front zimnej wojny*. Z kolei Zbigniew Siemiątkowski w pracy *Wywiad a władza* podaje, że Czesław Mackiewicz-Makowski, twój ojciec, był jednym z przeszkolonych tam ludzi. Wiedziałeś o tym fakcie?
Tak. Ojciec przechodził tam przeszkolenie wywiadowcze i kontrwywiadowcze, prowadzone przez doświadczonych oficerów. Oni byli młodzi i zupełnie surowi w tych sprawach. Od kogo innego mieli się uczyć? W lipcu 1944 roku w Lublinie został odkomenderowany do bezpieki. Do Warszawy doszedł jeszcze jako żołnierz. A w styczniu 1945 roku powstało Ministerstwo Bezpieczeństwa Publicznego i ojciec zaczął tam pracować.

Co robił?
Był adiutantem pierwszego ministra Stanisława Radkiewicza. Pewnie jednym z kilku.

Radkiewicz był ministrem do 1954 roku. Ponura postać, kojarząca się ze zbrodniami stalinowskiej ubecji
Wiem, jaka jest ocena historyczna. Ciekawe jednak, jak zapamiętał Radkiewicza ojciec. Wspomina go jako inteligentnego człowieka, który nie był zwolennikiem łamania kości.

Ale kości łamano.
Bez wątpienia. Ojciec kojarzy to raczej z zastępcami Radkiewicza i innymi ludźmi na wysokich stanowiskach w MBP. Rzecz w tym, że byli to ludzie w większości pochodzenia żydowskiego, którzy przyszli z armią z ZSRR i nie zastali swoich rodzin, bliskich, bo wszystkich ich wymordowano. Mieli skłonność, zaszczepioną im przez ówczesne władze, do widzenia w każdym AK-owcu faszysty i zbrodniarza.

Czym ojciec zajmował się w MBP oprócz tego, że był adiutantem?
Walką z podziemiem. Bo co innego mógłby robić, będąc w bezpiece? Ojciec wspomina to tak: „Podziemie miało wizję wyzwolenia Polski poprzez III wojnę światową, a Polacy wojny nie chcieli".

Dlaczego zdecydował się na tę pracę? Ubecja w tamtych czasach to była wyjątkowo paskudna instytucja.
Bo to były paskudne czasy. Naprzeciwko siebie stali bardzo twardzi ludzie. Wszyscy po latach wojny, stałego obcowania ze śmiercią. Rzeczywistość była brutalna. Dziś trudno nam to sobie wyobrazić.

W 1949 roku zginął brat twojego ojca, żołnierz Korpusu Bezpieczeństwa Publicznego, tak wynika z dokumentów IPN.
Zginął pod Ciechanowem. Jak to się wówczas nazywało, w walce z bandami. Stryj poderwał swoją kompanię czy pluton do ataku i zginął. 1949 rok, czyli ostatnia kula.

Długo ojciec był adiutantem Radkiewicza?

Nie, wkrótce został oddelegowany do Poznania, do tamtejszego UB.

W archiwach zachowała się notatka z 1972 roku na temat twojego ojca: „Do 1944 roku pełnił służbę w I Armii Wojska Polskiego. Do służby w organach BP został przyjęty w 1944 i zajmował następujące stanowiska: oficer do zleceń specjalnych, kierownik sekcji, naczelnik WUBP, zastępca szefa WUBP, a od 1948 roku naczelnik wydziału w obecnym Departamencie I, w którym zajmował też stanowisko wicedyrektora".
Zgadza się.

Co robił w Poznaniu?
Był dość wysoko postawiony, piastował stanowisko jednego z zastępców w Urzędzie Bezpieczeństwa.

Błyskotliwa kariera.
Owszem, tyle że wtedy awansowało się dość szybko. W Poznaniu zaznajomił się z panem Czempińskim, ojcem Gromosława, późniejszego szefa UOP. Pracowali razem. Tam także poznał moją matkę.

W resorcie?
Tak, była oficerem. To znaczy miała stopień oficerski, ale nie była oficerem operacyjnym. Głównie przepisywała dokumenty na maszynie. Mama, córka listonosza, pochodziła z Poznania.

To znaczy, że rodzice poznali się w UB?
W Poznaniu przebywali do 1948 roku. Potem przeprowadzili się do Warszawy. Dostali przydział na mieszkanie w alei Przyjaciół, no i w styczniu tego roku urodził się mój brat.

Byli wówczas komunistami z przekonania?
Ojciec, jak mówiłem, od młodości miał lewicowe poglądy. Pobyt w Związku Radzieckim nie mógł na niego nie oddziaływać. Ojciec uważał, że wygraliśmy wojnę, nie tylko ZSRR, ale także Polska.

A matka?
Też miała lewicowe poglądy. To wśród młodzieży było wówczas modne. Zresztą na całym świecie ludzie zwracali się ku komunizmowi.

Po co ojca ściągnięto do Warszawy?
Został skierowany do pracy w wywiadzie.

Co robiła mama?
Dalej pracowała w resorcie. Znała nieźle niemiecki. O ile wiem, była tłumaczem w kontrwywiadzie MBP.

Nie prowadziła sama spraw?
Nie, nie była operacyjna.

Ty urodziłeś się w 1951 roku.
Tak jest.

A ojciec nie nazywał się wtedy jeszcze Makowski, prawda?
Prawda. Nazywał się Czesław Mackiewicz. Ojciec zmienił nazwisko, gdy jechał na placówkę do Londynu. Później, po powrocie, przez jakiś czas używał podwójnego nazwiska Makowski-Mackiewicz, a potem tylko Makowski. I to także jest moje „lewe" nazwisko. Bo nasze rodowe brzmi właśnie Mackiewicz.

Idźmy rodzinnym tropem. Czym się zajmował brat, jak dorósł?
Skończył lingwistykę stosowaną i został nauczycielem akademickim, tłumaczem. Właśnie on nigdy nie był związany ze służbą *(śmiech)*.

Jako jedyny w rodzinie? Dlatego się śmiejesz?
Chodzi o coś innego. On nie był związany ze służbą, ale pojechał jako zwykły tłumacz do Wietnamu w ramach Międzynarodowej Komisji Kontroli i Nadzoru. No i zaliczył w kwietniu 1975 roku upadek Sajgonu. Mało zresztą go tam nie zabili.

Jak to?

Upadek Sajgonu wyglądał, wiem z relacji brata, bardzo ciekawie. Jednego dnia faceci, których znał jako oficerów armii południowej, zrzucili mundury i „wyszli na powierzchnię" jako pułkownicy Wietkongu. To znaczy, że komuniści z Północy spenetrowali armię Południa do kości.

Jak brat uszedł z Sajgonu?

To było dość przykre. Mieli kwatery zaraz przy lotnisku. Amerykanie do ostatniej chwili wywozili z Wietnamu dzieci – sieroty. Jeden z takich transportowców rozbił się przy starcie. Brat pobiegł z kolegami. Cały pas usłany był zwłokami dzieci, kawałkami ciał. Oczywiście wrażenie straszne. Wietkong podchodził do lotniska i poleciały pierwsze rakiety. Następnej nocy chłopcy poszli się przewietrzyć, a jedna z rakiet rozwaliła ich kwaterę. No więc stało się jasne, że ważni ludzie z Międzynarodowej Komisji Kontroli i Nadzoru chyba o nich zapomnieli. Trzeba było spadać na własną rękę, i to natychmiast.

Uciekli?

Nie było to takie proste. Wojsko Południa, które ochraniało lotnisko, zakomunikowało, że nikogo nie wypuszcza. Więc Polacy, razem z Irańczykami, zostali pod ostrzałem. Brat z kolegą przebili się jakoś do miasta. Trafili na patrol amerykański. Brat znał angielski, mówił zresztą z takim samym akcentem jak ci Amerykanie. Szybko się dogadali. Amerykańscy chłopcy zapakowali ich do wozu i pojechali uwalniać komisję. Ale południowcy byli twardzi, nie chcieli wypuszczać i już. Amerykanin trochę sobie z nimi pogadał. Wrócił do samochodu i kazał rozwalić całą tę załogę, tę wartę południowowietnamską.

Rozwalić?

Tak właśnie zrobili. Nie było o czym dyskutować. Pewnie nie chcieli niepotrzebnie przedłużać tych negocjacji. Zgarnęli całe uwolnione towarzystwo i zawieźli do miasta. Tam był taki hotel, gdzie się wszyscy ci ludzie grupowali. W sumie brat był tam przez sześć tygodni, ale przeżył tyle, że starczyłoby na kilka życiorysów.

Wracamy do początku lat pięćdziesiątych. Najpierw ojciec dostaje mieszkanie w alei Przyjaciół.
Tak. W sumie to były chyba ze trzy mieszkania, jedno po drugim. Im wyżej awansował, tym większe dostawał mieszkanie. Najpierw to było pięćdziesiąt metrów, później sześćdziesiąt. No i później, jak został wicedyrektorem wywiadu, przed wyjazdem do Londynu, dostał sto metrów.

Przemieszczaliście się w obrębie tej samej kamienicy?
Tak. Najpierw parter, później drugie piętro, później obok, też na drugim.

A jak ty wspominasz dzieciństwo w alei Przyjaciół?
To fajna okolica, aleja Przyjaciół, aleja Róż. Ta część miasta nie była zniszczona, bo w czasie wojny mieszkali tam Niemcy. Poza tym cała aleja Przyjaciół powstała w latach trzydziestych, tak więc były to względnie nowe budynki. Zaprojektowane zresztą przez inżyniera Aleksandra Wolskiego, który po wojnie mieszkał w tym samym domu co my, na czwartym piętrze. Pamiętam, jak się budowała cała Koszykowa. Materiały wożono furmankami. Nie było jeszcze Trasy Łazienkowskiej, w tamtym miejscu była inna trasa – do jeżdżenia na sankach i na nartach. Całkiem spora góra, trzeba było coś umieć, żeby z niej zjechać. Przy placu Na Rozdrożu stały stare carskie budynki.

Jakub Berman, Józef Cyrankiewicz, Andrzej Werblan, Ozjasz Szechter. Sąsiedztwo miałeś ciekawe.
Niemcy wyrzucili wszystkich poprzednich właścicieli, a że w czasie wojny nie zniszczyli dzielnicy, w 1945 roku cały interes przejęło MBP. Ulica zmieniała się zresztą po kolejnych czystkach w resorcie.

W alei Przyjaciół resort przeważał?
Wszyscy się znali. Nie dość, że mieszkali razem, to jeszcze spotykali się w pracy.

Dlaczego ojca wzięli do wywiadu?
Nie wiem, dlaczego trafił do wywiadu. Był w miarę sprawny, inteligentny, no i był adiutantem Radkiewicza.

W 1948 roku, kiedy twój ojciec zaczynał pracę w wywiadzie, wywiad wojskowy był jeszcze połączony z cywilnym. VII Departamentem MBP rządził generał Wacław Komar.
Ojciec musiał go znać, ale niezbyt dobrze go pamięta. To jednak była przepaść – ojciec był młodym oficerem, a Komar generałem.

W listopadzie 1949 roku w partii nastąpiła czystka. Wyrzucono z jej szeregów między innymi Władysława Gomułkę. W maju 1950 roku wywalono generała Komara, rozdzielono wywiady wojskowy i cywilny. Po Komarze dyrektorem VII Departamentu, czyli wywiadu, został pułkownik Witold Sienkiewicz, a jednym z jego zastępców – twój ojciec.
Tak, ojciec został w 1950 roku zastępcą Sienkiewicza. Był już typowym oficerem operacyjnym. Sienkiewicz potrzebował fachowców z doświadczeniem i stąd awans ojca. On generalnie starał się nie mieszać się do gier frakcyjnych w resorcie. Zajmował się tym, co lubił najbardziej, czyli szpiegowaniem.

Czym konkretnie ojciec zajmował się w VII Departamencie?
To był trochę inny wywiad. Opowiadał mi, że jeździli na lewych paszportach po całej Europie. On jeździł na szwajcarskim, choć nie znał wówczas żadnego zachodniego języka. Wiadomo – świat po wielkiej wojnie. Polaków na Zachodzie było mnóstwo. Była baza werbunkowa.

W 1954 roku ojciec przetrwał w resorcie zmianę nazwy z MBP na MSW, włączenie wywiadu do Komitetu Bezpieczeństwa Publicznego, dymisję Radkiewicza i aresztowanie jego współpracowników.

Siedzieliśmy pewnej nocy z dziadkiem w kuchni w alei Przyjaciół. Okna wychodziły na ministerstwo. Patrzyliśmy na gmach przez kilka godzin. Była już północ, a tam ciągle paliły się wszystkie światła. Dziadek mówił mi: „Olek, tam poważne zebranie się odbywa". Chyba nieźle się orientował. To był zwykły chłop, ale rozgarnięty.

W resorcie odbywała się destalinizacja struktur?
No tak, i w jakimś sensie czyszczenie etniczne. Wcześniej funkcje od zastępcy naczelnika wzwyż zajmowali głównie ludzie pochodzenia żydowskiego. Ojciec był pod tym względem rodzynkiem. Takich jak on pracowało tam niezbyt wielu.

Swoją drogą był adiutantem Radkiewicza. Jak uniknął czystek w resorcie?
To już nie miało znaczenia. Wtedy mógł się poszczycić własnym dorobkiem wywiadowczym oraz doświadczeniem na stanowisku wiceszefa wywiadu. No i odniósł znaczący sukces – doprowadził do powrotu Hankego i Mackiewicza. Tak więc turbulencje na szczytach ominęły go zupełnie. Pojechał do Londynu – a przecież to była jedna z najważniejszych rezydentur. Ja przez pierwszy rok zostałem z dziadkami, rodzicami ojca, którzy mieszkali z nami w alei Przyjaciół.

Zaraz nam powiesz, że i dziadek pracował w resorcie.
No tak, tu was nie zawiodę. Dziadek pracował w resorcie, był windziarzem. Do pracy miał niedaleko, bo resort, czyli ubecja, mieścił się na tyłach Koszykowej, tam gdzie dziś jest Ministerstwo Sprawiedliwości. Budynku na Rakowieckiej, obecnej siedziby MSW, jeszcze wtedy nie było. Pracowicie stawiali go niemieccy jeńcy wojenni.

Czyli dwa kroki do roboty.
Przez podwórko. W podwórku była nawet brama, tylne wejście do resortu. Trwało to do drugiej połowy lat pięćdziesiątych. Wtedy Niemcy skończyli budować Rakowiecką i całe bractwo

tam się przeniosło. Jeńców, którzy zresztą porządnie postawili ten gmach, puszczono do domu. Na pewno lepiej im było tu niż na Syberii.

Mówiłeś, że ojciec nie znał zachodnich języków. Jak radził sobie w Londynie?

Rzeczywiście z obcych języków znał tylko rosyjski, i to jak Rosjanin, o czym już opowiadałem. W Anglii nauczył się angielskiego, całkiem nieźle. Był na kursie językowym w Oksfordzie. Tyle że i bez angielskiego można było sobie radzić. Liczba Polaków była ogromna. Uplasowani wszędzie, nawet w armii brytyjskiej. Wielu arystokratów. Wywiad mógł docierać do całego przekroju społeczeństwa. Język polski wystarczał więc, by sobie radzić.

Czyli raczej nie wykradał brytyjskich sekretów, tylko rozpracowywał „wrogów Polski Ludowej".

Myślę, że robił wszystko. Wielka Brytania obok USA, RFN, Francji i Watykanu należała do głównych przeciwników. Takie były wówczas wytyczne dla Departamentu I. No, ale nie czarujmy się. Podstawowym zadaniem było rozpracowanie rządu emigracyjnego. Rząd londyński współpracował ściśle z wywiadem brytyjskim i amerykańskim. Z punktu widzenia PRL był zatem przeciwnikiem. No więc bezpieka go zwalczała. Najpierw infiltrowała kolejne komendy antykomunistycznej organizacji podziemnej Wolność i Niezawisłość. Piąta komenda była już od początku stworzona przez ubecję. Agenci CIA i Brytyjczycy przyjeżdżali do Polski obserwować, jak sobie radzi zbrojne podziemie. To się im organizowało w lasach defilady. Żołnierzy LWP przebierało się za partyzantów i jazda! Tak to wyglądało. Oni zresztą też nie pozostawali dłużni. Oczywiście w trosce o historyczną prawdę trzeba dodać, że głównym kierunkiem działania polskich służb byli Niemcy. Za najważniejszego przeciwnika uważano po wojnie RFN.

Rodzice są w Londynie. Kiedy do nich przyjeżdżasz?
W 1957 roku. Dołączyłem do nich wraz z bratem, gdy miałem sześć lat i byłem gotowy pójść do szkoły. Podróż była ciekawa, bo płynęliśmy statkiem. Bardzo dobrze pamiętam Londyn z tamtych czasów. Pierwsze wrażenie było takie, że widzę zupełnie niezniszczone miasto. Przed pałacem straż honorowa w czerwonych mundurach i czarnych czapach, kawaleria brytyjska, policja wyglądająca tak jak zawsze, piękne taksówki – to wszystko funkcjonowało. Po Warszawie był to w pewnym sensie szok.

Jak ci szło w szkole?
Poszedłem oczywiście do szkoły brytyjskiej. Z marszu, nie znając ani słowa po angielsku. Tak że przez pierwsze pół roku nic nie mówiłem, a później zacząłem mówić i nie było już najmniejszego problemu. To była miejska szkoła w dzielnicy Golders Green, gdzie mieszkaliśmy. Potem zmieniałem szkołę dwa czy trzy razy, bo się przeprowadzaliśmy. Tę pierwszą zapamiętałem najlepiej.

Początki musiały być trudne.
Nauczyciele wiedzieli, że nic nie rozumiem, więc przez pierwsze sześć miesięcy dawali mi spokój. Potem załapałem język i potoczyło się gładko. Szkoła była typowa dla tamtych czasów. Chodziło się w mundurku, krawacie, białej koszuli, w lecie krótkie spodnie, marynarka, szary sweter. Oczywiście były także kary cielesne. Każdy nauczyciel miał taką linijkę, półmetrową, i jak uznał, że jest taka potrzeba, to walił w tyłek albo po łapach. To było bardzo ciekawe doświadczenie.

Po kilku latach byłeś już dla Anglików nie do odróżnienia, co pewnie dało ci lepszy start do późniejszej kariery.
Fakt, znałem angielski lepiej niż polski.

Wyjeżdżałeś do tego Londynu jako Mackiewicz czy jako Makowski?

Jako Makowski-Mackiewicz. Pamiętajmy, że świat wówczas wyglądał zupełnie inaczej. Nie było Internetu, cyfryzacji. Dodanie nazwiska Makowski było taką małą zmyłką, która miała przysporzyć Brytyjczykom kłopotów. Po co mieli od razu wiedzieć, kim był ojciec w MBP i MSW?

Rodzice przestrzegali cię, że o pewnych sprawach mówić nie wolno?
Nie było takiej potrzeby, bo ja nic nie wiedziałem. Ojciec pojechał tam jako pierwszy sekretarz ambasady. Byłem przekonany, że tata był urzędnikiem, a teraz jest dyplomatą. Nie miałem więc czego ukrywać. Zresztą często bywaliśmy w ambasadzie polskiej przy Portland Street. Więc mnie placówka zdecydowanie kojarzyła się z pracą ojca.

Co robiła mama?
Przez część pobytu pracowała w poselstwie. Ale po latach uświadomiłem sobie coś dziwnego w jej zachowaniu. Otóż przez wiele lat chodziliśmy zawsze do jednego kina na Piccadilly Circus. Patrząc na to z perspektywy lat, myślę, że obsługiwała tam jakiś schowek szpiegowski. Bywaliśmy w tym kinie co trzy, cztery tygodnie. Druga sprawa to basen. Jeździliśmy tam z ojcem regularnie przez trzy lata. Chciało się nam czy nie. Od basenu nie było wymówki ani odwołania. To też musiało służyć wykonywaniu jakichś zadań.

Może zwyczajnie dbał o waszą tężyznę fizyczną?
To też, i naturalnie wyszło to nam na zdrowie. Dzieci są zresztą idealną legendą. A basen, szafki, przebieralnie to wymarzone miejsce, gdzie można sobie przekazywać materiały. Wystarczy zostawić komuś kluczyk od szafki. Prawda?

Zakolegowałeś się z kimś w szkole?
Miałem niejednego kolegę. Mieszkaliśmy w wolnostojącym ładnym domku. Dwa czy trzy domy od nas mieszkała rodzina żydowska, która miała syna w moim wieku. Z nim się

trzymałem. W szkole, dobrze pamiętam, dochodziło do bija-
tyk. Zaczynało się na korytarzu, a kończyło honorowo w parku
przyszkolnym.

**Budziłeś zaciekawienie czy szybko wtopiłeś się w szkolną rze-
czywistość?**
Szkoły były bardzo „białe". To znaczy było trochę Hindusów
i Pakistańczyków, ale w znacznej mniejszości. W sumie nie bu-
dziłem specjalnego zaciekawienia. Szczególnie od momentu,
gdy zacząłem mówić. Mówiłem bez akcentu, więc traktowano
mnie zupełnie normalnie.

Dobrze ci było w Wielkiej Brytanii?
Tak, tak. Na przykład udaliśmy się kiedyś samochodem na
eskapadę do Szkocji, na północ. Do dzisiaj pamiętam te wrzo-
sowiska, te różne kolory, rdzawy, zielony, błękitny. Pledy w kra-
tę. Szkocja była przepiękna. Spaliśmy w jakimś hoteliku nad
Loch Ness. Pamiętam też Brighton, gdzie płynie ciepły prąd
morski i w związku z tym palmy stoją na werandach, a delfiny
skaczą sobie w morzu. No i Londyn… Do dziś mam sentyment
do Londynu, bo to miasto mojego dzieciństwa. Spacery po Re-
gent's Park, gdzie zawsze w niedzielę amatorskie drużyny grały
w piłkę nożną.

**Siedzieliście tam sobie jak pączki w maśle, tymczasem wywiad
przeżył potężną katastrofę.**
Zdezerterowali kapitan Władysław Mróz działający we Francji i naczelnik wywiadu naukowo-technicznego, podpułkownik
Michał Goleniewski. Do tego afera kurierska, czyli przemyca-
nie przez kurierów z wywiadu waluty i złota. W końcu samobójstwo wicedyrektora wywiadu Zbigniewa Dybały.

**Podobno ucieczka Goleniewskiego zdekonspirowała 85 pro-
cent kadry wywiadu.**
Goleniewski rzeczywiście był bardzo wpływową postacią
w wywiadzie. Współpracował z CIA od 1959 roku. Natomiast

zdezerterował w 1961, w styczniu – zgłosił się w rezydenturze amerykańskiej w Berlinie Zachodnim. Niedługo potem rodzice spacerowali sobie po Londynie, gdy podjechało jakieś auto, uchyliła się szybka, a za nią siedział pan Goleniewski.

Mówił coś?
Nie, wszystko odbyło się w milczeniu. Goleniewski najpewniej miał rozpoznać moich rodziców, potwierdzić ich tożsamość. Co zresztą – jak widać – uczynił. Jego dalsza droga życiowa była mocno pogmatwana. Zaczął między innymi głosić, że jest jednym z synów cara Mikołaja II. Czyli trochę zwariował. Zmarł w Stanach w 1993 roku. Oczywiście było mnóstwo teorii na jego temat – w tym i taka, że jego zdrada była grą operacyjną KGB, z którą to służbą Goleniewski miał nadzwyczaj dobre układy. To znaczy, że chodziło o to, by się wkręcił tam, na Zachodzie, w łaski ich służb. Nas zdradził niejako przy okazji, choć zdradził realnie.

W odróżnieniu od Goleniewskiego kapitan Władysław Mróz nie umarł śmiercią naturalną.
On był nielegałem we Francji, pojechał tam dzięki swoim staraniom i na własną prośbę. Spalił siatkę we Francji i wielu naszych współpracowników – wszystkich, których znał. Dla szefa wywiadu Witolda Sienkiewicza to musiał być szok, bo Mróz był w jakimś sensie jego wychowankiem. Dlatego nie zadrżała mu ręka, gdy akceptował decyzję o likwidacji zdrajcy.

Była grupa likwidacyjna?
Nie, to jest mit. Nigdy takiej grupy w wywiadzie nie było. Do odstrzelenia Mroza ludzie zgłosili się na ochotnika. Byli to jego koledzy, mocno rozczarowani na przykład tym, że wydał Francuzom naszych nielegałów. Pojechali na miejsce, wywabili go z mieszkania i zastrzelili w październiku 1960 roku. Nie znam innego przypadku fizycznej likwidacji kogoś przez nasz wywiad. Mróz jest wyjątkiem.

Za wszystkie te afery szef wywiadu Witold Sienkiewicz zapłacił stanowiskiem. Zastąpił go Henryk Sokolak. Przy okazji na stołkach wiceszefów wywiadu zostali posadzeni ludzie Mieczysława Moczara – Mirosław Milewski i Eugeniusz Pękała. Sokolak był więźniem obozu w Buchenwaldzie i niezłym znawcą tematyki niemieckiej. Mówił biegle w tym języku i miał w RFN doskonałe układy. Zresztą potem zajmował się tą tematyką w MSZ. Milewski przyszedł z kontrwywiadu i był ciałem obcym w Departamencie I. No, ale ojciec nie miał na to wpływu. Wrócił na stanowisko, które opuścił, wyjeżdżając do Londynu, czyli został wiceszefem wywiadu.

3
Od Ameryki do Kiejkut

Powrót i szok – Znów na Zachodzie – Amerykańska szkoła – Mój ojciec to szpieg – Czystka 1968 – Boczny tor – Wywiad mówi „dzień dobry"

Wracacie z Londynu w 1961 roku.
Przeżywam szok. Tam w szkole radziłem sobie dobrze. Tu jestem tuman. Czwarta klasa była trudna. Na początku w ogóle nie kapowałem, czego ci nauczyciele chcą ode mnie. „Kot" pisałem przez „c".

Przecież w domu, w Londynie, mówiłeś z rodzicami po polsku.
Ale od ósmej do szesnastej siedziałem w szkole, bo tak mniej więcej to wyglądało. Z bratem przez cały okres londyński gadaliśmy po angielsku. Ojciec wziął nawet dla nas korepetycje z polskiego, no i w weekendy chodziliśmy do szkoły polskiej w ambasadzie. Mimo to luki w polszczyźnie miałem ogromne. W Warszawie chodziłem do szkoły numer 48 imienia Stefanii Sempołowskiej. Po sąsiedzku. Przebrnąłem jakoś przez czwartą i piątą klasę. W szóstej zostałem gospodarzem, w siódmej prymusem. W końcu jeden z nauczycieli przydzielił mi dwóch czy trzech nygusów, których bracia raz po raz trafiali do więzienia. Miejscowych chuliganów. Dostałem zadanie, żeby ich podciągnąć, zwłaszcza z polskiego.

Udało się?

Trochę im pomogłem, ale też poznałem ich braci i chuligankę z okolicy. Zaczęliśmy popijać piwko. Browar warszawski kosztował trzy sześćdziesiąt

Uczyłeś się angielskiego po powrocie do Warszawy?
Chodziliśmy na korepetycje do pary komunistów kanadyjskich, którzy mieszkali w Polsce. Jak później ustaliłem, on był fizykiem od programów nuklearnych i, nazwijmy to, osiedlił się w Polsce.

Jako jedenasto-, dwunastolatek wiedziałeś już, co robi twój ojciec?
Nie. Domysły były, bo on nigdy nic nie mówił, ale dopiero w 1965 roku, gdy wybieraliśmy się do USA, nabrałem przekonania, że on coś musi robić równolegle. Na tamtej placówce zaobserwowałem, że on ma bardzo silną pozycję. Był niby zwykłym radcą, ale czułem, że to coś więcej. Oczywiście czułem dobrze. Ojciec był wtedy rezydentem wywiadu. W Stanach funkcjonowały trzy rezydentury: w Waszyngtonie, w Nowym Jorku przy ONZ i w konsulacie generalnym w Chicago. Ojciec był wodzem tego wszystkiego. Był ważny i to było widać.

Gdy koledzy z podwórka w Warszawie pytali, co robi tata?
Tata jest dyplomatą. W to wierzyłem.

A ty kim chciałeś wówczas być?
Oczywiście dyplomatą. To było ciekawe, no i z tym mi się kojarzyło całe dotychczasowe życie.

A kiedy jedziecie do Stanów? W którym roku?
W 1965, do Waszyngtonu. Rodzice pojechali pierwsi. A myśmy przez jakiś czas zostali z dziadkami. Miałem czternaście lat, brat szesnaście. Zaczęliśmy pić piwko, szlajać się z chuliganami. Wtedy była taka moda na odrywanie znaczków od samochodów, tym się zajmowaliśmy. W szkole radziliśmy sobie dobrze, ale rzeczywiście dziadkowie nie bardzo mogli utrzymać nas w ryzach.

Pierwsze wrażenia z Ameryki?
Polecieliśmy z przyjacielem ojca, oczywiście też starym szpiegiem.
Pierwsze wrażenie? Wszystko jest dwa albo trzy razy większe
niż w Europie. Jedną z pierwszych osób, na jakie się nadzialiśmy,
był nowojorski policjant z naganem na wierzchu. Western! Waszyngton bardzo mi się spodobał. Miło, ciepło, w miarę bezpiecznie. W Waszyngtonie poszedłem do liceum, w którym 95 procent
uczniów było czarnych. Ale nie miałem żadnych problemów.

Twój ojciec kierował wszystkimi naszymi rezydentami, tak?
Tak, podlegali mu bezpośrednio, a Waszyngton był wiodącą rezydenturą.

**To musiał być dumny, bo w wywiadzie nie było chyba wyż-
szego stanowiska operacyjnego. Stany były traktowane jako
główny przeciwnik.**
Wtedy miał bardzo mocną pozycję w wywiadzie. Szef wywiadu
Henryk Sokolak był jego przyjacielem, mieszkał zresztą na są-
siedniej klatce. Mama dobrze znała jego żonę.

Amerykanie deptali wam po piętach?
Tak, w tamtych czasach Amerykanie działali dość brutalnie.
Potrafili na przykład prowokować wypadki samochodowe. To
znaczy wjechać w wóz dyplomaty, co do którego mieli podejrzenia, że zajmuje się służbą nie tylko dyplomatyczną.

Po co?
Chodziło o zastraszanie. Byłem młody i Amerykanie czasami
puszczali za mną obserwację. Zdarzyło się, że zostałem przez
nich napadnięty. Niemal posunęli się do rękoczynów. To znaczy nie mogli przekroczyć określonej granicy, ale straszyć – jak
najbardziej.

Opowiedz.
Spacerowaliśmy we czterech, młodzi chłopcy, dzieci pracowników ambasady. Nagle wywiązała się sprzeczka z dwoma

przechodzącymi mężczyznami – ktoś kogoś potrącił, klasyka. Faceci zupełnie nieoczekiwanie wystartowali do nas, wyglądali, jakby chcieli się bić. Z trudem się powstrzymywali. Analizowaliśmy to później. Wniosek był jeden. Amerykańska obserwacja przesyła pozdrowienia: „Obserwujemy was, cały czas jesteście pod kontrolą". Zresztą to niejedyny taki incydent. Kiedyś pracownik konsulatu, który zajmował się także sprawami wywiadowczymi, miał dziwny wypadek samochodowy. Ktoś staranował jego auto. Niby nic, sprawca opowiadał potem, że nagle oślepiło go światło. No, ale dyplomata wylądował na kilka miesięcy w gorsecie. Widać był zbyt aktywny i to się Amerykanom nie podobało. Zresztą w takich sytuacjach obowiązywała zasada pełnej wzajemności.

To znaczy?
To znaczy, że niebawem jakiś amerykański dyplomata miał przykrą kraksę w Warszawie.

Po takich doświadczeniach byłeś źle nastawiony do Ameryki.
A wręcz przeciwnie. Byłem nastawiony bardzo dobrze. Ludzie byli fajni, specjalnych problemów nie miałem.

Oprócz tego, że od czasu do czasu straszyli cię spuszczeniem manta.
To co innego. Ja to wliczałem w koszty bycia synem polskiego dyplomaty. Przecież doskonale zdawałem sobie sprawę, że jesteśmy z drugiej strony żelaznej kurtyny. Czyli państwo Ameryka traktuje nas jako swoich przeciwników. To był element bardziej przygodowy. Chcieli mi przywalić? Jasne, taka robota! Ale w żadnym razie nie przekładałem tego na jakąś niechęć do kraju czy ludzi.

Obracałeś się w towarzystwie Amerykanów czy raczej młodzieży z bloku wschodniego?
Chodziłem do zwyczajnej amerykańskiej szkoły. Moim najbliższym przyjacielem w liceum był syn ambasadora Afganistanu.

Kierowca podwoził go cadillakiem z ambasady pod szkołę. Wiecie, krawat, garniturek. Mój przyjaciel był ode mnie chyba rok czy dwa starszy. Jego ojciec często wyjeżdżał, a on wtedy urządzał przyjęcia u siebie, czyli w ambasadzie. Kucharz podawał afgańskie specjały, a myśmy przynosili piwo albo wódkę. I jakoś tam funkcjonowaliśmy. Znajomość odnowiła się po latach. Pół wieku później znalazłem go na Facebooku. Mieszka w Kalifornii, nigdy nie wrócił do Afganistanu. Facebook, Internet, mały świat.

Czyli w Ameryce sporo imprezowałeś.
Nie, raczej się uczyłem. Sprawy wyglądały tak, że nauka w moim liceum trwała trzy lata. Tymczasem wiedziałem, że wyjedziemy stamtąd w ciągu dwóch lat. Robiłem wszystko, żeby w USA zdać maturę. To było do wykonania. System był taki, że aby skończyć liceum, należało zaliczyć minimum siedemnaście przedmiotów. To zresztą wystarczało za maturę – nie było oddzielnego egzaminu. Te siedemnaście zaliczeń z poszczególnych przedmiotów było właśnie rozłożoną w czasie maturą. Bardzo logiczne. Chodziłem więc do szkoły letniej, czyli nie miałem wakacji. To wszystko wymagało wysiłku, poza jakimś piwkiem w ambasadzie czy trawką w szkole szczególnie nie szalałem.

Dlaczego zależało ci na amerykańskiej maturze?
Z prozaicznych powodów. Pomyślałem sobie, że w polskim liceum sobie nie poradzę i na pewno znów będę musiał harować jak wół, żeby doścignąć rówieśników. Wymyśliłem więc, że najlepiej, jak bym od razu poszedł na studia, bo tam poradziłbym sobie spokojnie.

Byłeś dobrym uczniem?
Tak. W letniej szkole dawałem nawet wszystkim ściągać. W końcu nauczyciel posadził mnie osobno. Mówił, że w klasie wdrażam swój własny plan Marshalla. Lubiłem się uczyć, nie przeszkadzało mi to.

Podróżowałeś po Ameryce?
Rodzinnie, od Montrealu do Miami.

Ameryka w drugiej połowie lat sześćdziesiątych i później była krajem mocno podzielonym.
Główna przyczyna to długa, krwawa wojna w Wietnamie. Po śmierci Johna Kennedy'ego, który zginął w 1963 roku, prezydent Lyndon Johnson podejmuje decyzję, żeby zwiększyć tam obecność militarną. Najpierw do nieco ponad dwudziestu tysięcy żołnierzy i doradców, by po czterech latach, w 1968 roku, dojść do potężnej liczby ponad pół miliona. W czasie gdy mieszkałem w Ameryce, tamta wojna zaczynała się na poważnie. Wojsko przeważnie poborowe, głównie z niezbyt majętnych rodzin. Pamiętam, że do pewnego czasu nie brano do Wietnamu studentów.

Bo to element niepewny?
Raczej zbyt cenny. Armia, która walczyła, była w dużym procencie czarna i wywodziła się z biedoty. Skala była taka, że wojna powoli zaczynała pukać do drzwi zwykłych Amerykanów. Widziałem to na własne oczy. Absolwenci i uczniowie ostatnich klas mojego liceum także trafiali do Wietnamu. Kilku wróciło w trumnach. Były nabożeństwa w szkole, w których wszyscy uczestniczyliśmy. Podział społeczeństwa narastał. Do tego ludzie dowiadywali się o okropieństwach wojny w ogóle, czyli o tym, co spotyka drugą stronę. To jeszcze pogłębiało przepaść. Ważne były tu media, bo krew wylewała się z telewizorów. Każdy dziennik zaczynał się od tak zwanej bodycount, czyli listy Amerykanów, którzy zginęli lub zostali ranni. Zaczęły się więc ostre demonstracje. Kraj był totalnie podzielony. Miałem taką refleksję, że podobnie musiało to wyglądać u progu wojny secesyjnej.

Dzieci kwiaty, ruchy lewackie, a ty człowiek zza żelaznej kurtyny. Koledzy musieli cię admirować.

W żadnym razie. Rzadko kto przecież wiedział, że jestem z Polski. Szybko złapałem akcent amerykański i byłem nie do odróżnienia. Że jestem z Polski, wiedział tylko ten, kto mnie o to zapytał, ale i tak nie miało to żadnego przełożenia na relacje towarzyskie.

Chodziłeś na demonstracje?
Nie, ale miałem wrażenie, że Amerykanie zrobili potężny błąd. Generał Douglas George MacArthur, dowódca armii alianckich w południowo-zachodnim teatrze działań na Pacyfiku podczas II wojny światowej i sił interwencyjnych w Korei, odradzał prezydentowi eskalację wojny w Wietnamie. Powiedział, że Ameryka musi unikać jak ognia wojny lądowej w Azji. Mówił wprost – jeśli nie chcemy użyć broni jądrowej, nie powinniśmy się tam pchać. To był największy, najbardziej znany amerykański wojskowy, doświadczony w walkach w tamtym rejonie świata. A jednak go nie posłuchano. Tak że ta przegrana nie była zaskoczeniem. Zresztą widać było, że ta wojna idzie jak po grudzie.

Opowiadałeś kiedyś, że po śmierci Martina Luthera Kinga Gwardia Narodowa wjechała do centrum miasta, by uśmierzyć zamieszki.
Tak było. Zresztą nie dotyczyło to tylko Waszyngtonu. Wówczas płonęło pięćdziesiąt największych amerykańskich miast. Czarna społeczność protestowała bardzo gwałtownie.

Miałeś wrażenie, że imperium się rozpada i płomień rewolucji zatli się i tutaj?
Nie. To państwo było podzielone, ale na pewno się nie rozpadało. Wojnę przegrywali, ale armia amerykańska, wyćwiczona i zaprawiona w boju, w dalszym ciągu była jedną z największych na świecie. Nie miałem wrażenia, że to zmierzch Ameryki. Dość dobrze orientowałem się w sytuacji. Ojciec był takim zwierzęciem politycznym i trzy razy dziennie oglądał

wiadomości. Ja razem z nim i czasem tłumaczyłem mu te bardziej zawiłe.

Traktowałeś Stany jako imperium zła?
Przyjechałem tu, gdy miałem czternaście lat. Ten kraj uformował mnie jako nastolatka. Lubiłem go, rozumiałem, pojmowałem tamtejszą mentalność. Nie rozumowałem w kategoriach walki komunizmu z imperializmem. Uwierzcie mi, polityka wówczas nie była głównym nurtem mojego życia.

Byłeś więc doskonałym materiałem na amerykańskiego szpiega.
(śmiech) Potencjalnie tak. Polak wychowany w USA. Jasne, że bym się nadawał. Jednocześnie zaczynałem być już bardzo dobrym materiałem na polskiego szpiega. Nie mówię tylko o języku, ale też o wielu innych sprawach. Osiągnąłem łatwość adaptacji do nowych warunków kulturowych. Łatwość nawiązywania nowych kontaktów. Zdolność obserwacji, udawania, elastyczności. Poza tym atmosfera w domu – wiadomości w telewizji, rozmowy. Tego wszystkiego trudno nauczyć się w szkole. Potem, po latach, okazało się, że niektóre rzeczy czuję instynktownie, potrafię je szybko przeanalizować, wyciągnąć właściwe wnioski. Słucham czasem informacji, że jakiś pan X nagle poprosił o azyl w państwie Z. Dla mnie jest jasne, że gość dla państwa Z pracował od lat, a teraz musiał się ujawnić.

Dlaczego to jest dla ciebie jasne?
No właśnie takie rzeczy czuję przez skórę. Nie mam przecież dostępu do tajnych informacji, analizuję to, co jest ogólnie dostępne. I najczęściej trafiam z analizą. Nie przypisuję tego w takim stopniu przeszkoleniu, które przeszedłem później, jak temu, co działo się ze mną w dzieciństwie i młodości.

Ojciec zajmował się cały czas robotą szpiegowską. Zauważyłeś to?
Podejrzanie często jeździliśmy do centrów handlowych. Przy czym od razu się rozdzielaliśmy. Ja z bratem oglądaliśmy jakieś

rzeczy, które nas interesowały. Ojciec znikał na godzinę czy dwie.

Prowadził kogoś? Czy też był na to za wysoko w hierarchii?
Myślę, że prowadził. Szczególnie ważnych agentów prowadzili rezydenci, to się czasem zdarzało.

Ale nie wiesz nic bliżej? Nigdy nie rozmawiałeś na ten temat z ojcem? Nawet jak zacząłeś robić karierę w tym samym fachu?
Nigdy nie dzieliłem się z nim szczegółami operacyjnymi. On tak samo. W tej pracy jest taka zasada.

Jak jeździliście do tych shopping mallów, to wiedziałeś już mniej więcej, o co chodzi?
Raczej już nie miałem wątpliwości. Tylko co z tego? W 1968 roku w Stanach za jednego dolara można było kupić dokładnie sześć hamburgerów i coca-colę. To mnie wówczas zajmowało.

W 1968 roku, kiedy twój ojciec został poproszony o odwołanie ambasadora.
Ambasadorem był pan Michałowski. Przyjechał na przełomie lat 1967 i 1968 z małżonką i dwoma synami. To był bardzo dystyngowany, kulturalny facet. W 1968 roku zaczęła się nagonka na Żydów. Ojciec – co zresztą opowiedział mi po wielu latach – dostał depeszę z wywiadu, żeby „spowodował" zebranie partyjne i wyrzucił Michałowskiego z partii. To miała być przygrywka do odwołania go z placówki.

Co to znaczy „spowodował"?
No, doprowadził do zwołania. Sam tego zrobić nie mógł, bo nie był szefem podstawowej organizacji partyjnej w zakładzie pracy, czyli ambasadzie PRL. Tę funkcję pełnił pewnie jakiś jego podwładny.

Wykonał misję?
Ona była niemożliwa do wykonania. Z dwóch powodów.

Michałowski był niezwykle popularny, kontaktowy i po prostu lubiany. Taki wniosek na zebraniu POP mógłby zwyczajnie nie przejść, choć oczywiście ludzie bali się o posady. Ale i mój ojciec nie chciał się zgodzić na taki numer. Odpisał, że nie, i potem dostał po łbie.

Czyli?

W czerwcu 1968 roku planowo wróciliśmy do Warszawy. Wówczas jeszcze było dwóch kandydatów do objęcia funkcji szefa wywiadu, mój ojciec i Mirosław Milewski. No ale Milewski był zawsze po stronie Moczara, więc w szrankach został tylko on. Do tego nad ojcem wisiała sprawa z Michałowskim. A ojciec w ogóle nie chciał się do tego mieszać, brać udziału w wywalaniu ludzi ze względu na pochodzenie etniczne. W efekcie został zwolniony z wywiadu i przesunięty do inspektoratu kontroli w MSW, takiego organu kontroli wewnętrznej. No i przez parę lat jeździł po Polsce, sprawdzając komendy. Mniej więcej wtedy przyznał mi się wprost do tego, co jest jego prawdziwym zajęciem. Niemal całe lato przesiedział w domu. Wykorzystał zresztą ten czas na napisanie pracy magisterskiej, poświęconej sytuacji w Libanie. No i pewnego wieczoru zaczęliśmy rozmawiać i to powiedział.

Nie byłeś wkurzony na ojca? Przez lata odgrywał teatr.

Nie, przede wszystkim, jak wiecie, domyślałem się tego, więc szoku nie było. Wypadło to tak naturalnie, że nawet nie przyszło mi do głowy, żeby mieć pretensję.

Jak ojciec przeżył degradację?

Nie było to dla niego miłe. Waszyngton był prestiżową placówką. Obok Bonn, Londynu, Paryża to była pierwsza liga. Do tego, zakładam, miał tam niezłe wyniki. Inaczej nie byłby kandydatem na szefa wywiadu. Czyli liczył, że będzie awans, a okazało się inaczej.

A Milewski?

No nie. Milewski nie miał żadnego doświadczenia w wywiadzie. Pracował przez cały czas w Polsce, w Departamencie I, czyli w wywiadzie został od razu wicedyrektorem. Wywiad takich ludzi zawsze traktował z rezerwą. On był z kontrwywiadu – inne metody, inne pomysły na życie. Mentalność typowo policyjna. Wywiad to zupełnie inna zabawa. Oficer wywiadu sam przecież jest „przestępcą". Działa na terenie innego kraju, wykrada sekrety, żyje na krawędzi. Żeby przetrwać, musi mieć wyobraźnię. Milewski tak naprawdę był przez całe życie szkolony do łapania takich facetów jak ja czy mój ojciec.

Po Marcu aleja Przyjaciół musiała się zmienić.
Dość znacznie. Wielu młodych, z którymi się bawiłem przed wyjazdem w 1965 roku, już tam nie było albo właśnie się pakowało. Nie pamiętam jakichś szczególnych pożegnań, bo – zważcie – przez trzy lata byłem za granicą. Na antysemickie czystki w 1968 roku nałożyło się wiele rzeczy. Ale nie należy zapominać, jak wiele było w tym zwykłej ludzkiej chciwości, pazerności, żądzy stanowisk. Wojna izraelsko-arabska w 1967 roku, gdy państwa Układu Warszawskiego stanęły po stronie arabskiej, a wielu urzędników pochodzenia żydowskiego sympatyzowało z Izraelem, dała doskonały pretekst do ataku. Starzy towarzysze wciąż zajmowali ciepłe stołki, a towarzysze w średnim wieku uznali, że to idealny moment na „zmianę warty", czyli na to, by im te stołki pozabierać. Krótko mówiąc, pozbyć się Żydów i zająć ich stanowiska.

W 1968 roku idziesz na studia.
Ci, którzy mieli maturę zagraniczną, szli na studia bez egzaminów i mieli obowiązek uzupełnić ich brak w ciągu dwóch lat. Wybrałem prawo. Na początku musiałem się ostro przykładać, bo jednak byłem mocno oderwany od polskich realiów edukacyjnych.

Interwencja zbrojna w Czechosłowacji, uniwersytet po marcowych czystkach i pałowaniu przez ORMO.
W naszej grupie byli studenci, którzy zaliczyli Marzec. Więc sporo na ten temat opowiadali. Karol Modzelewski, Adam Michnik. Bohaterowie Marca to dzieci stalinowców, które robiły liberalną rewolucję. Było to rzeczywiście bardzo interesujące zjawisko. Zresztą akurat Adam Michnik mieszkał na tej samej ulicy, po przekątnej. Mój ojciec znał dobrze jego ojca, Ozjasza Szechtera. Spotykali się na ulicy, rozmawiali o Lwowie i Związku Radzieckim. Zresztą to nic nadzwyczajnego. Jak mówiłem, cała ulica się znała.

Czyli znałeś Adama Michnika
Tak na cześć-cześć. Pewnie rozmawialiśmy ze sobą, ale umówmy się, że nie była to wymiana poglądów. Między nami było pięć lat różnicy. W takim wieku to przepaść.

Po Marcu był dla ciebie bohaterem?
Patrzyłem na to jeszcze z perspektywy amerykańskiej. Ot, młodzieżowy ruch lewacki. Marzec nie był dla mnie szczególnie istotnym wydarzeniem. Ominął mnie. Bardziej wstrząsnął mną grudzień 1970 roku. Ale najbardziej byłem skupiony na tym, żeby studiować. Studia trwały cztery lata, zaliczyłem z pięćdziesiąt egzaminów i miałem sześć czy siedem trójek. Byłem kujonem.

Z kim studiowałeś na roku?
Z Włodzimierzem Cimoszewiczem.

A kolegowałeś się z nim?
Byliśmy w innych grupach, znaliśmy się po prostu.

Znajomość przetrwała?
Nie umawiamy się na kawkę, ale gdy się gdzieś spotykamy, to oczywiście podajemy sobie rękę i rozmawiamy. Jak to koledzy ze studiów.

Mówisz, że grudzień 1970 roku tobą wstrząsnął.
Zginęło wiele osób. Prawda wyciekała dość powoli.

Słuchałeś Wolnej Europy?
Nie, ale w Empiku były wszystkie zachodnie gazety. A słuchałem brytyjskiego BBC. Nie mogłem pojąć, dlaczego oni otworzyli ogień.

Gomułka odszedł, a z nim ekipa Moczara. Ojciec liczył już wtedy, że wróci do wywiadu?
Dla ojca z odejściem Moczara wszystko zmieniło się diametralnie. W 1971 roku ministrem spraw wewnętrznych został Franciszek Szlachcic. Był to dobry znajomy ojca. Zresztą nie wiem, skąd się znali. Przypuszczam, że po prostu z resortu. W każdym razie Szlachcic przywrócił go do służby i w 1972 roku ojciec został rezydentem w Kairze. Przepracował tam sześć lat.

Szlachcic był ciekawą postacią. Doprowadził na przykład do powołania w MSZ departamentu do spraw radzieckich. Departament nadzorował oficer wywiadu i wiceminister Jan Bisztyga.
Z tego, co wiem, chodziło między innymi o to, by ograniczyć trochę „dyplomatów" radzieckich, którzy wchodzili do każdego resortu jak do siebie. Jan Bisztyga miał opinię bardzo sprawnego oficera, ale nasza znajomość była raczej epizodyczna.

Podobno w latach siedemdziesiątych dyrektorzy wywiadu Jan Słowikowski i Józef Osek zlecali najbardziej zaufanym rezydentom na Zachodzie zbieranie informacji także na temat tego, co się dzieje u Wielkiego Brata. Pisał o tym twój kolega Henryk Bosak, ale Zbigniew Siemiątkowski nie znalazł żadnych dokumentów, które by to potwierdzały. Może zresztą to nic dziwnego, bo w tej sprawie raczej nie byłoby rozkazów na piśmie.
To moim zdaniem prawda. Zresztą potem miało to charakter bardziej sformalizowany. W latach siedemdziesiątych i osiemdziesiątych w Wydziale XI była sekcja, która zajmowała się

bratnimi krajami socjalistycznymi. Nie było pracy agenturalnej, ale informacje się zbierało. Na przykład Chińczycy i Jugosłowianie cieszyli się dość dużym zainteresowaniem.

A Rosjanie?

Oczywiście. Zresztą ciekawostką jest to, że najlepsze informacje o tym, co słychać w ZSRR, zdobywało się w krajach trzecich. Węgrzy, Czesi chętnie „plotkowali" z naszymi oficerami na temat Wielkiego Brata. Szczerze mówiąc, były to pogłębione rozmowy, a nawet wymiana informacji między służbami.

Szlachcic na stanowisko szefa wywiadu wyznaczył trzydziestoośmioletniego oficera Józefa Oska. W porównaniu z Milewskim była to zmiana jakościowa. Osek znał biegle angielski i francuski, był dobrze wykształcony i miał za sobą pracę operacyjną we Francji i Izraelu.

Znałem Oska. Ja byłem porucznikiem, a on szefem wywiadu, więc dzieliła nas służbowa przepaść. On był przyjmowany przez młodych oficerów bardzo dobrze. Młody, przetarty w pracy operacyjnej. Sygnał, że przyszła zmiana pokoleniowa. Ludzie, którzy pamiętali wojnę, powoli odchodzą na emeryturę. Pora na nas. Dokładną odwrotnością Oska był jeden z jego zastępców, Eugeniusz Pękała – facet ewidentnie ze starych czasów, sprowadzony do wywiadu jeszcze przez Moczara.

Kair to nie Waszyngton, ale i tak znacznie lepiej niż inspekcje w komendach powiatowych.

Kair to była najważniejsza placówka w rejonie. Tu były wszystkie ambasady państw arabskich i zresztą całego świata. Do miasta przyjeżdżali zewsząd Arabowie, żeby się zabawić. Dyskoteki, alkohol, taniec brzucha. Rodzice mieszkali na wyspie Az-Zamalik pośrodku Nilu. To jedno z bardziej prestiżowych miejsc. Na wyspie był klub sportowy Gezira. Można rzec, że wstęp mieli tam przede wszystkim biali i egipska śmietanka towarzysko-polityczna. Tor wyścigowy, baseny, piwo Stella

– egipskie na niemieckiej licencji. Dla ojca to był wywiadowczy raj. A ponieważ była to już jego trzecia placówka, miał kontakty naprawdę na dobrych szczeblach.

W jakiej roli funkcjonował oficjalnie w Kairze?
Był radcą prasowym.

Rodzice wyjeżdżają, a ty zostajesz w Polsce.
Tak, zostaję w Polsce i idę do szkoły wywiadu.

Kto z wywiadu się po ciebie zgłosił?
(śmiech) Ojciec. Szkoła wywiadu właśnie powstawała. To miał być pierwszy rocznik. Ojciec zapytał, czy „chcę się zapisać do klubu".
„Jak wiesz, jestem oficerem wywiadu i czuję się w obowiązku przedstawić ci taką propozycję. A jeżeli nie, to będziesz sobie robił po studiach coś innego".

Czy pamiętasz tę chwilę?
Tak, to było w domu. W obecności mamy. Mnie wówczas „zawód szpieg" działał już na wyobraźnię. Obejrzałem wszystkie dostępne filmy z Jamesem Bondem i czytałem książki o szpiegach.

Brat także dostał od rodziców taką propozycję?
Nie. Doszli do wniosku, że ja jestem bardziej odporny psychicznie, a on – bardziej wrażliwy.

4
Szkoła szpiegów

Testy na szpiega – Poligon – Komendant przestrzega przed zdradą – Jak być śledzonym

Skąd pomysł na stworzenie szkoły?
To była decyzja Edwarda Gierka. Jego poprzednik, Władysław Gomułka, dobił wywiad. Nie miał potrzeby pozyskiwania informacji wywiadowczych, zupełnie go to nie interesowało. Zresztą był to człowiek siermiężny, oszczędzał na wszystkim, a na wywiadzie, który był mu niepotrzebny, szczególnie. Gierek był inny. Można powiedzieć światowy. Znał francuski, znał Zachód i postanowił się na niego otworzyć. Przekonano go, że wywiad to dobra rzecz, że z Zachodu sporo można „przywieźć" bezpłatnie. Podjął strategiczną decyzję o odbudowie wywiadu. Dlatego powstała szkoła.

Ale wcześniej kształcono kadry w Legionowie i przy ulicy Ksawerów. Ostatni rocznik przy Ksawerów wypuścił słynnego generała, Henryka Jasika. Na czym polegała różnica?
Kiejkuty to był ośrodek zamknięty. Tam żyło się wywiadem przez siedem dni w tygodniu, przez dwadzieścia cztery godziny na dobę. Nic nie robiło się z doskoku, na wyrywki.

Powiedz, co kierowało rodzicami, że ci zaproponowali pójście do Kiejkut.
Ojciec zdawał sobie sprawę, że od tej chwili wywiad będzie na fali, że rozpocznie się nowa era. Więc będzie to ciekawe

miejsce. A poza tym czuł się w obowiązku dać mi wybór. Tak to zawsze odbierałem.

Twoja odpowiedź jest raczej jasna.
Gdy się ma dwadzieścia jeden lat, to trudno powiedzieć „nie" na taką propozycję. Ojciec zapewnił, żebym czekał spokojnie, ktoś się odezwie. No i ten ktoś zadzwonił. Umówiliśmy się na Rakowieckiej, przed wejściem do siedziby wywiadu. Zaczęły się rozmowy, testy.

Nazwisko ci nie wystarczyło?
Nie, musiałem przejść przez cały ciąg przeróżnych testów.

Podobno wybierano dość starannie. Kilkudziesięciu kandydatów z tysiąca wytypowanych. Szukano ich na prawie, handlu zagranicznym i na najlepszych politechnikach, ale także wśród pracowników MSW.
To prawda, że selekcja była staranna. Sporo ludzi z pierwszego rocznika już na pierwszy rzut oka doskonale nadawało się do tej roboty. Może najlepsze przykłady to Gromosław Czempiński czy Bogdan Libera, którzy w wywiadzie zrobili karierę. Ciekawe jest natomiast to, że ja – w końcu wychowany na Zachodzie – od razu zauważyłem kilka osób, które w moim przekonaniu do takiej roboty się nie kwalifikowały. Sposób bycia, wygląd – świadczyły o tym, że zachodni świat nigdy ich nie przyjmie, nie uzna za swoich. To zresztą się potwierdziło. Część z nich została w wywiadzie – pracowali w centrali albo jeździli na Wschód.

Czyli pytano cię o motywacje?
Tak, dlaczego chcę być szpiegiem.

Szpiegiem?
No, oficerem wywiadu oczywiście.

Ojciec cię pytał, czy chcesz być szpiegiem?
Oficerem wywiadu, ale przecież to jest to samo.

W swoim slangu mówicie o sobie „szpiedzy"?
Tak, często. To było przyjęte. Dla mnie słowo „szpieg" nie jest
w żadnym razie obraźliwe.

Opowiedz o testach na szpiega.
Polegały na rozwiązywaniu zadań. Na przykład: są różne figury
geometryczne, która pasuje do której. Niby banalne, ale mierzy
poziom inteligencji, a przede wszystkim poziom spostrzegawczości. Zresztą z tego, co pamiętam, cały duży test poświęcony
był wyłącznie spostrzegawczości. To jedna z najważniejszych
cech potrzebnych do tej roboty. Oczywiście były też rozmowy
z psychologami i testy psychologiczne. Ale tego nie podejmu-
ję się oceniać. Pytali, z czym ci się kojarzy jakiś kleks czy pla-
ma *(śmiech)*.

**Chcieli mieć pewność, że nie przyjmują wariata albo kogoś
nadmiernie agresywnego?**
Być może. Pamiętajcie jednak, że to był tylko wstęp. Potem
przez cały okres nauki byliśmy pod stałą obserwacją. W szkole
mieliśmy absolutnie swobodny dostęp do alkoholu. Mogliśmy
pić, a nasi nauczyciele mogli sobie popatrzeć, ile pijemy, jak pijemy oraz jak zachowujemy się po spożyciu. Jeśli ktoś ma ten-
dencję do świrowania, to najlepiej widać to po alkoholu.

**Czyli rozmowa motywacyjna, spotkanie z psychologiem, testy.
A co potem?**
Po pierwszym sicie było spotkanie z komisją kwalifikacyjną
złożoną ze starszych oficerów. Zawsze przewodniczył jej jeden
z wicedyrektorów Departamentu I, obok niego siedziało pięciu,
siedmiu naczelników.

Jak gremium przesłuchujące Bogusława Lindę w *Psach*?
Właśnie tak. Odbywało się to w gabinecie wicedyrektora, czyli sala ze trzydzieści metrów, stół konferencyjny. Oni patrzyli
w papiery i zadawali różne pytania: A dlaczego do wywiadu?
A czy skoczyłbyś ze spadochronem, gdyby była taka potrzeba?

Czy zabiłbyś człowieka?
To pytanie nie padło.

Pytali, czy wierzysz w Marksa i Związek Radziecki?
W ogóle nie było takich pytań.

Dlaczego?
Przyjęli założenie, że ja jestem po linii i na bazie oraz że zostałem wychowany w duchu. W końcu pochodziłem z rodziny resortowej, byłem synem znanego oficera wywiadu.

Pytali, czy jesteś zafascynowany Stanami, Anglią?
No tak, ale co miałem powiedzieć? Fajnie jest w Stanach, fajnie jest w Anglii, ale jestem Polakiem i idę do polskiego wywiadu. Formułka narzucała się sama.

Nie bali się, że jesteś za bardzo zakolegowany ze zgniłym Zachodem?
Nie wyczułem tego. Raczej traktowali mnie jako bardzo dobry materiał na szpiega. Znałem język, teren, kulturę tamtych krajów. Zresztą to był wywiad. Większość panów siedzących po drugiej stronie stołu też spędziła długie lata na Zachodzie. Każdego z nich można było zapytać, czy nie jest zbyt zafascynowany krajem przeciwnika.

Mówiłeś, że wśród cech, które badano, spostrzegawczość była jedną z najważniejszych.
Była ważna szczególnie w tamtych czasach. Do podstawowych umiejętności oficera wywiadu należało wykrywanie obserwacji. Mówiąc po ludzku, musiałeś się zorientować, czy cię śledzą. Stąd badanie spostrzegawczości – czy masz jej tyle, że warto w ciebie inwestować. Jeśli masz to minimum, reszty można cię nauczyć.

Dziś jest inaczej?
Dziś sama ta cecha pozostała ważna, ale są zupełnie inne środki techniczne. Obserwację można prowadzić z kosmosu.

Byłeś podekscytowany całą sytuacją?
To za mocne słowo, ale byłem ciekaw. Czekałem na to, co będzie dalej, z umiarkowanym spokojem. To znaczy mimo wieku zdążyłem się już zapoznać z różnymi okolicznościami. Musiałem szybko się adaptować do zmieniających się warunków: Polska, Anglia, Polska, Stany. To mi zostało zresztą do dziś. Adaptuję się szybko. W hotelu po piętnastu minutach czuję się jak w domu. W jakimś namiocie w Afganistanie dokładnie tak samo.

Zakwalifikowałeś się i co dalej?
Szkoła zaczynała się na początku listopada – to był pierwszy rocznik i stąd to opóźnienie. Więc wyszło na to, że mam trzy miesiące wakacji. Pojechałem więc do rodziców do Kairu. Basen, miasto, dyskoteki. W ambasadzie były dwie fajne dziewczyny, więc miałem towarzystwo rówieśników. W Kairze było doskonałe piwo. Zacząłem też smakować gin z tonikiem.

Ojciec się ucieszył, że udało ci się załapać do szkoły?
Myślę, że tego oczekiwał. Dostałem się, więc go nie zawiodłem.

Dawał ci jakieś rady?
Nie. Ufał, że sam sobie poradzę. Z wakacji wróciłem jesienią. Szóstego listopada zbiórka, przy ulicy 29 Listopada. Część dojeżdżała z różnych miast, ale największa grupa była z Warszawy – dwadzieścia czy trzydzieści osób. Zapakowaliśmy się do autobusu i pojechaliśmy.

Kobiety, mężczyźni?
Sami faceci. Zresztą przed rokiem 1990 uczestnikami kursu byli tylko mężczyźni. Wprawdzie kobiety też kończyły ten kurs, ale w innym, indywidualnym trybie.

Występowaliście pod swoimi nazwiskami?
Nie. Przed wyjazdem każdy przyjął nazwisko legalizacyjne – czyli wymyślone, pod którym miał występować przed całą szkołą.

Zapowiedziano wam to podczas rekrutacji?
Tak – że od tej chwili zapominamy o prawdziwym nazwisku i musimy sobie wybrać nowe. Ja wybrałem nazwisko już podczas spotkania z komisją kwalifikacyjną. Od tej pory byłem Aleksandrem Stępińskim.

Długo?
Przez całą szkołę i potem. W resorcie miałem to samo lewe nazwisko, dopóki nie zostałem zastępcą naczelnika wydziału. Zasada była taka, że poniżej zastępcy naczelnika wszyscy mają fałszywe nazwiska. Potem wracamy do prawdziwych.

Dlaczego akurat Stępiński?
Nie ma wielkiej tajemnicy. Skojarzyło mi się z ulicą, na której mieszkała znajoma dziewczyna. To był odruch, bo nagle, znienacka podczas posiedzenia komisji kwalifikacyjnej ktoś powiedział: „Podaj nazwisko, pod którym będziesz występował". Rzuciłem „Stępiński" i tak już zostało. Nie było potrzeby zmieniać imienia.

Czy przed pójściem do szkoły musiałeś wymyślić sobie legendę: ojciec, mama, miejsce urodzenia?
Po co?

Na użytek kolegów.
Nie, tam nikt o takie rzeczy nie pytał. Zresztą już po zakwalifikowaniu na kurs każdemu wytłumaczono bardzo wyraźnie: „Nikt nie ma prawa znać waszej prawdziwej tożsamości, nie ma gadek o rodzicach, miastach i szkołach. Nie możecie mieć żadnych przedmiotów, które zdradzą waszą tożsamość. Prawdziwej tożsamości macie bronić jak niepodległości".

W autobusie nie spotkałeś nikogo z podwórka?
Niewiele brakowało. Kolejne mieszkanie w alei Przyjaciół ojciec objął po pewnym pracowniku resortu. Jego syn też trafił do szkoły na mój rocznik. Ojcowie się znali, no i przekazywali so-

bie lokal. My na szczęście nie. Dopiero po latach skojarzyliśmy, że łączyło nas jedno mieszkanie.

Wszyscy jadą z pełnymi walizkami?
Szkoła ma trwać do czerwca, ale zapowiedziano nam, że cywilne ciuchy będą potrzebne tylko na podróż. Na miejscu mieliśmy dostać mundury. To było coś w rodzaju przykrywki, wynikało z potrzeby ukrycia przed postronnymi prawdziwego celu kursu. Oczywiście sam mundur nie robi z człowieka żołnierza. Dlatego też zanim trafimy do szkoły, jedziemy do zwykłego garnizonu w Ciechanowie na dwutygodniowe szkolenie wojskowe. Skoro mieliśmy robić za wojsko, to nas posłali do koszar, żebyśmy nauczyli się zachowywać jak wojsko.

Wesoło!
Ja to jeszcze znosiłem dość spokojnie, bo byłem najmłodszy, miałem ledwie dwadzieścia jeden lat. Ale byli z nami i tacy, którzy mieli po czterdzieści jeden. Równo przez dwa tygodnie biegaliśmy po poligonie, ćwiczyliśmy musztrę – czyli robiliśmy wszystko to, co robi młode wojsko.

Chcieli was przy okazji nauczyć porządku?
Nie, ale stale nas obserwowali. Od początku była z nami kadra szkoły – faceci po trzech, czterech placówkach, a więc bardzo doświadczeni. Naturalnie znali nasze teczki i wiedzieli o nas wszystko. Ale patrzyli uważnie – kto jaki ma charakter, kto się przykłada, a kto olewa, kto słucha rozkazów, a kto udaje, że słucha. Nawiasem mówiąc, ten rok, czyli 1972, był dla mnie pod tym względem dość szczególny. Bo w lipcu, gdy jeszcze byłem studentem prawa, pojechałem w ramach studium wojskowego na regularny poligon w Morągu, gdzie zresztą miałem okazję poznać ministra obrony, generała Wojciecha Jaruzelskiego.

Jeździł po poligonach w poszukiwaniu „młodych zdolnych" i trafił na ciebie?

Prawie. Jaruzelski przyjechał na inspekcję. Robił to zresztą regularnie i zupełnie znienacka. Tak więc kwadrans po ósmej rano pojawił się spory zielony mikrobus. Początkowo wszyscy wzięli go za Zieloną Orkiestrę, czyli zespół wojskowy, który krążył z występami. Ale tym razem był to występ ministra. Kadrę obozu i pobliskiego pułku jakby trafił granat.

Bali się generała?
Tak, ale głównie dlatego, że w obozie panował ogólny syf. Toaleta to był rów długości pięćdziesięciu metrów, głęboki na dwa metry, plus drewniana poręcz. Umywalnia składała się z rury z nawierconymi otworami i pojemnika na dwa tysiące litrów. Kadra chciała ratować sytuację. Gdy Jaruzelski obchodził obóz, zebrali nas i przez piętnaście minut młotkowali, żebyśmy siedzieli cicho, a jak wódz pojedzie, to oni wszystko zrobią tak, że będzie tu jak w hotelu. Jaruzelski chodził sobie i notował, a potem miał spotkanie ze studentami. Zarządził, że najpierw mają być pytania. No to były pytania. Akurat na obozie było prawo, socjologia, psychologia – a więc element dość niesforny. Jaruzelski odpowiadał zresztą dość sprawnie i pozostawił po sobie niezłe wrażenie.

Warunki się wam poprawiły?
Oczywiście już tego samego dnia zbudowali toalety z drewna. Powkręcali krany, zrobili daszek, nawet lusterka postawili, żeby można się było golić. No ale następnego dnia – zgodnie z planem – obóz przemieszczał się do Orzysza. Podstawiono dwanaście starów 66 i brać studencka ruszyła. Połowa z tych ciężarówek popsuła się po drodze, a jedna dachowała i dwóch studentów zginęło. Dowódcy ponieśli więc kolejną logistyczną klęskę i zdaje się, że to im zwichnęło karierę.

Śmierć studentów?
Nie, wypadek to wypadek. Raczej to, że nie potrafili w normalny sposób przerzucić wojska na odległość około stu sześć-

dziesięciu kilometrów. Nawiasem mówiąc, w Orzyszu byłem świadkiem ćwiczeń wojsk specjalnych i pancernych. Zobaczyłem wówczas radziecką rakietę 9M14 „Malutka". Rok później na Synaju ten sprzęt zniszczył około 30 procent czołgów armii izraelskiej. Świetna broń na tamte czasy. No więc gdy w ramach szkoły szpiegów trafiłem do garnizonu w Ciechanowie, traktowałem to dość spokojnie. Można powiedzieć, że miałem zaprawę.

A więc przeszkolenie szpiegowskie zaczęło się od tego, że nauczono cię udawać żołnierza.
Musztra, salutowanie, meldowanie się, maszerowanie zwartą grupą. Wszystko po to, żebyśmy w Kiejkutach wyglądali na wojsko. Dwóch opiekunów z wywiadu przez cały czas nam się przyglądało.

Po dwóch tygodniach nareszcie do szkoły. Wiedzieliście, dokąd jedziecie?
Nie miałem zielonego pojęcia.

Na inauguracji szkoły wystąpili sekretarz KC Stanisław Kania i komendant Dionizy Gliński. Mieli dość ciekawe przemówienia. Mało było w nich marksizmu, za to dużo patriotyzmu
Szczerze mówiąc, nie pamiętam w ogóle tych przemówień. Ale faktem jest, że w szkole wszystko było bardzo pragmatyczne, nastawione na to, żeby zrobić z nas dobrych oficerów wywiadu. Ideologią nikt się nie zajmował, ale mnie to jakoś specjalnie nie dziwiło. Chyba tego oczekiwałem po tej szkole. Zresztą epoka Gierka w rozkwicie to był czas otwarcia i wiary w to, że odnosimy sukces. Jakoś podświadomie wszyscy szukali wzorów na Zachodzie, a nie na Wschodzie.

Gliński przestrzegał też przed zdradą, zresztą analiza zdrady kapitana Mroza była w programie szkoły.
Tak, ku przestrodze. Co jednak nie znaczy, że przychodzili do nas po nocach i straszyli Mrozem. Był to jeden z przypadków

działań wywiadu, które omawiano szczegółowo. Ale – podkreślam – jeden z wielu.

Ślubowanie w blasku pochodni musiało robić wrażenie.
Bez przesady. Traktowałem to raczej jako lokalny folklor. Ja po tym pobycie w Stanach zrobiłem się – na wzór amerykański – dość pragmatyczny. Chcecie z pochodniami, to okej, ale mnie to specjalnie nie wzrusza. Skoro jest taki punkt programu, to go realizujemy.

Jak wyglądała szkoła szpiegów?
Ośrodek w Kiejkutach był nowy, właśnie oddany do użytku. Trwały nawet jakieś drobne prace wykończeniowe. Wszystko jak spod igły. Drewno, stal, staranne wykonanie w technologii skandynawskiej. Po prostu zachodni poziom. Wszystko bardzo nowoczesne, ładne. Mieszkaliśmy w dwuosobowych pokojach. W ośrodku kawiarnia-bar-stołówka-kuchnia. No i bardzo piękne lektorki.

I, jak mówiłeś, otwarty bar.
Od osiemnastej do północy można było pić ile dusza zapragnie. Był to normalny, klasyczny bar. Od wódki przez whisky po giny i koniaki.

Co w tym ośrodku znajdowało się wcześniej?
Nic. Rósł las. Teren wraz z niewielkim jeziorem został wykupiony pod tę inwestycję.

Mogliście stamtąd wychodzić?
Nie. Kilka razy wywozili nas na jakieś zwiedzanie. Autobusem na wojskowych numerach, w mundurach. Nie chodziło zresztą chyba o zwiedzanie, tylko o to, żeby nie dostać tam obłędu.

Jaki był rozkład dnia?
Wojskowy, to znaczy o szóstej rano pobudka, gimnastyka, czyli po wojskowemu zaprawa. Był tam taki dżentelmen od sportu, który rano zmuszał nas do półgodzinnego biegania.

Po terenie ośrodka?
Nie, wybiegaliśmy przez tylną bramę do lasu. Po zaprawie był czas na toaletę. Jeśli dobrze pamiętam, w pokojach były umywalki, a prysznice mieliśmy wspólne. Było ich wystarczająco dużo, byśmy nie robili tłoku. O siódmej śniadanie. Ogólnie jedzenie było bardzo dobre. Po śniadaniu nauka rzemiosła. O czternastej obiad, a potem nauka własna.

Ilu było kursantów?
Na pierwszym kursie w Kiejkutach – sześćdziesięciu. Podzielonych na pięć lub sześć grup. Każda miała swojego opiekuna spośród wykładowców. Jak już mówiliśmy, pierwszym komendantem był pułkownik Dionizy Gliński. Potem się spotkaliśmy, bo został rezydentem w Nowym Jorku. Gliński znał zresztą mojego ojca. Był naczelnikiem jednego z wydziałów. Ogólnie mówiąc, bardzo doświadczony facet. Zmarł w 2013 roku. Każda grupa miała także swojego opiekuna.

A kto był waszym?
Eugeniusz Spyra.

Z dokumentów IPN wynika, że Spyra pracował w wywiadzie od 1955 roku. Był między innymi rezydentem w Meksyku i Lizbonie. W czasie pobytu w Ameryce Łacińskiej „opiekował się" Ryszardem Kapuścińskim.
Spyra robił dobre wrażenie – bardzo spokojny, mówił cicho, zawsze w dobrym humorze. Przeszedł przez kilka placówek, był więc dla nas wyjątkowo ciekawym facetem.

Czego was uczono?
Szkoła przygotowała dla nas skrypty dotyczące pracy operacyjnej. Świeżutkie, prosto z drukarni, widać, że napisane na potrzeby naszego kursu. Dotyczyły technik wywiadowczych. W jednym z budynków była wielka aula na kilkaset osób. Przyjeżdżali do nas goście specjalni, którzy robili nam wykłady.

W tym samym budynku była też duża sala gimnastyczna, sale wykładowe oraz laboratorium językowe.

Szlifowaliście języki zachodnie.
Angielski, niemiecki, francuski, być może i hiszpański. Dzień zaczynał się od dwugodzinnej nauki języka. Zresztą przy użyciu nowoczesnych metod audiowizualnych. Ja uczyłem się francuskiego. Podręcznik był w całości w tym języku. Po polsku nie mówiło się ani słowa. Jak na te czasy bardzo nowatorska metoda. Francuski znałem ze szkoły średniej, więc jakieś tam podstawy już miałem.

Zrobiłeś postęp?
Ogromny. Niedługo po kursie w Kiejkutach, konkretnie w 1974 roku, zdałem egzamin państwowy z francuskiego. Na naukę języka obcego zwracano w Kiejkutach szczególną uwagę.

Opowiedz o najciekawszym. Jak was uczono pracy operacyjnej?
Jak wspomniałem, to był cały blok tematyczny, najważniejszy. Techniki werbowania agenta, rodzaje agentów. To było bardzo szczegółowo omawiane. Później, po pierwszych trzech miesiącach, zaczęły się ćwiczenia.

Jakie?
Na przykład z obserwacji. Opowiem o tym szczegółowo. Najpierw musisz nauczyć się tego wszystkiego w teorii. Mądrzy i doświadczeni ludzie tłumaczą ci w detalach, jak pracuje obserwacja. Jakie metody mają służby różnych państw, jakie najczęściej stosują triki. Zatem co należy robić we Francji, w Anglii, a co w Stanach, żeby mieć największą szansę na wykrycie, czy jesteś śledzony, czy też nie. Podstawą do wykrycia obserwacji jest trasa sprawdzeniowa. To znaczy krążysz po mieście i przy okazji sprawdzasz, czy masz ogon. Oczywiście nie możesz krążyć bez sensu. Trasa musi mieć swoją legendę. Każde miejsce, do którego idziesz, powinno być sensownie uzasadnione. W końcu

przeciwnik może cię śledzić, jedynie podejrzewając, a nie mając pewność, że jesteś szpiegiem. Poza tym cała sprawa polega na tym, żeby oni nie załapali, że ty się właśnie sprawdzasz, okej? Czyli raczej nie odwiedza się dziesięciu sklepów z papierosami, jednego po drugim. W sumie – jak rozumiecie – wykrywanie obserwacji jest niełatwe, a do tego niesamowicie czasochłonne.

A praktyka?
Kiedy już przez trzy miesiące pogadaliśmy sobie o teorii, zaczęła się właśnie praktyka. Zostańmy przy obserwacji. W ramach ćwiczeń jeździliśmy do Warszawy. Dostaję zadanie: idziesz na miasto, stajesz na jakimś rogu i czekasz dziesięć minut, potem robisz trasę sprawdzeniową i ustalasz, czy masz obserwację, czy nie. Jeśli odpowiedź jest twierdząca, to automatycznie włącza się kolejne zadanie. Należy wskazać jak najwięcej członków ekipy obserwacyjnej, opisać ich, zanotować wszystkie numery samochodów. Potem jest podsumowanie. Ja chodziłem tak trzy czy cztery razy. Zawsze udawało mi się wykryć obserwację, a jednego razu namierzyłem dziesięciu członków ekipy i cztery samochody. Wierzcie mi, że to sporo. Byłem – pochwalę się – jednym z najlepszych w te klocki.

Nie wszystkim się udawało?
Czasami były prawdziwe jaja. Największe, gdy ktoś wykrył obserwację, której nie było. Po zrobieniu trasy siadało się i pisało raport: kto, co, gdzie i kiedy. Opiekun porównywał raport z rzeczywistością.

Jaką wymyśliłeś trasę? Poszedłeś do kina?
Nie, to strata czasu. Odwiedzałem księgarnie. Wchodziłem też do hali handlowej na Koszykowej. Tam zimą były takie grube kotary, coś w rodzaju śluz, które miały hamować dostęp chłodnego powietrza, co jest dość istotne. Hala na Koszykach była ogromna i miała dwa poziomy. Wystarczyło wskoczyć na piętro, by mieć szukającą cię wzrokiem obserwację jak na dłoni.

Do tego samego służyły kotary. Za nimi, tuż przy wejściu, był mały punkt toto-lotka. Wystarczyło szybkim krokiem wejść do hali, zatrzymać się przy totku, wziąć kupon i zacząć go wypełniać. Po kilku sekundach za kotarę wpadała zdyszana obserwacja. Można było się kolegom przyjrzeć, a potem opisać ich pięknie, ze szczegółami w raporcie. A legenda idealna, bo kto nie chce trafić szóstki, prawda? Inaczej i prościej wykrywało się obserwację prowadzoną z samochodów. Wsiadałem do autobusu czy tramwaju i jechałem przez most Poniatowskiego na Saską Kępę. Obserwacja powinna cię wyprzedzić. Patrzysz sobie przez okienko na mijające cię samochody. W jednym siedzi trzech panów, a w drugim czterech. No to bajka, wystarczy tylko zanotować numery. Proste? W ogóle proste chwyty są najlepsze. Szukanie obserwacji w odbiciach szyb wystawowych albo zaczepianie przechodniów: „Przepraszam panią najmocniej…", by na chwilę przystanąć i odwrócić się pod byle pretekstem. Bo trzeba wam wiedzieć, że każdy z obserwacji ma to do siebie, że jak na niego patrzysz, to się strasznie denerwuje, nie lubi tego. Stąd łatwiej go rozpoznać. Ale uwaga! „Sprawdzać się" należało tak, żeby obserwacja nie miała prawa napisać w raporcie, że ewidentnie „się sprawdzałem". Jeśli robiłem coś nienaturalnie, to ćwiczenie nie było zaliczone. W kolejnych ćwiczeniach dochodziła tak zwana kontrobserwacja. Czyli jeden, dwóch oficerów działających w „twojej drużynie", którzy mają pomóc ci wykryć, czy jesteś śledzony. Stoją gdzieś w umówionych miejscach twojej trasy sprawdzeniowej i patrzą, czy ktoś za tobą idzie. Dobrze jest w takim momencie wykonać coś gwałtownego, nieoczekiwanego. Na przykład podbiec gdzieś, zniknąć na chwilę, tak żeby sprowokować nerwowy ruch ze strony obserwacji. W każdym razie po kilku takich ćwiczeniach, nawet jak miałeś przeciętną spostrzegawczość, mniej więcej wiedziałeś, o co chodzi.

Czy na kursie panowało napięcie? Jak nie zaliczę, to mnie wywalą?

Bądźmy szczerzy: jeśli zawalasz ćwiczenia z obserwacji – a byli tacy – to do roboty operacyjnej raczej się nie nadajesz. Nie wyklucza to, rzecz jasna, delikwenta z wywiadu, ale z pracy operacyjnej – owszem. Może być na przykład świetnym analitykiem, ale już nikt go nie weźmie do pionu operacyjnego.

Jak to działało w drugą stronę, to znaczy na czym polegało prowadzenie obserwacji?
Umówmy się, że to robota bardziej dla kontrwywiadu niż wywiadu. Ale trzeba nauczyć się i obserwacji. Jak pokazała moja praktyka, czasami w rezydenturze jest i taka potrzeba.

I to też ćwiczyliście w Warszawie?
Też. To nie jest proste zadanie. Wtedy obserwacją „profesjonalnie" zajmowało się Biuro B. Robiło wrażenie, bo zatrudniało tysiąc osób, mężczyzn i kobiet. Oczywiście mnóstwo gadżetów. Wózki dziecięce, lalki w tych wózkach. Ruchome szatnie...

Ruchome szatnie?
Żeby obserwacja mogła się przebierać na mieście. Były samochody, wówczas głównie żuki. Pamiętajcie, że najtrudniej zapamiętać twarz, najłatwiej ubiór. Dziewczyny zmieniały peruki, słowem – bajery.

A dlaczego trudno jest prowadzić obserwację?
Śledzi się przeważnie fachowców. Jeśli nie prowadzisz obserwacji na co dzień, szybko się wysypiesz. Dobra obserwacja ma wypracowane techniki porozumiewania się ze sobą systemem znaków. Do tego dochodzi łączność i doskonała znajomość miasta. I to nie jest zabawa dla pięciu czy sześciu osób. Takie śledzenie to kpina. Fachowa ekipa ma piętnaście, dwadzieścia osób i samochody. Wtedy mogą cię prowadzić przez kilka godzin i jest szansa, że się nie zorientujesz. Rosjanie robili to na skalę kosmiczną, bo potrafili wystawić sto osób i dwadzieścia samochodów. Wtedy to jest zabawa. Bezpośrednio idzie za tobą zazwyczaj około dziesięciu osób. Ale gdy w operacji bierze

udział pięćdziesięciu funkcjonariuszy, to ta dziesiątka zmienia się co kilka minut. Twoje szanse maleją, bo obserwację wykrywasz wtedy, gdy dostrzegasz powtarzalność osób czy ubiorów.

A samochody?
Nasza obserwacja miała cały zestaw lewych numerów. Tablice były na zatrzaski i oni je sobie dowolnie i sprawnie zmieniali.

Czy podczas testów z wykrywania obserwacji trzeba było uczyć się na pamięć numerów aut?
Wszystko można sobie zapisać, ale potrzebna jest do tego legenda, czyli powód. Nie wchodzi więc w grę wyciąganie notesika w tramwaju. Trzeba powtarzać numery w myślach i czekać na możliwość udania się choćby do toalety, żeby to sobie zanotować. W latach osiemdziesiątych śledziliśmy opozycję. Oni nie byli fachowcami, więc było łatwiej. Jak człowiek szedł na zadanie, to szedł – jak to się mówi – tyłem. Rozglądał się, szukał nas wzrokiem. Było jasne, że coś kombinuje. Profesjonalista nie może sobie na to pozwolić. W jednej chwili się dekonspiruje.

Ćwiczyliście werbunek?
Tak. Należało się spotkać z doświadczonym kolegą. On grał wyznaczoną rolę. Twoim zadaniem było namówienie go do współpracy. Miałeś na to dwie, trzy godziny.

Spotykaliście się w szkole?
Nie, na mieście, w knajpach. Chodziło o to, żeby wszystko było jak najbardziej zbliżone do realności. Ja musiałem przeprowadzać werbunek po angielsku. Zresztą na ćwiczeniach przeważnie wymagano, by werbować w obcym języku. Wybrałem knajpkę na Grójeckiej w Warszawie. Ćwiczenie zostało zaliczone.

Kogo „werbowałeś"?
Rzekomego pracownika znanego zachodniego koncernu farmaceutycznego.

Jak go przekonałeś?
Dość prosto. Wywiad naukowo-techniczny to głównie kasa.
Zaproponowałem pieniądze za technologie farmaceutyczne.
Zresztą tak to działało w realu: wywiad przywoził dokumenta-
cje ważące czasami po kilkaset kilogramów.

Takie ćwiczenie na sucho, odgrywanie teatrzyku coś daje?
To nie jest głupie. Doświadczony oficer obserwuje dokładnie
zachowanie przyszłego szpiega. Jakie ma maniery, jakie przygotował argumenty, jak prowadzi rozmowę, jaka jest jej jakość.
Jedno za wcześnie postawione pytanie może zdekonspirować
oficera. Przede wszystkim zwraca się uwagę na przygotowaną
wcześniej taktykę rozmowy. To wszystko da się ocenić.

Jakie jeszcze mieliście treningi?
Dostawałeś na przykład nazwisko i adres osoby, dajmy na to,
z Wrocławia. W dwa dni trzeba było ustalić wszystko: życiorys,
hobby, słabości itd. A, i zrobić zdjęcia. No to jechałeś do Wrocławia i próbowałeś ustalać.

Przypadkowej osoby?
Nie, wywiad musiał coś o niej wiedzieć, żeby sprawdzić, jak
ci poszło. Mógł to być na przykład kandydat, który z jakichś
przyczyn nie dostał się do resortu.

No dobra. Janek Kowalski, Wałbrzyska 74. Co robimy?
Możemy wypytać ciecia, możemy wypytać w biurze meldun-
kowym. Różnie. Ja na przykład wcieliłem się w postać kore-
spondenta gazety studenckiej, że niby piszę reportaż. Zrobiłem
zdjęcie, powiedzieli mi kupę rzeczy i jeszcze ugościli w domu
herbatką.

Uczono was łączności?
Oczywiście. Tego, jak budować system łączności z agentem. Jak
organizować skrytki, schowki. Wiecie, co to jest BPM?

Słuchamy.

Błyskawiczne Przekazanie Materiałów. Mijasz człowieka i w biegu przekazujecie sobie materiał. Stykacie się przez ułamek sekundy. Najlepiej to zrobić w domu towarowym albo na schodach, gdzie nie ma kamer. Wybrać sobie miejsce, w którym przez dwie, trzy sekundy was nie widać. Bardzo przydatna umiejętność.

Ćwiczyliście to?
Tak, tak. Na ćwiczeniach z obserwacji wprowadzono utrudnienie: trzeba było zrobić jeszcze BPM. Na temat schowków, skrytek łączności był cały osobny podręcznik. Jak się umawiać na spotkanie, jak się umawiać na spotkanie zapasowe, kartki pocztowe, pisanie atramentem niewidzialnym i takie różne sztuczki.

Opowiedz o sporcie w szkole. Mieliście jezioro, było pływanie?
Wpław, na kajakach – jak chcesz.

Sporty walki?
Głównie dżudo, do którego był trener, i jakieś takie dżiu-dżitsu. Ze sportem było różnie. Ja się interesowałem dżudo i z kolegą Bogdanem Liberą – późniejszym generałem i szefem wywiadu – nawet po godzinach rzucaliśmy sobą na macie. Ale byli tacy, którzy ledwie wychodzili na zaprawę.

Sporty walki nie były obowiązkowe?
Nie. I uprzedzę wasze następne pytania: nie, nie uczyliśmy się zabijać. W sumie na matę wychodziło najwyżej 10 procent kursantów. Ja żałowałem, że nie ma więcej treningów, i muszę przyznać, że z Liberą eksploatowaliśmy pana trenera bardzo mocno. Potem, w 1974 roku, kiedy poszedłem do pracy w resorcie, zacząłem ćwiczyć karate pod nadzorem Leszka Drewniaka, później słynnego oficera GROM-u. Doszedłem do brązowego pasa w karate, jestem niezły.

A w dżudo?

Odkąd poznałem Drewniaka, tylko karate się liczyło.

A strzelnica była?
Była. Odbyliśmy kilka strzelań z broni krótkiej.

Jakoś niezbyt dużo.
Nie. Nacisk kładziono na naukę skutecznego werbunku. Wywiad jest od zbierania informacji, a nie od biegania ze spluwą po mieście i zabijania ludzi.

Powody, dla których ludzie wypadali ze szkoły?
Standard. Ktoś zrezygnował, bo doszedł do wniosku, że moralnie nie podoła pracy, gdzie trzeba oszukiwać, łamać ludzi, szantażować. Ktoś się upił. Ktoś musiał zrezygnować z powodów rodzinnych. Pojedyncze przypadki, bo prawie wszyscy kurs skończyli.

Podczas kursu często bywałeś w Warszawie. Musiałeś mieć gotową odpowiedź na pytania kolegów i znajomych: „Co słychać? Co teraz robisz?".
Tak, to był kłopot. Sąsiadów to raczej nie interesowało, ale kolegów ze studiów – owszem. Dlatego starałem się ograniczyć do minimum krąg znajomych. Zwyczajnie unikałem kolegów.

To było zalecenie?
Nie. Zalecenie było inne. Masz wymyślić legendę, czyli odpowiedzi na pytania typu: „A co teraz robisz?", i przedstawić ją na piśmie.

Jaką miałeś?
„Nie wiem jeszcze, do jakiej roboty pójdę. Większość czasu spędzam w Kairze, u rodziców".

Jakie jeszcze były kursy praktyczne w Kiejkutach? Trenowaliście jazdę samochodami?
Tak, taki kurs był. Jeździliśmy fiatami 125p, ale miały one mocniejsze silniki niż w seryjnych modelach. Był też jeden zachod-

ni samochód, chyba mercedes. To były próby z instruktorem, który uczył nas szybkiej jazdy, poślizgów. Jeździliśmy po mazurskich drogach sto dwadzieścia, sto trzydzieści na godzinę. Ile dała fabryka. Oczywiście ten instruktor na prawym fotelu miał swoją kierownicę i swój hamulec.

Jeździliście w kaskach?
Bez. Jakie są Mazury, każdy wie. Wtedy te szutrowe drogi były jeszcze węższe niż dziś. Było ciekawie.

Ktoś się rozbił?
Nie, ten instruktor, który z nami jeździł, był czujnym gościem.

Jeździliście po nocach?
Głównie po ciemku. Te jazdy zaczynały się około szesnastej, siedemnastej. Cały kurs w Kiejkutach zaczynaliśmy w listopadzie. Późną jesienią, zimą jeździliśmy, gdy wokół było już ciemno.

Miejscowi musieli być trochę zdziwieni tymi wyścigami…
Dlatego staraliśmy się jeździć po zmroku, gdy było mniej ludzi.

A jak ty się w tym odnalazłeś? Byłeś dobry?
Prawo jazdy zrobiłem w Stanach jako szesnastolatek. Miałem więc już pięcioletnie doświadczenie za kółkiem. Nawet nieźle mi jeżdżenie na tych Mazurach wychodziło.

5
Nauka fachu

Wiadomość pod poręczą – Jak pić i się nie upić – Brutalność Francuzów – Prostytutki w wywiadzie

Było coś charakterystycznego, szczególnego na terenie szkoły w Kiejkutach?
Olbrzymi pomnik Światowida, który był symbolem tego ośrodka. Dwu-, trzymetrowy, wyrzeźbiony w drewnie. Patrzący na cztery strony świata i widzący wszystko.

On tam stał od początku?
Tak. W pobliżu można było rozpalić ognisko, zjeść kiełbaski, wypić kielonka.

Rozumiemy, że w szkole dużo czasu poświęcaliście kwestii łączności z agentem?
Tak, opiekunowie grup, wykładowcy znali temat z własnego doświadczenia, bo byli co najmniej po dwóch placówkach. Opowiadali swoje casusy już z autopsji.

Czyli pracowaliście na case'ach.
Oprócz case'ów z ich osobistych doświadczeń rozpatrywaliśmy też case'y z naszych skryptów, odwołujące się do rzeczywistych przypadków. Robiono nam testy, na których dostawaliśmy do rozwiązania pewną sytuację. Przedstawiano nam fakty. Są takie a takie okoliczności, to a to się zdarzyło – jak byście pociągnęli sprawę? Było to oczywiście oparte na prawdziwych

zdarzeniach. Wiadomo, jakie rozwiązania zastosowano. I my mieliśmy dalej wymyślać, co byśmy zrobili. Takich testów było tam sporo.

Rozumiemy, że kwestia łączności z agentem jest najbardziej newralgiczna.
Łączność z agentem to jest to, co każda służba chce wychwycić, bo wtedy cię ma. Ma agenta i ciebie. Oczywiście najlepsza łączność z agentem jest wtedy, gdy się z nim w ogóle nie stykasz, ale tak się nie da.

Dlaczego?
Co najmniej raz na rok muszą się odbywać spotkania osobowe, choćby po to, żeby utrzymywać z tym agentem więź. On powinien wiedzieć, że jesteśmy, dbamy o niego. Musi się też wygadać, potrzebuje wsparcia psychicznego, moralnego – i temu służą spotkania osobowe.

Ale ideałem jest się nie spotykać...
Ideałem jest działanie przez błyskawiczne przekazanie materiałów albo przez wykorzystanie schowków. Właśnie te słynne kamienie, które stosowali Amerykanie w Polsce. Teraz jest łączność komputerowa, kiedyś były listy.

Listy?
Można pisać krótkie wiadomości atramentem sympatycznym. I to się stosowało.

A mieliście te kamienie rozkręcane?
Nie, myśmy z tego nigdy nie korzystali. Stosowaliśmy skrytki, do których oficer albo agent wrzucał informacje. Na ogół im krócej to leżało, tym lepiej. Jeden wrzucał, odchodził, drugi podchodził i odbierał.

A gdzie były umieszczane te skrytki?
Na przykład na klatce schodowej – pod poręczą albo pod schodami. Nawet w tamtych czasach to nie musiały być wielkie pa-

kunki. Informacje można było przekazywać w czymś, co miało rozmiar pudełka od zapałek. Także te skrytki było nieduże.

Zawsze jest minimalne ryzyko, że ktoś przypadkowy to przejmie.

Ryzyko jest zawsze, dlatego ten materiał musi być na pierwszy rzut oka niedostrzegalny. Do pudełka zapałek można włożyć na przykład magnes i podwiesić je pod metalową poręcz. Albo przykleić coś pod schodami. Ja przejdę albo agent przejdzie i sobie to odbierze. Im szybciej, tym lepiej. Ale z pół godziny przekazywany materiał musi poleżeć, żeby była pewność, że ja albo agent nie jesteśmy pod obserwacją.

Rozumiemy, że muszą być jeszcze jakieś środki łączności na wypadek kłopotów, tak? Na przykład Kukliński miał radiostację.

No tak, ale radiostacji należy unikać, bo w razie wpadki jest to niepodważalny dowód. Najprostszym sposobem jest wysłanie listu czy pocztówki ze słowami, które są wywołaniem na specjalne spotkanie. Oczywiście z góry jest założone, gdzie to spotkanie ma się odbyć, za ile dni i o której godzinie. Jest też inna prosta metoda wywołania na takie spotkanie. Agent albo oficer co tydzień przechodzi obok jakiegoś miejsca i tam kredą na ścianie może być namazany umówiony znak. I to jest wywołanie.

Czyli metody dość tradycyjne. Czy w szkole prezentowano wam gadżety szpiegowskie?

Głównie ukryte magnetofony, ukryte aparaty fotograficzne, kamery. Oczywiście miało to inne gabaryty niż dziś. To były na przykład teczki. W nich były zamontowane te urządzenia. Trzeba było trochę poćwiczyć, żeby odpowiednio ustawiać obiektyw kamery lub aparatu.

Kto wówczas przygotowywał ten sprzęt? To była produkcja radziecka czy zachodnia?

Nie, w wywiadzie był wydział naukowo-techniczny, który wszystkie te gadżety opracowywał. Bardzo dobrzy ludzie, pomysłowi. Tacy trochę naukowcy z rozwianym włosem. Szło się do nich, mówiło, jaka jest potrzeba, do jakiej operacji, a oni próbowali. Od Rosjan nigdy takiego sprzętu nie braliśmy. Wszystko się kupowało na Zachodzie, na wolnym rynku, i się dopasowywało.

Omawialiście jakieś szczególne case'y z przeszłości wywiadowczej?
Tak jak wspominałem. Dawano nam case'y bez zakończenia i każdy z nas musiał rozpisać, jak to dalej pójdzie. I takich testów było kilka w okresie szkolenia. Normalnie się siadało i pisało przez godzinę czy dwie, jak byśmy to sami przeprowadzili.

I to były prawdziwe operacje?
To były prawdziwe operacje, które zakończyły się na przykład wpadką. Różne casusy. Na przykład sytuacja werbunkowa i zadanie do wykonania: jak byś ten werbunek przeprowadził. Albo sytuacja dotycząca obserwacji, której ktoś nie wykrył. Gdzie popełnił błąd, czym to zostało spowodowane, jak sam byś postąpił w takiej sytuacji? Case'y były brane z historii nie tylko naszego wywiadu, bo przecież te spektakularne wpadki były w środowisku szpiegowskim znane. Wreszcie opiekunowie dzielili się z nami własnymi doświadczeniami wywiadowczymi. To były typowo seminaryjne ćwiczenia. Spotykaliśmy się na przykład w dziesięcioosobowej grupie i przerabialiśmy jakiś case. Wokół niego toczyła się dyskusja.

Na co kładziono największy nacisk?
Na werbunek. Na wszystko, co może go wesprzeć albo mu zaszkodzić. To był główny temat. Wbijano nam do głów, że naszym podstawowym zadaniem jest werbowanie agentów, pozyskiwanie od nich informacji.

Mieliście swobodny dostęp do prasy zagranicznej?

Tak, do zachodnich gazet. Była też bogata biblioteka: literatura faktu, książki na temat obcych wywiadów. O CIA, o BND, o Mosadzie. To były głównie książki zachodnie. W oryginalnych wersjach językowych.

Były zajęcia na temat obcych wywiadów? Uczyliście się o nich?
Oczywiście, były osobne skrypty o wywiadach i kontrwywiadach wszystkich głównych państw natowskich. Stanów Zjednoczonych, Niemiec, Francji. Wiadomo było, że na teren działania tych właśnie wywiadów będziemy wysyłani.

Jaki był poziom owych skryptów? Czy były to bryki w stylu: „CIA została założona w tym a tym roku i składa się z takich a takich biur", czy też miały bardziej zaawansowany charakter?
Starano się, żeby zawierały najnowsze wiadomości. Zresztą zadaniem każdej rezydentury – pracującej w Anglii, Niemczech, Francji, USA – była ocena sytuacji wywiadowczej terenu. Wszyscy oficerowie muszą to realizować. Czyli dowiadywać się, jaki jest reżim policyjny, kontrwywiadowczy, co nowego w służbach, jakie są zmiany. To były stałe zadania oficerów na placówkach. Sytuacja wywiadowcza terenu to podstawa. Trzeba wiedzieć, czego można się spodziewać.

Był jakiś ranking przeciwników?
W Europie podstawowym przeciwnikiem ze względów politycznych były Niemcy. Z oczywistych powodów. Kolejne najważniejsze rezydentury to Londyn, Paryż, no i Stany Zjednoczone.

Chodzi nam raczej o to, czy któreś wywiady były cenione za swoją fachowość bardziej od innych?
Najbardziej ceniony był oczywiście wywiad brytyjski.

Bo…?
…najstarszy, największa ciągłość, najpewniejsze metody, najbardziej doświadczeni oficerowie. Wywiad niemiecki oczywi-

ście był poważnym przeciwnikiem, ale wiedzieliśmy, że jest mocno spenetrowany przez Rosjan.

Ale było wiadomo, od kogo czego warto się uczyć? Na przykład, że Francuzi mają dobrą łączność, a Rosjanie są mistrzami prowokacji...

Każdy wywiad jest swoisty, ma własną tożsamość. Wiadomo było, że Anglicy działają w sposób wyrafinowany, subtelny. Amerykanie znowu mają trochę naleciałości kowbojskich, które z nich wychodzą. Po Anglikach nie było widać ich pracy, po Amerykanach – przeciwnie. Francuzi z kolei byli niezwykle skuteczni w różnych częściach świata, ale też brutalni. Słynęli z tego. Każdy wiedział, że jeżeli wpadnie w Londynie, to będą go traktować po dżentelmeńsku. A jak wpadnie w Paryżu, to najpierw dostanie po mordzie. Francuzi mieli to we krwi.

Z czego to się u nich bierze?

Wojny w Indochinach i Algierii zrobiły swoje. To były brudne wojny kolonialne i wywiad francuski działał tam brutalnie, nie przebierał w środkach. Jeżeli zaczynasz stosować takie metody, przechodzi to później na wszystkich, którzy wpadną w twoje łapy.

Możesz rozwinąć myśl, że wywiad niemiecki był infiltrowany przez Rosjan?

Po śmierci Stalina Rosjanie zaczęli wypuszczać tysiące jeńców niemieckich. Oczywiście zanim ich wypuścili, werbowali. Masowo. Jeśli werbujesz masowo, to wiadomo, że potem znakomita część ludzi nie będzie chciała mieć z tobą do czynienia, odetnie się – ale nie wszyscy. Te masowe werbunki miały ukryć to, że niektórzy się zgodzili, wszyscy bowiem mogli powiedzieć: „Tak, byłem werbowany, ale odmówiłem". Wielu z nich wróciło do NRF. Jeśli wśród pięciu tysięcy osób masz 1 procent agentów, to już się liczy. Ci ludzie gdzieś przenikali, wtapiali się w niemiecką rzeczywistość. Dlatego Rosjanom łatwo było penetrować Niemcy Zachodnie. Ale polski wywiad swoje w NRF robił. Największa liczba nielegałów, która funkcjonowała w polskim wywiadzie, działała w Niemczech. Jako rodowici Niemcy.

Uczyliście się czegoś o wywiadzie izraelskim?
Oczywiście, ich wywiad był uznawany za jeden z najlepszych, bo zawsze był doceniany przez kierownictwo państwa, które stawiało na wywiad – i dlatego był dobry.

A o sojusznikach się uczyliście?
Z grubsza. O GRU, KGB.

Jeszcze kilka słów o szkoleniu. Uczyli was w Kiejkutach, jak pić wódkę, żeby się nie upijać?
Były proste rady. Jakie leki brać przed piciem czy po piciu. Albo żeby zjeść puszkę sardynek. W szkole bar z alkoholem był otwarty od osiemnastej. To służyło głównie temu, by kadra mogła się zorientować, jak słuchacze zachowują się po alkoholu. Po pierwsze, ile kto potrafi wypić, po drugie, czy nie wariuje po wódce. Bo są ludzie, którzy dostają małpiego rozumu po kilku kieliszkach. Stają się agresywni, nieodpowiedzialni, zaczynają się awanturować. Po prostu nad sobą nie panują.

A było na przykład takie ćwiczenie, że musiałeś coś wypić i napisać?
Nie.

Bywa, że najważniejszych rzeczy dowiadujesz się przy wódce…
Oczywiście, bo ludzie zachowują się nietypowo. Dlatego każdy próbował swoich możliwości: ile potrafi wypić, żeby jeszcze coś zrozumieć, ale przede wszystkim zapamiętać.

Ale nie mieliście szczególnych ćwiczeń…
Nie. Ja jednak tak mam, że jeżeli piję z kimś wódkę po to, żeby się czegoś dowiedzieć, to jestem bardzo skoncentrowany. Ina-

czej pije się na luzie, inaczej gdy masz ukryty cel, by zdobyć informacje.

Ktoś nie przeszedł tego alkoholowego testu, tak?
Na każdym roku byli ludzie, co najmniej jeden, dwóch, którym trzeba było podziękować. W samym wywiadzie też tak bywało. W siedzibie wywiadu, która mieściła się w kompleksie przy Rakowieckiej, zawsze było takie dyżurne łóżeczko i czasem milicja przywoziła kolegę, który mógł już tylko poleżeć. Dyrektorzy przychodzili do pracy na siódmą albo zaraz po siódmej. I wtedy spotykali takiego delikwenta, który jeszcze był pijany albo grzecznie trzeźwiał. Notatka z milicji była już w drodze.

A czy z waszego rocznika byli typowani nielegałowie, czy też takie osoby były szkolone osobno?
Pion „nielegalny" rządził się własnymi, zupełnie odrębnymi prawami. Był usytuowany w innym miejscu niż reszta wywiadu. Ludzie typowani na nielegałów nie przechodzili szkolenia w Kiejkutach. Na pewno nie ci, którzy potem w terenie mieli udawać Niemców, Francuzów albo Brytyjczyków.

Uczyli was w Kiejkutach obchodzenia się z kobietami? Podrywania, kokietowania?
Nie. Oczywiście sprawy damsko-męskie przewijały się przy kolejnych omawianych przypadkach. Głównie jak wykorzystywać kobiety w pracy wywiadowczej. Jak traktować kobietę agenta. Czy wolno się spoufalać. Kiedy, w jakim momencie.

Opowiedz o tym. To ciekawe.
W tamtych czasach w zasadzie wszyscy oficerowie byli mężczyznami. Rzadko bywało tak, że kobieta prowadziła kobietę. Zdarzało się, że agentka zakochiwała się w oficerze. Oczywiście są sposoby, jak to rozwiązywać, zniechęcać. Nie można uczucia ot tak olać, zlekceważyć, bo od miłości do nienawiści jest jeden krok. To są delikatne sprawy i o tym w szkole oczywiście się dyskutowało.

Ale zbytnie spoufalanie się z kobietami było dopuszczalne?

Najlepiej, jeśli nie ma tego typu bliskości między agentką a oficerem. Ale bywa i tak, że romans jest najlepszą formą pozyskania agenta. Tyle że potem nie możesz powiedzieć: „Mieliśmy romans, bo kazano mi cię zwerbować, ale teraz kończymy
z tym i pracujemy jak oficer z agentką". Tak się nie da. Trzeba
zachować umiar, zdrowy rozsądek. Wszystko musi być zrobione
z taktem, subtelnie, bo to są wyjątkowo trudne i niebezpieczne
sytuacje. Odrzucona kobieta potrafi bardzo zaszkodzić.

**Werbowanie na uczucie jest okej? W sensie, że agent jest wte-
dy pewny?**

Agent nigdy nie jest pewny.

Ale rozumiesz, o co pytamy?

Tak. Myślę, że tego typu werbunek należy traktować jako osta-
teczność. Najlepiej, jeżeli w relacji agent–oficer jest czysty biznes czy jakaś ideologia. Jeżeli jest uczucie, to wiadomo, że są też
emocje. Emocje są zmienne, jednej i drugiej stronie trudno nad
nimi zapanować. Wybuch uczucia może przesądzić o bardzo
szybkim werbunku, ale potem może się stać polem minowym.
Oczywiście najgorzej, jeśli oficer też się zakocha, bo w takim
przypadku przestaje myśleć racjonalnie.

I co wtedy?

Trzeba go wymienić.

**Jeszcze jedna rzecz, żeby zamknąć wątek płciowy. Czy historie
homoseksualne grały rolę? Wiadomo, że wywiad NRD wyko-
rzystywał takie sytuacje.**

Niekiedy homoseksualiści zajmują ważne, ciekawe z punktu
widzenia wywiadu stanowiska. Ale nie znam sytuacji, by…

…oficer się poświęcił?

Tak, poza tym w czasach, gdy ja pracowałem, to były relacje
kompromitujące, w niektórych krajach nielegalne. I tutaj łatwo

było na agenta i na siebie ściągnąć duże nieszczęście. Tak że z samej zasady takich sytuacji się unikało. Oczywiście co innego, jeżeli masz do czynienia z agentem homoseksualistą i mu się podobasz. Na tej bazie można ciągnąć relację, ale w sensie relacji międzyludzkiej, bez żadnych innych spraw. Nie każdy homoseksualista dąży od razu do zbliżenia, często chce po prostu utrzymywać kontakt z człowiekiem, który w jakiś sposób mu odpowiada.

Trudna robota.
Delikatne sprawy, ale celem nadrzędnym jest pozyskanie informacji i źródeł, w granicach rozsądku oczywiście.

A kwestia wykorzystywania prostytutek?
Wiadomo było, że w wywiadzie do różnych działań wykorzystuje się prostytutki. Podstawianie dziewczyn może być skuteczną metodą. Są faceci, którzy wariują na widok ładnej kobiety.

Mieliście prostytutki, po które mogliście sięgać, jeśli chcieliście, by odegrały jakąś rolę w operacjach wywiadu?
W Biurze B, które zajmowało się obserwacją, była sekcja prowadząca wszystkie prostytutki w hotelach orbisowskich. Każda z nich była „na kontakcie". Jeżeli jakaś dziewczyna chciała funkcjonować w hotelu orbisowskim, musiała współpracować. Jeżeli nie współpracowała, to nikt jej do hotelu nie wpuścił. Inne hotele, te nieorbisowskie, obstawiała milicja. Nie było więc tam dziewczyn „niezrzeszonych". Przy czym te, które pracowały w hotelach orbisowskich, to był absolutny top. W zależności od potrzeb szło się do tej sekcji w Biurze B.

Sekcja rozrywkowa…
Tam pracowały same kobiety, mężczyźni tych prostytutek nie prowadzili. I były negocjacje. Znając preferencje i upodobania naszego celu, mówiliśmy, kogo potrzebujemy, dowiadywaliśmy się, jakie dziewczyny są „na kontakcie".

Jak długo trwało to wasze szkolenie w Kiejkutach?
Przyjechaliśmy w listopadzie i trwało to wszystko do połowy czerwca. Ja swoje egzaminy złożyłem na początku miesiąca i praktycznie miałem już labę.

Ale musiałeś siedzieć w Kiejkutach?
Tak, bo uroczyste, pierwsze w historii szkoły zakończenie roku było dopiero pod koniec czerwca.

Mieliście galowe mundury?
Nie, zwykłe polowe.

Pamiętasz to zakończenie?
Pamiętam, że w ramach nagród rozdzielono trzy zegarki.

I kto je dostał?
Między innymi Gromek Czempiński.

A ty?
Ja byłem najmłodszy na roku. Nie dostałem zegarka, ale myślę, że byłem w pierwszej dziesiątce. Pamiętajcie, że Gromek, przychodząc do szkoły, miał już za sobą cztery, pięć lat pracy w służbach w Poznaniu.

Byłeś z nim w grupie czy nie?
Nie.

Z Bogdanem Liberą ?
Też nie.

Powiedz, czy do wywiadu dobierano ludzi również pod kątem wyglądu. Czempiński, Libera, Severski to przystojni faceci.
Przekrój ludzi był od naprawdę przystojnych do takich, którzy wyglądali, jakby właśnie wyszli ze stogu siana. W sumie wygląd nie miał specjalnego znaczenia.

A zajęcia z savoir vivre'u mieliście? Było coś takiego czy nie?

Nie przypominam sobie takich zajęć. No, ale w końcu wszyscy byliśmy ludźmi z wyższym wykształceniem, w miarę kulturalnymi.

Ale chodzi na przykład o umiejętność prowadzenia rozmowy, podtrzymywania dobrego kontaktu…
To wszystko wynikało w trakcie ćwiczeń seminaryjnych. Wiadomo, że oficer musi być partnerem dla swego rozmówcy. Musi czytać, musi być na bieżąco w różnych dziedzinach – polityce, muzyce, literaturze. Zresztą nasi wykładowcy wpajali nam do głowy, że jeżeli chcemy być naprawdę dobrymi oficerami, to całe życie musimy się uczyć. Zdobywać wiedzę z różnych dziedzin, przede wszystkim czytać, bo lektura rozwija najszybciej.

Jest czerwiec, kończy się szkoła w Kiejkutach. Jak dalej toczą się twoje losy?
Praktycznie do sierpnia czy września były wakacje. Pojechałem po raz drugi do Kairu, do rodziców. Tam pobyłem ze dwa, trzy tygodnie. Wróciłem, bo wszyscy mieliśmy stawić się do roboty. I akurat ja, Gromek i jeszcze trzy osoby trafiliśmy do wydziału amerykańskiego.

6
Wydział Ameryka

Gomułkowska siermiężność – Pod przybranym nazwiskiem –
Z Gromkiem w pokoju – Teczki do przejrzenia – Narady w Moskwie

Jak wyglądał wydział amerykański, gdy stawiliście się tam do pracy?
Po latach gomułkowskich ten wydział wyglądał słabo. Był naczelnik, jego zastępca i trzech, może czterech oficerów. Nas trafiło tam drugie tyle naraz. Każdy dostał jakieś sprawy do obsługiwania i pod okiem starszych kolegów zaczęliśmy się wciągać w robotę.

A kto był tym naczelnikiem? Pamiętasz?
Julian Kowalski. Już nie żyje. Bardzo doświadczony, kulturalny, dowcipny, ironicznie dowcipny dżentelmen.

A skąd on się wziął?
Stary pracownik, który przyszedł do wywiadu po wojnie.

Ze stażem za oceanem?
Po kilku placówkach. Między innymi Londyn, potem także USA. Wymagający, ironiczny, w razie potrzeby potrafił zmobilizować do roboty. Tak sobie wyobrażałem oficera wywiadu.

Formalnie czym się ten wydział zajmował?
To był wydział terytorialny. Każdy taki wydział obsługiwał rezydentury, które działały na danym terenie. Nasz obsługiwał całą Amerykę. Trochę tego było. Trzy rezydentury w Stanach

Zjednoczonych, dwie w Kanadzie, kilka w Ameryce Południowej, duża rezydentura w Meksyku. Jak my przyszliśmy, to w sumie pracowało tam dziesięć osób. I tak mało. Wywiad był odchudzony jak szkapa w kopalni. To pokazywało, że powołanie szkoły było bardzo potrzebne.

A powiedz, jak to wyglądało fizycznie. Dostałeś swój gabinet?
Tak, ja akurat siedziałem w pokoju z Gromkiem.

I gdzie to było? Na Rakowieckiej?
Tak.

Gromosław Czempiński występował wtedy pod swoim nazwiskiem?
Nie, miał zupełnie inne nazwisko.

To jest swoje prawdziwe?
Gromosław Czempiński to jego prawdziwe nazwisko. W szkole i wydziale miał inne nazwisko. Imię zresztą też, bo jego jest bardzo charakterystyczne.

A potem, w kolejnych latach?
Cały czas funkcjonował pod przybranym, inni również. Jak wspominałem, prawdziwe nazwisko ujawniało się dopiero, gdy człowiek zostawał zastępcą naczelnika. To było pierwsze stanowisko kierownicze.

Czyli ty też występowałeś w pracy pod szkolnym nazwiskiem?
Tak, wszyscy używali nazwisk legalizacyjnych. Ja nadal pozostawałem Aleksandrem Stępińskim. Imię, ponieważ było potoczne, zachowałem. Gdybym miał na imię Bogudar, tobym musiał je zmienić.

Twój naczelnik wiedział, kim jesteś?
Oczywiście.

Znał twojego ojca?
Znał mojego ojca, znał mnie, gdy byłem jeszcze dzieckiem.

To istny kabaret, bo przecież kiedy wychodziłeś do toalety, Czempiński mógł wziąć twój portfel i zobaczyć, jak się nazywasz!

Ale ja nie zostawiałem portfela! Tam wszyscy się pilnowali. To było bardzo poważnie traktowane i przestrzegane. Taki był rozkaz i koniec. W końcu to była jednostka paramilitarna. Ja długo, długo nie znałem prawdziwych nazwisk kolegów. Absolutnie tak było.

Jak wyglądało samo wejście do resortu? Jakieś powitanie, jakaś przysięga, jakiś wiceminister?
Uroczystość odbyła się na zakończenie szkoły. Już nie pamiętam, czy składaliśmy jakąś przysięgę, czy nie. Chyba nie. Na pewno na uroczystości był wiceminister Mirosław Milewski, odpowiedzialny za wywiad. I oczywiście dyrektorzy i wicedyrektorzy wywiadu. Znaliśmy ich, bo wcześniej przyjeżdżali do nas z wykładami. Może nie sam szef wywiadu, ale było przynajmniej dwóch wicedyrektorów. Jeden z nich nie miał jeszcze czterdziestki i bardzo łatwo nawiązywał z nami komitywę. To byli ludzie, którzy imponowali nam wiedzą, obyciem i doświadczeniem. Nie mogło być mowy o jakimś lekceważącym stosunku do opiekunów, bo coś tam sobą reprezentowali.

Nazwisko Milewski – za sprawą perypetii ojca – chyba nie kojarzyło ci się wtedy dobrze?
Nie kojarzyło mi się źle. Ojciec nie opowiadał mi o wszystkich swoich problemach z generałem Milewskim. Dowiedziałem się o nich dopiero później. W 1973 roku dla mnie był to po prostu wiceminister Milewski.

Po zakończeniu szkoły pojechałeś do Egiptu, do rodziców. Czy ojciec cię wypytywał, chciał wiedzieć, jak było?
To była zdawkowa rozmowa. Skończyłeś? Zadowolony? Na razie nie było jeszcze o czym specjalnie rozmawiać.

Dostaliście po szkole stopnie oficerskie?

Tak.

I jaki miałeś pierwszy stopień?
Podporucznik, jak wszyscy. To znaczy jak wszyscy, którzy wcześniej nie mieli stopni.

I dostałeś też mundur? Miałeś w szafie mundur?
Nie, mundur został w szkole, żadnych mundurów nie było. Dostawało się sorty mundurowe.

Czyli kasę.
Kasę.

Za to kochaliśmy socjalizm!
Właśnie. Zresztą musiałbym chodzić w mundurze milicyjnym, bo to były milicyjne stopnie, a taki mundur nie był mi do niczego potrzebny.

A kim byłeś dla znajomych i sąsiadów? Co ich zdaniem robiłeś? Czym się zajmowałeś?
Pracowałem w MSZ.

W MSZ?
Tak. W 1972 roku, gdy skończyłem studia, MSZ rekrutowało na wydziale prawa. I jako jednego z tych, którzy mieli iść do nich zaraz po dyplomie, wytypowano mnie, bo znałem język, miałem niezłe stopnie, byłem obyty z zagranicą. W zasadzie już proponowano mi robotę, ale się zorientowano, że pracuje tam mój ojciec. Wtedy było takie zalecenie, że jeżeli rodzic pracuje w jakimś resorcie, to jego córki lub syna już nie można tam zatrudnić. To taki kolejny zakręt socjalizmu. Kiedyś wszystkie dzieci dyplomatów pracowały w MSZ, a potem było odbicie w drugą stronę. Ja akurat trafiłem na etap zwalczania nepotyzmu. Zostałem więc wykasowany z tej puli, która poszła do MSZ, ale parę osób z mojego roku się załapało.

Ktoś później znany?

Nie, żadne z tych nazwisk nikomu dziś nic nie powie.

Przyznasz, że legenda z MSZ nie była perfekcyjna. Dyplomacja jest w alei Szucha, a do roboty w wywiadzie chodziłeś na Rakowiecką...
Nie była to superdograna legenda, ale przecież MSZ ma różne agendy. Potem na przykład miałem w dowodzie pieczątkę Centrali Handlu Zagranicznego „Metalexport". Jako świadectwo, że tam pracuję. W PRL trzeba było mieć w dowodzie pieczątkę z miejsca pracy. W moim przypadku przez pewien czas była to pieczątka MSZ, potem Metalexportu. Trzeba było mieć coś wbite na wypadek legitymowania przez milicję.

Ale miałeś to wbite do podrobionego dowodu na nazwisko Stępiński?
Oczywiście! Na nazwisko legalizacyjne. Trzeba było uważać i nosić dokumenty autentyczne i podrobione w różnych kieszeniach. Jakbyś dał przypadkowo oba, to byłaby afera nie z tej ziemi! Posługiwanie się podrobionymi dokumentami na lewe nazwisko.

Broń dostałeś?
Każdy dostał broń przydziałową.

Chodziłeś z nią po ulicy?
Trzymałem w szafie pancernej w pokoju, bo każdy dostał też i szafę. Gromek miał swoją, ja swoją.

Jak ten wasz pokój wyglądał?
Biurka naprzeciwko siebie, po jego stronie jego szafa pancerna, po mojej stronie moja.

Maszyny do pisania.
Jedna. Akurat na maszynie dobrze pisałem, bo w szkole w Stanach miałem kurs maszynopisania. Każdy więc dostał broń, szafę pancerną, klucz, pieczątkę...

…do plasteliny, potrzebną do plombowania szafy?

Za każdym razem, gdy wychodziłeś z pokoju, musiałeś schować wszystkie papiery w szafie, zamknąć ją i zaplombować. Jeżeli wszedł naczelnik i zobaczył, że nie ma cię w pokoju, jest twój partner, a twoja szafa jest otwarta, to z miejsca dostawałeś po premii.

Chyba najbardziej, za przeproszeniem, przejebane byłoby zgubić tę pieczątkę, nie?

Najbardziej przejebane – w kolejności – było: zgubić broń, zgubić legitymację i zgubić pieczątkę. Jeżeli zgubiłeś wszystko naraz, zwłaszcza po pijaku, to już cię nie było w wywiadzie. A zdarzały się takie przypadki. Byli koledzy, którzy cały czas chodzili z bronią, wszędzie. A to jest proszenie się o nieszczęście, szczególnie gdy idziesz z kolegami na wódkę. Niektórzy mężczyźni są jak dzieci, no i broń działa na nich jak narkotyk.

A jaką dostaliście broń?

To nie były tetetki, to była nowsza broń, nie pamiętam w tej chwili jaka, ale to już druga generacja, oczywiście polskiej produkcji. Od czasu do czasu, raz na pół roku czy raz na kwartał, były strzelania. Tak więc tę broń trzeba było czyścić, pielęgnować.

MSW miało swoją strzelnicę?

Jeździliśmy do jednostek wojskowych, których w Warszawie i okolicach nie brakowało, i tam sobie strzelaliśmy.

A gdzie dokładnie w tym kompleksie MSW siedzieliście, ty i Czempiński? Na którą stronę mieliście okna?

Okna naszego wydziału wychodziły na kościół ewangelicki.

Duży był ten pokój?

Z piętnaście metrów. Tak że dwie osoby swobodnie się tam czuły. Rano kupowało się w Supersamie śniadanko.

Czyli cały resort spotykał się rano w słynnym Supersamie?

Prawie. Chyba że komuś żona robiła kanapki. Ja akurat nie miałem żony, więc kupowałem tam sobie serek topiony i szynkę, jak się trafiła.

Sypana kawa, grzałka elektryczna?
Tak jest.

Lekki szok. Wyobrażasz sobie, że będziesz Jamesem Bondem, a tu biurowa robota. O której musiałeś się stawiać?
O ósmej.

Lista była?
Oczywiście! Dwie, trzy minuty po ósmej sekretarka ją zabierała i zanosiła do naczelnika. Każdy, kto przyszedł później, meldował się u naczelnika, bo musiał tę listę podpisać. Jak jej nie podpisał, to miał dzień nieusprawiedliwiony.

Ale to było tak, że od ósmej do piętnastej musiałeś być w biurze?
Do szesnastej.

Pracowaliście tylko w biurze czy mieliście też inne zadania?
Niektórzy obsługiwali rezydentury, z których napływała poczta. Trzeba ją było otworzyć, odpowiedzieć, pobiegać po wydziałach. Przychodziły najróżniejsze zapytania, dotyczące osób i sytuacji. Typowano też ludzi, którzy często jeździli do Stanów i docierali w ciekawe dla nas miejsca, i starano się ich pozyskać. Tu, w Polsce. Czasami przyjeżdżali Amerykanie, prowadziło się ich rozpracowanie pod kątem zwerbowania do współpracy. Liczni byli na przykład stypendyści amerykańscy. Ludzie mający rodziny w Stanach i polonusi bez przerwy podróżowali. Tak że jeżeli ktoś chciał, to mógł biegać i szukać ciekawej roboty.

Okej, zacznijmy od początku. Przyszedłeś do roboty pierwszego dnia i co? Dostałeś jakąś teczkę do przejrzenia?
Tak, z poleceniem, żeby się zapoznać z jej zawartością. Przygotować ocenę możliwości dalszych działań. Potem złożyć ją u naczelnika lub zastępcy, który nadzorował daną sprawę.

Ile tych teczek dostałeś?
Ze trzydzieści.

Aż tyle? Powiedz, co z nimi robiłeś. Czy to było tak, że dostajesz trzydzieści case'ów z jednej rezydentury?
Z różnych. Na ogół starano się, żeby jeden człowiek obsługiwał jedną rezydenturę. Ale jeżeli obsługiwałeś rezydenturę na przykład Chicago, no to mogłeś mieć tyle roboty, że już nie miałeś czasu na obsługę wszystkich źródeł, które tam były. I wtedy część spraw tej rezydentury dostawał ktoś inny. Figuranci byli oczywiście prowadzeni w Ameryce, ale w ich sprawach mogła przychodzić masa różnych zapytań. Trzeba było szukać na nie odpowiedzi. Wreszcie otrzymywaliśmy informacje od owych figurantów. Musieliśmy je przekazywać do wydziału informacyjnego, do innych wydziałów operacyjnych lub innych jednostek.

Spróbujmy to pokazać na przykładzie. Jest teczka z rezydentury w Chicago. Dotyczy jakiegoś Johna, który jest naszym agentem. Od niego płyną informacje. Co konkretnie z nimi robisz?
Powiedzmy, że przychodzi pięć informacji. Musisz je przepisać na odpowiednich formularzach, ukryć źródło, nadać mu pseudonim…

Ale ty znasz prawdziwe nazwisko tego Johna?
Ja wiem wszystko o tej sprawie, bo prowadzę teczkę.

I kto jeszcze wie?
Wie oczywiście jego bezpośredni „opiekun", wie naczelnik wydziału i rezydent w Stanach. Na ogół było tak, że ci dwaj ostatni w rozmowach na temat konkretnej sprawy posługiwali się pseudonimem agenta. Jeżeli źródło było cenne, to jego dane osobiste – imię, nazwisko, miejsce zamieszkania, zajęcie i inne – były złożone w teczce, w zalakowanej kopercie. W codziennych

rozmowach i korespondencji nazwisko agenta, z oczywistych powodów, nie funkcjonowało.

Ale naczelnik miał wgląd w tę kopertę…
Naczelnik miał wgląd we wszystko.

No dobrze. Ty miałeś teczkę tego Johna. Od niego spływało pięć informacji i co się z nimi działo?
Przepisywałem je na formularze i rozsyłałem.

Czyli zajmowałeś się biurokracją. Ukrywałeś też źródło?
Wyrzucałem z tych informacji wszystko, co w jakikolwiek sposób mogłoby kogoś naprowadzić na tożsamość źródła. Pięć wiadomości szło do wydziału informacyjnego. Wydział informacyjny je brał i oceniał.

Czyli przesyłałeś je w jedno miejsce, tak?
Tak, do wydziału informacyjnego. Wydział informacyjny, a konkretnie pracownik, który zajmował się danym terenem i miał ogląd wszystkich informacji, brał je do siebie. I każdą musiał ocenić – czy to jest piątka, czwórka, czy nie nadaje się.

Piątka, czwórka… tak jak w szkole?
Tak samo, stopnie.

Od dwójki do piątki? Czy od jedynki do piątki?
Od dwójki do piątki. Wtedy tak było w szkołach i tak było u nas.

Z plusami, minusami?
Mogły być takie wariacje. Dla każdej informacji musiał być wypełniony formularz ocen, który określał też, jak została wykorzystana, i zawierał komentarze, często precyzujące dodatkowe życzenia pod adresem źródła.

I to wracało do ciebie?
Tak, i jeżeli była prośba o uściślenie jakichś danych, pisałem instrukcje dla rezydentury. Oficer prowadzący je uwzględniał,

a źródło w miarę swoich możliwości starało się zdobyć interesujące nas szczegóły, choć oczywiście nie zawsze mu się to udawało.

Jasne. A co wydział informacyjny robił z wiadomościami, które przychodziły od takiego Johna?
Sporządzał na ich podstawie coś, co się nazywało informacją wywiadu. I ona szła na rozdzielniki, do różnych odbiorców, resortowych albo politycznych, w zależności od wagi.

Byłeś jedynie przekaźnikiem czy miałeś również jakąś możliwość kreacji?
Miałem możliwość kreowania. Oceniałem, jak przebiega praca ze źródłem, czy jego potencjał jest dobrze wykorzystany, czy stawiane są właściwe pytania. Mogłem przesłać całą instrukcję z pytaniami, które moim zdaniem należało mu zadać. Jeżeli źródło wydawało się obiecujące, to szedłem do wydziału informacyjnego, żeby spotkać się z pracownikiem odpowiedzialnym za dany teren, dysponującym bardziej szczegółową wiedzą, także na temat informacji pochodzących od źródła. No i z tym oficerem mogłem przeprowadzić merytoryczną rozmowę, ustalając, czego jeszcze oficer prowadzący mógłby dowiedzieć się od źródła, jak za sprawą kontaktów z agentem można by pogłębić jakiś konkretny temat.

Czyli nie ruszając się z Warszawy, miałeś wpływ na współpracę oficera prowadzącego ze źródłem…
Oczywiście. Do moich obowiązków należało też ocenianie, czy przestrzegane są zasady konspiracji, czy łączność między oficerem a źródłem jest prawidłowo realizowana, czy spotkania nie są zbyt częste i czy nie odbywają się w tym samym miejscu. Po każdym takim kontakcie sporządzany był raport operacyjny, który dotyczył wyłącznie techniki spotkania.

Też trafiał do ciebie?
Tak, podobnie jak ten merytoryczny.

Jak obszerny był to dokument?
Raport operacyjny? Wszystko było tam dokładnie opisywane. Jaką trasą oficer przyszedł na spotkanie, czy miał obserwację, gdzie się spotkał ze źródłem, ile zapłacił, jaką trasą wracał. Wywiad to jest pisania od cholery. Masa! Można powiedzieć, że wywiad pisaniem stoi. Tam wszystko musi być bardzo dokładnie opisywane...

...po kiego diabła?!
Jeżeli jest wpadka, jakaś dekonspiracja, to przychodzi komisja, bierze teczkę i sprawdza. Szuka śladu, przyczyny. A ty jesteś na cenzurowanym: czy opisałeś wszystko jak należy, może coś przeoczyłeś, czegoś nie dopilnowałeś...

Mówiłeś, że niektórzy pracownicy centrali odpowiadali za rezydentury. Na czym polegała ta robota?
Rezydentura miała różne zapytania, trzeba było coś ustalić w kraju...

Na przykład?
Powiedzmy, trafił im się jakiś godny uwagi naukowiec, który miał, jak się okazało, znajomości w Polsce. I trzeba było tych wszystkich znajomych posprawdzać.

Ale to było tak, że brałeś papiery pod pachę i jechałeś, dajmy na to, do Gdańska szukać wiadomości?
W każdym z większych polskich miast była delegatura wywiadu. Pisałeś do nich, stawiałeś zadania, a oni biegali po mieście i szukali. Dużo informacji braliśmy z MON, które w zasadzie wszystko o wszystkich wiedziało, no bo był pobór. W związku z tym każdy poborowy taką czy inną teczkę – czy swoją kartę – miał. W MON było wszystko na temat każdego. Czasem się z nami dzielili, czasami nie chcieli.

A jeżeli ten John dawał informację, że jakiś jego kolega przyjedzie do Polski, to też się tym zajmowaliście?

Wtedy oficer prowadzący brał od źródła charakterystykę. Co robi ten gość, jaki ma potencjał. Jakie ma preferencje. Czy lubi brunetki, czy blondynki, a może obrazy, a może koty, a może ma słabość do wódki. No i wtedy szykowało się całą kombinację.

I to była twoja robota?
Tak, moja.

Przygotowywałeś informację?
I ewentualnie raport: jak się spotkać z człowiekiem, jak do niego dotrzeć, jak rozpocząć dialog – wszystko, co się z tym wiąże.

À propos takich życiowych spraw… Czy przyjaźniłeś się wtedy z Czempińskim? Spędzaliście razem wolny czas?
Tak.

Chodziliście na wódkę?
Gromek był już wtedy żonaty, miał dziecko, córkę, obecnie dorosłą, wtedy kilkuletnią. Mieszkał niedaleko firmy, więc często bywałem u nich towarzysko.

A coś cię wkurzało na tym początkowym etapie? Jakie były twoje wrażenia po kilku pierwszych miesiącach? Byłeś zawiedziony? To było to, czego oczekiwałeś?
Myślałem, że jest strasznie dużo biurokracji, bo było. Na filmach z Jamesem Bondem zupełnie inaczej to wyglądało. Ale jeżeli człowiek usiadł i pomyślał, to dochodził do wniosku, że w zasadzie wszystko to jest potrzebne. Nie było pisania dla pisania. Każdy dokument, który wypełniałeś, czemuś służył i z tego punktu widzenia nie było niecelowej pracy.

Jaki był główny obszar zainteresowania wywiadu w USA? Technologie, polityka, Polonia?
Wszystko. Polityka, kwestie gospodarcze, naukowo-techniczne i oczywiście problematyka polonijna. To był cały przekrój. Nasz wydział zajmował się koordynacją działań na terenie Stanów

Zjednoczonych. Wywiad naukowo-techniczny był zainteresowany różnymi ważnymi obiektami w Ameryce, takimi jak Los Alamos czy Dolina Krzemowa. Co ciekawe, w pierwszej połowie lat siedemdziesiątych jednym z głównych, mocno drążonych tematów były kwestie pożyczek. Na jakich warunkach dostaniemy pożyczkę, jakie będzie oprocentowanie, jakie zasady. To była sprawa istotna i wywiad zdobywał tu informacje. Krótko mówiąc, w naszym wydziale zbiegały się wszystkie sprawy, które dotyczyły Stanów Zjednoczonych.

A powiedz, jak oceniasz siłę polskiego wywiadu na początku lat siedemdziesiątych.
Do końca lat sześćdziesiątych, jak już mówiłem, ten wywiad został prawie zagłodzony na śmierć. To była polityka oszczędnościowa towarzysza Gomułki, który uważał, że wywiad jest niepotrzebny. Jeżeli w wydziale amerykańskim, czyli jednym z głównych wydziałów wywiadu, było przed naszym przyjściem pięciu czy sześciu oficerów, to macie odpowiedź. Było marnie. Odbudowa wywiadu zaczęła się wraz ze startem szkoły w Kiejkutach w 1972 roku. Sześćdziesiąt osób na roku, sześćdziesiąt w kolejnych latach i tak przez następne lata. W ciągu dekady szkołę ukończyło kilkaset osób. I wszystko to wywiad wchłonął bez najmniejszego problemu.

Czy w innych krajach takie szkoły są na porządku dziennym?
Tak. Mają je Anglicy, Amerykanie. Gdzieś ludzie muszą się uczyć. Jeżeli co roku do służby ma wejść kilkadziesiąt nowych osób, to nie da się ich wyszkolić w systemie indywidualnym.

Powiedz, jak na tym kierunku amerykańskim wyglądała współpraca z zaprzyjaźnionymi wtedy służbami?
Większość wydziałów, nie tylko amerykański, miała raz do roku albo raz na dwa lata spotkanie ze swoimi odpowiednikami – Rosjanami, Czechami, Niemcami. I tam się wymieniało różne opinie. Rozmowy miały odpowiednio ogólny charakter,

bo przecież nikt nie chciał ujawniać informacji, które dekonspirowałyby jego źródła. Szczególnie ciekawe były spotkania z Rosjanami, którzy mieli największy wywiad w bloku. Chodziło o sprawdzenie, czy tok rozumowania, który przyjęliśmy w jakichś naszych sprawach, jest ich zdaniem właściwy. Czy oni uważają, że idziemy w dobrym, czy złym kierunku. To była wymiana poglądów w ramach Układu Warszawskiego, dziś jest podobna w ramach NATO.

Dobrze, ale czy było na przykład tak, że jakiś temat przerastał was organizacyjnie i uznawszy, że możliwości Rosjan będą większe, pchaliście sprawę do Moskwy? Powiedzmy, zwerbowaliście fizyka jądrowego i uznaliście, że to jest temat, który bardziej zainteresuje wywiad radziecki.

Na ogół działa to tak – zresztą tak było przy Zacharskim – że bierze się materiały od źródła i sprzedaje sojuszniczej służbie. Za interesujące nas informacje albo za pieniądze. Jest też inna formuła, można się umówić inaczej. Tak jak dziś wywiad umawia się z Amerykanami. W ten sposób, że oni w całości finansują operację robioną naszymi siłami, bo my jesteśmy wstrzeleni w źródło, a informacje są istotne dla nich. Tak też robiliśmy w przeszłości z Rosjanami.

Czyli nie opierało się to na bratniej przyjaźni i bezinteresowności?

Nie, bo koszty często były zbyt duże. Przecież agent, który przekazuje informacje rangi strategicznej, zdaje sobie sprawę, ile są one warte. Trzeba mu płacić. Jeżeli te wiadomości są cenne dla sojusznika, no to niech za nie płaci, zwraca koszty.

Często były takie sytuacje z wywiadem radzieckim?
Nie.

Ale zdarzały się?
Zdarzały się. Czasami posyłało się do Rosjan temat z zapytaniem i przychodziła odpowiedź. Bywało.

A kiedy zacząłeś brać udział w takich naradach międzynarodowych?
Uczestniczyłem w nich dwa razy. Pierwszy raz świeżo po powrocie z placówki w Ameryce, czyli po 1980 roku. Byłem jeszcze w wydziale amerykańskim. Naczelnik mnie zabrał i pojechaliśmy na naradę. Byłem wtedy starszym specjalistą.

I gdzie to było?
W Moskwie. Dwukrotnie. Pierwszy raz zostaliśmy ulokowani w pięknej przedrewolucyjnej willi w centrum Moskwy. I tam było wszystko. Spanie, żarcie i same narady. Za drugim razem też mieszkałem w Moskwie, ale spotkania odbywały się w podmoskiewskiej siedzibie wywiadu. W takim ich Langley.

W Jasieniewie?
Tak.

Po jakiemu ty się z nimi dogadywałeś?
Rosyjskiego nie znałem, bo nie miałem gdzie się go nauczyć. Jak w Polsce chodziłem do szkoły, to rosyjski chyba się zaczynał w piątej klasie. Miałem w podstawówce trzy lata rosyjskiego, czyli nic.

Zatem dogadywałeś się z nimi po angielsku?
Po angielsku, ale był też tłumacz z ich strony. No ale jak się spotykaliśmy w ramach wydziałów amerykańskich, to nie było problemu, bo wszyscy znali angielski.

Byli dobrymi fachowcami?
Stany mieli rozpracowane całkiem nieźle. Oni tam zawsze intensywnie pracowali, z całym pionem nielegałów.

A wasza siła w USA? Jest taka opinia historyka Sławomira Cenckiewicza... zresztą można jej sobie posłuchać na YouTube... że w latach siedemdziesiątych byliście w USA bezradni, bo FBI was rozpracowało – mogliście co najwyżej siedzieć w rezydenturze i oglądać telewizję.

To chyba Cenckiewicz sam sobie zaprzecza. Ostatnie zdanie na mój temat w Raporcie z likwidacji WSI to cytat z notatki amerykańskich służb, które stwierdzają wprost, że byłem „bardzo niebezpieczną postacią, która w okresie zimnej wojny wyrządziła Stanom Zjednoczonym wiele szkód". Tak więc chyba jednak coś w tej Ameryce robiliśmy.

7
Harvard

Pierwsza akcja w terenie – Doktorant na wycieczce – Pod przy-
kryciem stypendysty – Opiekun Petelicki

**Pamiętasz pierwszą akcję po przyjściu do roboty na Rako-
wiecką? Pierwszą, gdy musiałeś ruszyć się zza biurka?**
Zawsze zaczynało się od pozyskiwania kontaktów operacyjnych. Kontakt operacyjny to źródło krajowe, które wyjeżdża
do Stanów albo pracuje w instytucji działającej na kierunku
amerykańskim. I to były pierwsze takie akcje operacyjne, nazwijmy to.

**Czyli musiałeś pójść do kogoś, kto się wybiera do Stanów
Zjednoczonych.**
Na przykład do kogoś, kto jedzie na stypendium czy do rodzi-
ny. Albo do osoby, którą instytucja wysyła za ocean do pracy.

Kim była ta pierwsza osoba w twoim przypadku?
Naukowcem.

Trema?
Przed utratą cnoty zawsze ma się trochę tremy. Ale to jest wyzwanie, któremu trzeba sprostać. Jak pierwszy wywiad w karierze dziennikarza.

Ale udało ci się?
Tak.

Byłeś precyzyjnie przygotowany do tej rozmowy? Miałeś szczegółowy plan?

Oczywiście. Pisze się raport o pozyskanie kontaktu operacyjnego. Plan pozyskania agenta to jest, powiedzmy, dwadzieścia punktów, które musisz wypełnić. Plan pozyskania kontaktu operacyjnego to było chyba dziesięć punktów. Musisz napisać raport, przedstawić taktykę rozmowy, cel pozyskania, sprecyzować, czego oczekujesz. W taktyce na przykład określasz, jak będziesz się przedstawiał, bo nie zawsze musisz się przedstawiać jako oficer wywiadu. Werbunek czy pozyskanie kontaktu operacyjnego zatwierdzał naczelnik lub jego zastępca.

A w tej pierwszej rozmowie przedstawiłeś się jako człowiek wywiadu?

Tak, żeby nie było nieporozumień.

Czyli to była ta pierwsza poprzeczka. Pozyskanie kontaktu operacyjnego.

No, od tego się zwykle zaczynało. Zanim ktokolwiek dopuścił cię do werbunku agenta, przełożeni chcieli zobaczyć, jak w ogóle sobie radzisz podczas rozmowy operacyjnej. Są ludzie, którzy po prostu do żadnej pracy operacyjnej się nie nadają. Nadają się za to do analizowania dokumentów albo czegoś innego. Pozyskanie kontaktu było sprawdzianem najmniej ryzykownym. Bo działałeś na terenie Polski i miałeś do czynienia z polskim obywatelem. Facet mógł najwyżej gdzieś pójść i złożyć skargę. A takie reperkusje można było załagodzić.

No dobrze, idziesz na taką rozmowę do gościa, który wybiera się do Ameryki. I jaki jest najlepszy pomysł na to, by został twoim kontaktem operacyjnym?

To zależy od człowieka – co robi i jakie można mu postawić zadania. Jeżeli jest to naukowiec, który jedzie na jakiś ciekawy uniwersytet, to można mu określone zadania zlecić, prawda? Jeżeli to jest ktoś, kto udaje się na stypendium Fulbrighta, to będzie miał do czynienia z zupełnie innymi ludźmi. Bo te stypendia miały bardziej politologiczny charakter. Jeżeli facet czy kobieta są godni uwagi, to wiadomo, że mogą stać się również celem werbunku drugiej strony. Trzeba więc przygotować się na taką ewentualność, przekonać tę osobę, że powinna podjąć proponowaną jej współpracę, a potem nam o tym powiedzieć. Dobrze mieć człowieka, który pojedzie do Stanów, zostanie zwerbowany przez wywiad amerykański, wróci do Polski i my go będziemy prowadzić.

Ludzie zgadzali się na współpracę z wami, zdarzały się odmowy?
Byli ludzie, którzy odmawiali. Mówili, że wobec tego wolą zrezygnować z wyjazdu. Sam miałem taką sytuację. Rozmówca powiedział, że nie czuje się na siłach, że to zbyt wielki stres. I jeżeli współdziałanie z nami jest warunkiem jego wyjazdu na stypendium, to on zostaje w Polsce i nigdzie nie jedzie.

Pamiętasz, czy pojechał?
Pojechał. Jeżeli ktoś się zachowywał w granicach przyzwoitości i widać było, że z tej współpracy nic nie będzie, to po co robić chryję? Lepiej niech pojedzie na to stypendium, bo przynajmniej będzie jakaś korzyść dla niego i dla państwa. Nie mściliśmy się wedle zasady: „A to skurwysyn! Nie zgodził się, to my mu przypierdolimy!". Należało dbać o reputację państwowego wywiadu. Jeżeli z czystej i głupiej zemsty zablokujesz takiemu facetowi wyjazd, to on będzie o tym wszystkim opowiadał. Będzie się mścił. Jeżeli natomiast powiesz: „Okej, no to umówmy się tylko, że jak Amerykanie będą do pana podchodzić, to pańską powinnością będzie nam o tym zameldować". Jeżeli takiego faceta puścisz, to od razu inaczej się do ciebie nastawi.

Ale rozumiemy, że nie chodziło tylko o sprawy polityczne, polsko-amerykańskie, gospodarcze. W końcu przyszło ci pójść do kogoś, kto jechał do żyjących tam Polaków.

No, oczywiście.

No i to była już trochę inna historia, tak?
Ale tym głównie zajmował się wydział jedenasty. W polu naszej uwagi mieścił się Kongres Polonii Amerykańskiej (KPA). Jeżeli ktoś miał możliwości na tym kierunku, to jak najbardziej nas to interesowało.

Ale miałeś z tym problem, jak musiałeś komuś powiedzieć, że będzie musiał pisać raporty na rodaka? Bo to już nie jest takie fajne, nie? Bo możesz sobie mówić: „Okej, tropimy ich rakiety, które mają nas zniszczyć, ukradniemy tajemnice, które będą korzystne dla naszego przemysłu". Jednak w tym przypadku sprawa wygląda nieco inaczej.
No tak, ale Kongres Polonii Amerykańskiej to Amerykanie polskiego pochodzenia.

Odpowiedz: miałeś z tym problem czy nie?
Nie. Albo jest się profesjonalistą, albo nie.

A jaki był stopień waszej infiltracji KPA w latach siedemdziesiątych?
Mogę odpowiedzieć ogólnie: nie było tam problemu ze zdobywaniem informacji.

Czy wszyscy ci, którzy jeździli do Ameryki, na przykład na stypendium Fulbrighta, poza nielicznymi wyjątkami zdecydowanie odmawiającymi współpracy, byli kontaktami operacyjnymi?
Nie. To było wybiórcze z naszej strony. Nie miałoby sensu werbowanie wszystkich. To była ogromna masa. Tak by się nie dało, bo ruch na kierunku amerykańskim był dosyć duży.

Pozyskiwaliście sportowców, którzy wyjeżdżali na zawody?
Ja nie miałem takiego przypadku.

Artystów?

Też nie miałem, ale nie wykluczam, że koledzy mieli, bo to zawsze jest ciekawe środowisko. Staraliśmy się pozyskiwać ludzi, o których wiedzieliśmy, że mają albo mogą mieć w Ameryce ciekawe kontakty. Pozyskiwanie dla pozyskiwania, tylko dlatego, że ktoś jedzie do Ameryki, byłoby bez sensu.

Jaki poziom reprezentowało w tamtym czasie FBI, które miało wykrywać takie gry, między innymi ze strony waszej służby?
FBI było bardzo doświadczoną organizacją. Istniało od wielu lat i profesjonalizmem znacznie przewyższało CIA. To kwestia ciągłości, wyrobionych metod, nawyków, form działania. Był to zatem godny przeciwnik.

Ile zdobyłeś kontaktów operacyjnych, zanim dostałeś jakieś inne zadanie?
Dosyć szybko przeszedłem na przykrycie do Polskiej Akademii Nauk. Do wydziału amerykańskiego trafiłem w lecie 1973, a już w następnym roku, chyba też w lecie, znalazłem się w Instytucie Nauk Prawnych PAN.

I kim tam zostałeś, jakimś asystentem?
Doktorantem.

Wywiad ci to wymyślił, żebyś wyjechał pod przykryciem do Stanów?
Część wydziału zawsze szła na przykrycie. Ponieważ skończyłem studia prawnicze, Instytut Nauk Prawnych PAN był dla mnie naturalnym miejscem. Prowadzono tam również bardzo rozwinięte studia amerykanistyczne, które obejmowały całą Polskę. To znaczy na uniwersytetach w Toruniu, Krakowie, Warszawie, prawie na wszystkich większych uniwersytetach w Polsce, było ogromne grono amerykanistów, którzy zajmowali się studiami nad różnymi aspektami prawa amerykańskiego. Koordynatorem tego projektu był właśnie Instytut Nauk Prawnych PAN. Ponadto między Instytutem a Harwardzką Szkołą Prawa została podpisana umowa o współpracy...

Piękne pole do popisu dla wywiadu…

I praktycznie co roku naukowcy spotykali się albo u nich, w Harvardzie, albo w Polsce. I w1974 roku, jakieś dwa miesiące po moim przyjściu do Instytutu, okazało się, że trzeba zorganizować u nas seminarium z udziałem amerykańskich naukowców. Przybyli ludzie z Harvardu, Princeton, Yale, najbardziej renomowanych uczelni Wschodniego Wybrzeża. Przyjechało ich chyba ze dwudziestu, niektórzy z żonami. Byli tu dwa tygodnie. Z Warszawy pojechaliśmy autokarem do Łańcuta, gdzie przez cztery dni trwała sesja naukowa. Na zamku, w superwarunkach. Obiady w Sali Lustrzanej, pełna kultura. Potem był objazd po Polsce, zwiedzanie. A ci Amerykanie to było takie bractwo, które gorzałę waliło równo. Między innymi odbył się piknik nad Zalewem Solińskim, połączony z pieczeniem prosiaka i kiełbasek. Popłynęło tam morze wódki. Prawda była taka, że to głównie ja się nimi opiekowałem, bo świetnie znałem język i znałem Stany. Z większością spraw przychodzili więc do mnie. Krótko mówiąc, po dwóch tygodniach picia wódki zapytali, czy byłbym zainteresowany stypendium na Harvardzie. No to powiedziałem, że jasne, i w ogóle o tym zapomniałem. To seminarium odbywało się chyba w sierpniu, a w grudniu przyszedł do mnie list z Harvardu, że mam stypendium załatwione. Całe stypendium, 100 procent, wynosiło sześć tysięcy pięćset dolarów. Przyznali mi trzy tysiące dwieście pięćdziesiąt, więc odpisałem, że nie mam skąd wziąć tej brakującej reszty, w związku z czym muszę zrezygnować. Po trzech miesiącach przyszła odpowiedź, że załatwili mi pełne stypendium – sześć i pół tysiąca dolarów.

Cudownie! Bardzo rozsądnie z ich strony.

Oczywiście muszę tylko pokryć koszty przelotu i dojazdu do Harvardu. No to poszedłem do profesora Adama Łopatki, który był dyrektorem Instytutu Nauk Prawnych PAN. Powiedziałem, że mam to stypendium i właściwie mogę jechać. On się ucieszył. Rzadko się zdarzało, żeby Harvard przydzielał komuś takie stypendium. Jego radość była więc ogromna. A możecie sobie wyobrazić zawiść moich kolegów ze studium doktoranckiego czy nawet pracowników naukowych Instytutu, gdy po kilku miesiącach pracy dostałem 100-procentowe stypendium na Harvardzie!

Zatrzymajmy się na tym, bo to jest ciekawe. Kto w ogóle wymyślił, że pójdziesz do PAN?
Naczelnik mojego wydziału.

A ty urzędowałeś w tym Instytucie?
Tam nie było biur. Przychodziło się więc dwa razy w tygodniu odbierać pocztę i ewentualnie z kimś sobie pogadać. To wszystko.

A w czym się specjalizowałeś?
W prawie konstytucyjnym Stanów Zjednoczonych, a ponieważ wtedy, jak pamiętacie, głośna była sprawa impeachmentu Nixona, dlatego zainteresowałem się tym tematem. Impeachment w prawie konstytucyjnym Stanów Zjednoczonych.

A w tym Łańcucie już ci się udało „coś złowić" czy było na to jeszcze za wcześnie?
Nie łowiłem. Na seminarium, oprócz picia wódki, było naprawdę dużo pracy. Tłumaczenia, opieka nad gośćmi. Chodziło o to, żeby to miało ręce i nogi.

Po otrzymaniu propozycji stypendium poszedłeś najpierw do Łopatki czy do naczelnika?
Wiadomo, że do naczelnika! Od razu wrzuciłem mu temat. On oczywiście musiał napisać kwit do dyrekcji, że jeśli stypendium będzie, to jest za tym, żeby mnie puścić. Potem mogłoby się okazać, że stypendium jest, a dyrektor wywiadu powiedziałby: „Makowski, czy wyście oszaleli?!". W każdym razie już w marcu albo kwietniu 1975 roku wiedzieliśmy, że Amerykanie płacą całość. Wcześniej rozważano, czy wywiad powinien tę braku-

jącą kwotę dołożyć. Myślę, że gdyby Amerykanie dawali tylko połowę, wywiad dorzuciłby drugą, ale okazało się, że nie ma takiej potrzeby.

Na ile to stypendium było?
Na rok.

Te sześć i pół tysiąca dolarów to w 1974 roku była straszna kasa, nie?
Ze trzydzieści tysięcy dolarów na dzisiejsze realia.

A jak byłeś w PAN, to stawiałeś się do roboty na Rakowieckiej?
Oczywiście.

Codziennie?
Prawie codziennie. Przez dzień czy dwa w tygodniu musiałem jednak popracować naukowo.

A jak było z kasą? Dostawałeś jakieś pieniądze z PAN?
Tak.

Odbierali ci część pensji w wywiadzie czy kasowałeś podwójnie?
Nie! Brałem kasiorę w PAN i oddawałem w kasie wywiadu. I dostawałem normalną pensję w MSW. Tak że podwójnie nie kasowałem.

Musiałeś pisać raporty o tym, co dzieje się w PAN?
Absolutnie nie. Akademia w ogóle nie była przedmiotem naszego rozpracowania.

Ale jak pojechałeś na wycieczkę z Amerykanami, to tak?
Tyle że nie było za bardzo o czym pisać.

Ale pisałeś?
Napisałem, z kim mam do czynienia. Ale bardziej dla formalności. To nie były informacje, które dla wydziału cokolwiek by znaczyły.

A patrząc na tamtą eskapadę po Polsce z perspektywy czasu, sądzisz, że któryś z tych Amerykanów był agentem drugiej strony?
Myślę, że tak. Albo przynajmniej kontaktem służbowym. To taki człowiek, który zgadzał się na informowanie wywiadu o tym, co się dzieje na uczelni. Pomagał typować pracowników do rekrutacji na przykład dla CIA. Bo wiadomo, że CIA, odkąd powstała, prowadziła na uczelniach rekrutację wśród tych lepszych, bardziej inteligentnych ludzi. U nas również były kontakty służbowe.

A ty występujesz w PAN jako Stępiński czy jako Makowski?
Makowski. Stępińskim jestem tylko dla celów służbowych i w firmie. Mam przecież dowód na nazwisko Makowski, więc nie mogę mówić, że jestem Stępiński.

Ale z tym wyjazdem do USA musiał w końcu pojawić się problem. Przecież Amerykanie są nie w ciemię bici. Wiedzieli, że byłeś za młodu w Stanach, i musieli też wiedzieć, jaką funkcję sprawował tam twój ojciec.
To była ciekawa sytuacja, która zaczęła się już w trakcie wizyty amerykańskich naukowców w Polsce. Z ramienia ambasady USA zajmował się nimi taki młody pracownik. Poznałem go, gdy stałem w większej grupie z gośćmi zza oceanu. Ponieważ posługiwałem się dobrym angielskim, myślał, że jestem jednym z tych Amerykanów. Kiedy zostałem mu przedstawiony, był pod dużym wrażeniem. Podczas objazdu po kraju zaczęliśmy ze sobą rozmawiać. Potem ze dwa razy się spotkaliśmy, dał mi jakąś książkę związaną z impeachmentem. Jak już dostałem stypendium, to zadzwoniłem do niego, bo trzeba było złożyć papiery o wizę. Poszedłem do ambasady. On czekał na dole. Zaprowadził mnie piętro wyżej. I tam już przyjęły mnie trzy osoby: ten młody, który jeździł ze mną po Polsce, radca Gosende, na 100 procent potwierdzony przez nasz kontrwywiad pracownik CIA, i radca Bradshaw, współpracownik Agencji.

Wcześniej poszło to moje podanie o wizę i zostało natychmiast załatwione pozytywnie. Wiedzieli, że już mam to stypendium. Pogratulowali mi, mówiąc, że na pewno to będzie pożytek i dla Stanów, i dla Polski, a jeżeli tylko znajdą wolną chwilę, to wpadną mnie odwiedzić na tym Harvardzie. Powiedziałem: „Nie ma problemu".

Wiedziałeś, że oni są pracownikami CIA?
Tak, bo dali mi wizytówki i od razu potwierdziliśmy ich nazwiska w kontrwywiadzie.

Czyli przychodząc na rozmowę, jeszcze o tym nie wiedziałeś?
Nie, ale sądząc po ich twarzach, zachowaniu, sprawa wydawała się jasna na pierwszy rzut oka. Niemniej atmosfera tego spotkania była supermiła. Kawa, sympatyczna rozmowa. Nie sądzę, żeby tak każdemu wizę wydawali.

Ale to było qui pro quo. Przecież oni wiedzieli, że ty jesteś z wywiadu.
Nie, na tamtym etapie nie wiedzieli. Za to doskonale wiedzieli, kim jest mój ojciec, bo sobie sprawdzili w pięć sekund. Przecież mój ojciec w Waszyngtonie występował jako Makowski. Ja zresztą musiałem podać w formularzu wizowym wszystkie dane wraz z informacją, że już byłem w USA. Ale przyjęcie było bardzo kurtuazyjne, aż byłem zaskoczony.

Czyli raczej wiedzieli, że jesteś z wywiadu?
Mogli założyć z dużą dozą prawdopodobieństwa, że tak.

Że wykonujesz ten sam zawód co tata.
Że jestem pracownikiem albo współpracownikiem.

Przecież rzucając ci tekst, że jak będą mieli czas, to cię tam odwiedzą, jakby puścili do ciebie oko.
Ale nie odwiedzili. Powiem szczerze, nawet się trochę zdziwiłem, ale widocznie mieli ciekawsze rzeczy do roboty. I to było

lato 1975 roku. W sierpniu czy we wrześniu pojechałem do Harvardu.

No tak, ale w Warszawie musieli cię jakoś przygotowywać do tego wyjazdu?
Oczywiście. Wyjazd zatwierdził wiceminister Milewski, który odpowiadał za wywiad. Dostałem instrukcję, głównie o tym, czego mam nie robić: nie łajdaczyć się, nie pić, nie palić trawy.

Bez sensu!
Ale musieli to napisać. No i jakieś podstawowe zadania, czyli oczywiście poznać jak najwięcej inteligentnych młodych Amerykanów z wielkimi perspektywami. W Harvardzie były też obiekty, które interesowały przełożonych. Na przykład bardzo znany Russian Insitute. Chodziło o próbę poznania kadry, dotarcia do tej instytucji, ale bez przesady. To nie była presja ze strony przełożonych.

I jak długo byłeś na Harvardzie?
Od września 1975 do czerwca 1976 roku. Z kasy, którą miałem, połowa poszła na czesne. Trzy tysiące dwieście pięćdziesiąt dolarów musiało mi wystarczyć na całoroczne wyżywienie.

Jeszcze coś dostałeś z firmy czy nie?
Nie.

A pensja czekała w wywiadzie?
Pensja czekała w wywiadzie, zawsze jest taka zasada. Poleciałem samolotem z Warszawy do Nowego Jorku. Potem do Newark. Stamtąd autobusem do Harvardu pod Bostonem. Zabrnąłem tam w środku nocy. Przekimałem parę godzin na dworcu autobusowym i rano zameldowałem się w sekretariacie Szkoły Prawa, gdzie oczywiście były dwie czy trzy osoby, które zajmowały się wyłącznie cudzoziemcami, bo cudzoziemców z całego świata przybywało tam co roku zatrzęsienie.

Nie masz odczucia, że CIA zlekceważyła twój przyjazd?

Myślę, że na początku trochę się podniecili, wrzucili to do centrali – bo taka informacja zawsze tam płynie – a centrala po prostu to przeoczyła. Albo nie miała czasu się tym zająć, bo tak też często bywa. Oczywiście CIA ma niby zakaz działania na terenie Stanów Zjednoczonych, ale nie w takich przypadkach. Jeżeli mają naprowadzenie na kogoś takiego jak ja, to jak chcą, bez przeszkód się nim zajmują, nie ma przeciwwskazań.

A nie odczułeś żadnego zainteresowania?
Nie, żadnego. Za to dwa czy trzy razy wpadł do mnie Sławek Petelicki, który pracował wtedy w konsulacie w Nowym Jorku. Do jego obowiązków należała między innymi opieka nad polskimi stypendystami, których odwiedzał raz na jakiś czas. Był i u mnie.

Poznaliście się wcześniej towarzysko w 1972 roku?
Owszem.

Ale on wiedział, że nie jesteś przypadkowym stypendystą?
Dostał całą instrukcję. Że na stypendium jest oficer taki a taki. Należy się od czasu do czasu zainteresować, czy żyje i czy nie prowadzi rozwiązłego trybu życia.

A ty już wtedy wiedziałeś, że Petelicki pracuje w wywiadzie?
Tak, wiedziałem. Oczywiście powiedziano mi, że w ramach swoich obowiązków będzie się zajmował mną jako stypendystą.

Co robił Petelicki przed wyjazdem do konsulatu w Nowym Jorku?
Nie pamiętam, w którym wydziale pracował. Nie chcę zgadywać.

A znaliście się z korytarzy w budynku MSW?
Tak.

Co robiliście, kiedy Petelicki przyjeżdżał do Harvardu?
Szliśmy do pubu i piliśmy piwo.

Z wódką!
Z wódką na przykład.

Czy pod względem zawodowym ten pierwszy wyjazd był interesujący?
W Harvardzie zobaczyłem, co to znaczy się uczyć. Tam ludzie uczyli się bardzo dużo. Biblioteka była otwarta do trzeciej w nocy, ludzie siedzieli, czytali. W czasie sesji było w zasadzie tylko parę godzin przerwy na posprzątanie biblioteki. Ludzie całe noce się tam uczyli. W Ameryce kończysz college i idziesz na studia prawnicze, które trwają trzy lata. Tam na roku jest dwieście, trzysta osób i każdy student ma swoją pozycję punktową. Do pierwszej dwudziestki z takiego Harvardu ustawiają się w kolejce największe firmy, największe korporacje. Wtedy taki absolwent mógł liczyć na pensję w wysokości... nie wiem... pięćdziesięciu tysięcy dolarów na dzień dobry. A mówimy o 1976 roku. Dziś to jest pewnie dziesięć razy tyle. Dlatego też studenci, zwłaszcza ci, którym udało się dostać na Harvard dzięki intelektowi, pracy i przygotowaniu, wiedzieli, że gdy załapią się na te najwyższe pozycje, to sprawę dalszej kariery mają już załatwioną. Nawet jeśli pochodzili z Bóg wie jakiego getta, trafiali do wielkich firm, wielkich kancelarii prawniczych. Do zupełnie innego świata.

Pojechałeś tam, żeby się uczyć czy żeby szukać agentów i udawać, że się uczysz?
Jedno i drugie. To znaczy nie mogłem się nie uczyć, bo musiałem na koniec dnia pisać testy, tak jak wszyscy, i zaliczyć każdy przedmiot wykładany na studiach podyplomowych. Inaczej nie dostałbym dyplomu ich ukończenia. Ale byli tam również ciekawi ludzie, którzy trafiali później do najróżniejszych instytucji amerykańskich – do Departamentu Stanu, część zapewne do CIA. Kilka razy zgłosiły się do mnie amerykańskie firmy prawnicze, żebym im coś przetłumaczył lub streścił. Firmy, które miały klientów z Polski albo już w Polsce działały. I zdarzało

mi się wtedy zarabiać po sto dolarów za godzinę pracy. W 1975 roku to była bardzo dobra stawka.

A jak przyjeżdżał Petelicki, to przekazywałeś mu jakieś informacje wywiadowcze?
Tak, oczywiście.

I co to było?
Dwa czy trzy nazwiska do obróbki. Osób, które wydawały mi się ciekawe.

Miałeś kontakt z centralą w Warszawie?
Nie było takiej potrzeby.

Robiłeś tam trasy sprawdzeniowe. Zwracałeś uwagę, czy ktoś za tobą nie chodzi, nie obserwuje cię?
Przede wszystkim czy nie ma osób, które na siłę próbowałyby się zaprzyjaźnić. Byłem na to wyczulony, lecz nie stwierdziłem podobnych działań w stosunku do mojej osoby. Oczywiście znałem ludzi, którzy na moje oko mogli współpracować ze służbami amerykańskimi. Wykazywali duże zainteresowanie całą grupą cudzoziemców, w tym i mną, ale w ich zachowaniu nie było nic nachalnego, nic, co by naruszało granice zdrowego rozsądku.

Czy po tym wyjeździe typowałeś do werbunku jakieś osoby?
Tak.

Ale to byli…
…Amerykanie.

Studenci czy wykładowcy?
Studenci.

Nie miałeś takiej chęci, żeby na przykład zająć się pracą naukową?
Zajmowałem się pracą naukową.

Ale tak, żeby już nie wracać do PRL?
Była pewna ciekawa sytuacja. Jedna z dużych firm bostońskich, znana, ze stuletnią tradycją, mająca wśród swoich klientów między innymi rodzinę Kennedych, dowiedziała się, że jest na Harvardzie stypendysta z Polski, który dobrze zna angielski i był już wcześniej w Stanach. Zgłosili się do mnie. Widocznie potrzebowali kogoś z Polski. Napisałem o tym raport i przez Sławka Petelickiego przekazałem go do centrali.

I jaka była odpowiedź z Warszawy?
Nie wyrazili zgody. Mnie to się wydawało godne uwagi. Wchodzisz od razu na najwyższe szczeble amerykańskiego establishmentu, no bo do jednej z większych firm prawniczych, z długą tradycją. I do tego w Bostonie. Wskakujesz w samo serce Ameryki. To byłoby coś znakomitego!

Liczyłeś, że centrala ci to klepnie i będziesz mógł zostać? Chciałeś zostać w Stanach?
Uważałem, że to jest przede wszystkim ciekawe z operacyjnego punktu widzenia.

A wyjaśniło się potem, dlaczego nie wyrażono zgody?
Myślę, że nikt nie chciał podejmować takiego ryzyka, ale sam fakt, że dostałem taką propozycję, był dla mnie budujący.

Bali się w Warszawie, że możesz się urwać?
Nie sądzę, by bali się właśnie o to. Ktokolwiek by taką decyzję podjął, musiałby się liczyć z tym, że gdybym został zdekonspirowany, to od razu by mnie aresztowali. Nie miałbym ochrony dyplomatycznej. Myślę, że bardziej chodziło o uniknięcie odpowiedzialności. Wróci, to wyślemy go rutynowo na placówkę i będzie dobrze.

No tak, ale z operacyjnego punktu widzenia fajna okazja…
Fajna, ale może dobrze się stało, jak się stało. Niedługo potem zdradził jeden z ludzi z naszej szkoły. Gdybym wtedy był

obiecującym prawnikiem w bostońskiej firmie, to CIA pewnie by mnie zgarnęła albo próbowała odwrócić.

Nigdy nie wpadło ci do głowy, że może powinieneś tam zostać i zająć się karierą naukową albo załapać się do pracy w dużej firmie prawniczej, po prostu zacząć inne życie?
Ale ja byłem oficerem wywiadu!

No to byś napisał…
…że do widzenia? Nie, nie. Masz, Sławek, paczkę dla mojego ojca i cześć? Nie. Coś takiego nie przeszło mi nawet przez myśl. Żal mi było trochę tej okazji w firmie prawniczej, bo uważałem, że potencjał był niesamowity.

Może ze strony przełożonych była w tym pewna mądrość, choćby ze względu na przeszłość twojego ojca?
Nie mam tego nikomu w centrali za złe ani nie chcę ich krytykować. W ich decyzji na pewno była właśnie tego typu mądrość.

Zresztą byłeś dzieciakiem, w 1975 roku miałeś dwadzieścia cztery lata, tak?
No tak, ale z dzieciakiem to bez przesady. Szybko dorastałem.

Z twojego punktu widzenia kontrakt był sexy.
Bardzo sexy. Oczywiście różnie to się mogło potoczyć. Koledzy z CIA albo FBI zainteresowaliby się mną od razu. Przyszłość mogła być też taka, że ci goście z wielkiej firmy potrzymaliby mnie rok u siebie, żebym liznął praktyki, a potem wysłali do Polski. I jeżeli ktoś u nas w centrali przeanalizował sprawę w ten sposób, to doszedł do wniosku, że po cholerę nam Makowski jako prawnik Amerykanów w Polsce.

A byłeś jedynym Polakiem na Harvardzie?
W tym czasie tak.

Wtedy minęło już trochę czasu od momentu znaczących zmian w wywiadzie. Jak wyglądał twój wydział około 1974, 1975 roku? Ile było w nim osób? Czy ludzi przybywało?

Co roku dochodziło trzech, czterech. Wydział się powiększał, absolutnie. Tak jak Polska za czasów Gierka.

Do pewnego momentu.
Ale wywiadu to nie dotyczyło.

Nie?
Nie. Wywiad rósł praktycznie do 1989 roku, kolejne roczniki były szkolone równo, cały czas. Zresztą po 1989 też.

Co się z tobą dzieje po powrocie z Harvardu do Warszawy?
Melduję się w Instytucie Nauk Prawnych PAN u dyrektora Łopatki. Mam zebrane wszystko, co kiedykolwiek zostało napisane na temat impeachmentu, bo w bibliotece Harwardzkiej Szkoły Prawa nie brakowało niczego. Nawet polskiej edycji Kodeksu Napoleona z przełomu XVIII i XIX wieku. Szedłeś do biblioteki, mogłeś sobie wziąć, popatrzeć, podotykać. Wszystko tam było, a jak nie było, to mogli sprowadzić. Praktycznie miałem więc skserowany, przeczytany czy spisany pełny komplet materiałów na temat impeachmentu. Po angielsku. No i – wybiegając na chwilę do przodu – w 1978 roku obroniłem w PAN doktorat z prawa. A z Ameryki w 1976 roku wracałem z włosami jak u hipisa. Oczywiście szybko je obciąłem.

Ale u Łopatki byłeś już z krótkimi?
Z długimi, chyba nawet do centrali z nimi poszedłem, żeby pokazać, jak to student musi cierpieć.

Agenta przyniosłeś?
Nawet gdybym przyniósł, tobym wam nie powiedział.

8
Nowy Jork

*Miasto przerosło agenta – Zdrada człowieka z Kiejkut – Mój szef
Kofi Annan – Donos na FBI*

I co cię czekało w Warszawie po powrocie z Harvardu?
Myślałem, że sobie usiądę i przez najbliższy rok napiszę doktorat, do którego miałem wszystkie materiały. I jeszcze jedna ważna rzecz. Jak wróciłem z Harvardu w czerwcu, to się ożeniłem z dziewczyną, którą poznałem w 1968 roku. Długo się nie widzieliśmy, później się spotkaliśmy tuż przed moim wyjazdem na stypendium, a kiedy wróciłem, to się z nią chajtnąłem. W sierpniu to było. Ja wtedy chodziłem do PAN, bo szykowałem się do doktoratu. A pod koniec sierpnia zadzwonił naczelnik, żebym natychmiast zameldował się w wydziale. Przyszedłem i dowiedziałem się, że za dwa tygodnie mam jechać do Stanów Zjednoczonych jako drugi sekretarz w misji przy ONZ. Dosłownie za dwa tygodnie.

Skąd taki nagły tryb?
Okazało się, że oficer, którego wysłano na to stanowisko, po prostu nie mógł wytrzymać w Nowym Jorku. Źle się tam czuł, bał się, miał napady lęku, nie dawał sobie rady. I po dwóch i pół miesiąca musieli go w trybie pilnym odwołać. Nawet się z nim nie zahaczyłem. Po dwóch tygodniach od rozmowy z naczelnikiem byłem w Nowym Jorku.

Ale co na tego faceta tak podziałało? Miasto za duże? Czy w ogóle miał szmery w głowie?

To był facet, który praktycznie całą drogę zawodową odbył w pionie informacyjnym. I tu nagle zetknął się z czymś monstrualnym. Nowy Jork to miasto, które żyje dwadzieścia cztery godziny na dobę. Jednych to rajcuje, drugich – przeciwnie. I dosłownie nie mógł tam wytrzymać. Pogubił się totalnie. To miasto go przerosło.

Czy było wielkim luksusem trafić na takie stanowisko?
To nie było takie złe. Mogłem otrzymać stanowisko drugiego albo trzeciego sekretarza misji. Albo jakiegoś attaché konsularnego. Zostałem wysłany w ekspresowym tempie. We wrześniu zaczynała się sesja ONZ. Drugi sekretarz to było akurat nasze stanowisko, nasze, czyli wywiadu. Jeżeli nie pojechałby nikt od nas, to zgarnęłoby je MSZ. Powiedzieliby, że muszą mieć człowieka, który obsługiwałby delegacje.

Od razu wpadłeś w młyn?
Roboty było od cholery, bo na sesję przyjeżdżała cała delegacja z Polski. I ze strony stałego przedstawicielstwa ktoś musiał to wszystko obsługiwać. Głównym warunkiem tego akurat stanowiska była jak najlepsza znajomość angielskiego. Pewnie dlatego przy decydowaniu, kto pojedzie, padło na mnie. Dopiero po dwóch miesiącach wróciłem do Warszawy. Spakowaliśmy się z żoną i pojechaliśmy na stałe.

Takie wyjazdy są propozycją nie do odrzucenia?
Odrzucić mogłem, ale co miałem powiedzieć? Jaki podać powód?

Nie wystarczyło powiedzieć: „Sorry, ale taka rola mi nie pasuje"?
Zawsze możesz powiedzieć: „Sorry, Nowy Jork mi nie pasuje, wolałbym Paryż". No i będziesz czekał na następną propozycję albo w ogóle się nie doczekasz. Gdybym powiedział „sorry", musiałbym przedstawić jakieś sensowne uzasadnienie. Gdyby żona była w ciąży, miała za chwilę rodzić, no to wtedy mógł-

bym się tłumaczyć sytuacją życiową. Ale w mojej sytuacji? Jak miałem to uzasadnić?

A żona wiedziała, jaką odgrywasz rolę?
Wiedziała, była z takiej samej rodziny.

Kiedy dowiadujesz się, że masz jechać, jesteś przecież doktorantem. Co robisz? Idziesz do Łopatki i…
…i w krótkich żołnierskich słowach mówię mu, że MSZ właśnie pozyskało mnie do pracy. I dostałem propozycję wyjazdu na takie a takie stanowisko. Łopatka był troszeczkę wkurwiony, no bo wrócił stypendysta po Harvardzie, ma pisać doktorat, szykuje się jakieś osiągnięcie dla Instytutu, a tu się okazuje, że facet z dnia na dzień wypierdala.

Trudno się dziwić, że to go wkurzyło.
No tak, ale ponieważ towarzysz Łopatka był starym, doświadczonym członkiem Komitetu Centralnego PZPR, więc szybko powiązał fakty…

…i domyślił się, o co chodzi.
Nie protestował. Oznajmił, że zobowiązuje mnie do zrobienia tego doktoratu. Odpowiedziałem mu: „Tak jest, towarzyszu dyrektorze", no i w 1978 roku dotrzymałem słowa. I tak w trybie pilnym trafiłem do Nowego Jorku. A wszystko to, co działo się wokół ONZ, to było marzenie oficera wywiadu.

Zdążyli wydać ci instrukcje w Warszawie?
Tematykę znałem, siedziałem trochę w wydziale amerykańskim. Na takiej placówce zadaniuje cię rezydent. Akurat tak się złożyło, że jak trafiłem do tej misji przy ONZ w Nowym Jorku, to po miesiącu, dwóch przyjechał nowy rezydent. I był nim komendant szkoły w Kiejkutach. Pierwszy. Zresztą bardzo doświadczony, super się z nim pracowało.

To musiał się ucieszyć, że ma u siebie wychowanka?

Cieszył się, że ma robotnika, który, jak zakładał, da sobie radę. Na takiej placówce jak ONZ podstawą jest język. Wszystkie dokumenty masz po angielsku.

Opowiedz coś o tym rezydencie. Co to był za gość?
Potwornie wymagający facet. Wobec każdego stosował bardzo rygorystyczną metodę. Przyjmijmy, że na placówkę jechało się na cztery lata. W pierwszym i drugim roku jego stosunki z podwładnymi były bardzo formalne: instrukcja, przygotowanie, realizacja, raport.
Tresował nas wszystkich jak psy. Każdego. Po dwóch latach następowało podsumowanie osiągnięć i decyzja – wycofać czy przedłużyć pobyt. Czy ma wyniki. Jeżeli nie, to odwołanie, bo nie rokuje nadziei, że przez następne dwa lata cokolwiek zrobi. Jeżeli przeszedłeś ten okres testu, to relacje zmieniały się natychmiast na koleżeńskie, zupełnie partnerskie. Oryginalny sposób zarządzania zasobami ludzkimi.

Opowiedz o zdradzie, której dopuścił się jeden ze słuchaczy z twojego roku – Andrzej Kopczyński. Jaki to miało wpływ na sytuację polskiego wywiadu w USA?
To było w lecie czy na wiosnę 1976 roku, już nie pamiętam dokładnie, i wtedy centrala zaczęła odwoływać wszystkich ludzi z tamtego rocznika. Taka była decyzja wiceministra Milewskiego. Co ciekawe, kierownictwo wywiadu się z nią nie zgadzało.

Bo?
Chcieli jak najwięcej ludzi zostawić. Przykładowo odwołano wtedy Czempińskiego z Chicago. Przeniesiono go z Departamentu I do kontrwywiadu. I przez jakieś trzy lata Gromek pracował w wydziale pierwszym Departamentu II, czyli wydziale amerykańskim kontrwywiadu, gdzie zresztą z jeszcze jednym kolegą miał superwyniki.

Czyli łapali szpiegów?

Tak, i złapali dwóch czy trzech Amerykanów. Jednego na tym słynnym rozkręcanym kamieniu.

Uważałeś decyzję o ściąganiu całego rocznika za słuszną?
Taka była opinia wiceministra, poparta pewnie przez ministra, że cały ten rocznik jest zdekonspirowany i należy go skasować. Co według mnie było niepotrzebnym błędem, bo po czterech, pięciu latach większość ludzi wróciła do wywiadu.

No dobrze, ale przyznasz, że miało to jakiś sens. Rozumiemy, że jak Kopczyński był już po tamtej stronie, to pokazywano mu albumy ze zdjęciami, a on wskazywał szpiegów.
Zgoda, ale jest jeszcze coś. Jeżeli ktoś jedzie drugi, trzeci raz na placówkę, to w zasadzie wiadomo, jaka jest sytuacja. Jeżeli ktoś jest tak aktywny, jak ja byłem w Nowym Jorku, to Amerykanie bardzo szybko się orientowali, z kim mają do czynienia. To jaka jest różnica? Po co odwoływać?

Ale zaraz… Skoro to się dzieje na wiosnę czy latem 1976 roku, to jakim cudem ty wyjeżdżasz na placówkę?
Udało się Milewskiego przekonać. Spróbujmy, zobaczymy, co się będzie działo. Argumentacja była taka: i tak musimy kogoś posłać na tę sesję ONZ. Bo jeśli nie wypełnimy wakatu, to MSZ go nam zabierze. Wedle zasady: jak wy nie możecie dać, to my damy, bo przecież ktoś musi pracować.

Czyli cały rok oprócz ciebie zjechał do Warszawy?
Zjechało ze trzydzieści osób. Znakomita większość tych, którzy wyjechali.

Powiedz nam o atmosferze towarzyszącej tamtej sytuacji, tej zdradzie. Jak to zostało przyjęte?
Tragicznie. Zdradził człowiek z naszego roku. To nie była miła sytuacja.

Kopczyński był twoim kolegą?

Nie. To znaczy znaliśmy się, oczywiście, ale nie utrzymywałem z nim bliższego kontaktu. On był szkolony na kierunku niemieckim, zresztą z tego, co pamiętam, zdradził właśnie w Niemczech.

Był starszy, młodszy od ciebie?
Tam wszyscy byli starsi ode mnie. On o jakieś trzy, może cztery lata.

A ty byłeś przesłuchiwany na to konto?
Nie, bo ja z nim nie miałem nic wspólnego. Zupełnie inny kierunek. Znaliśmy się na „cześć", ale niewiele więcej.

A co on mógł sprzedać Amerykanom?
Nie było tego zbyt dużo. Pewnie ujawnił im ludzi na podstawie fotografii. Żadnych wielkich informacji nie mógł mieć, bo był w strukturze zbyt krótko. To nie był Gordijewski, rezydent wywiadu rosyjskiego w Londynie, tylko facet, który skończył szkołę trzy lata wcześniej i gówno wiedział, gówno jeszcze potrafił. Jego debriefing trwał pewnie ze trzy miesiące, bo więcej widomości dla Amerykanów Kopczyński nie mógł mieć.

I co było z nim dalej?
Po tych trzech miesiącach Amerykanie załatwili mu chyba jakąś pracę i rzucili: „Dalej już, człowieku, radź sobie sam". I to wszystko. Wrócił do Polski po 1990 roku i pracował w jakiejś dużej firmie. Był specjalistą od zasobów ludzkich, więc miał na pieńku ze związkami zawodowymi, w tym z Solidarnością. No i nagle poszła informacja, że jest facetem, który zdradził. I absolutny ostracyzm, totalny. Mimo że zdradził w PRL. Związki spowodowały, że wywalono go stamtąd na zbity pysk. I później, gdziekolwiek, w jakiejkolwiek pracy się pojawił, ta zdrada szła za nim. Dlatego w końcu zgłosił się do Gromka Czempińskiego, żeby ten pomógł mu załatwić jakąś robotę, bo jest na czarnej liście.

Ha, ha! Dzień dobry, kolego, myśmy razem studiowali!
Mnie to Gromek opowiadał niedawno. Jakiś surrealizm.

Pomógł mu czy go pognał?
Wypierdolił. Nie ten adres, kolego.

Nigdy nie miałeś problemów moralnych, gdy przyszło ci się zajmować Polonią z USA?
Nie miałem. Od 1945 roku, odkąd stało się jasne, że Polska zostanie zagarnięta przez ZSRR, emigracja zawsze była penetrowana i finansowana przez służby specjalne Stanów Zjednoczonych i Wielkiej Brytanii. Ciągnęło się to od rządu londyńskiego do Solidarności. W szeregach Polonii szukaliśmy więc głównie współpracowników obcych wywiadów. Ale nie była ona naszym głównym celem, ponieważ nie miała w Stanach jakichś wielkich możliwości. Jedynym jej świetlanym reprezentantem stał się Zbigniew Brzeziński. A tak to potencjał Polonii był nikły. Była jednak jakimś wehikułem dla obcych służb, tak à propos.

Miałeś pewnie sporo roboty w ONZ. Rozumiemy, że w jakimś sensie pracowałeś na dwóch etatach.
Oczywiście, znałem nieźle język, więc MSZ chętnie z tych moich umiejętności korzystało. Na stałe byłem przydzielony do piątego komitetu ONZ, który zajmował się wszelkimi sprawami administracyjnymi, tak że było to w miarę spokojne. Administracja, zarządzanie, budżet – tego typu rzeczy. Pozostawało trochę czasu na inną pracę. Nawał roboty był we wrześniu i do połowy października, bo wtedy przychodziła sesja ONZ. Codziennie się tam siedziało, niekiedy też nocami. A w sensie wywiadowczym ONZ była rajem, bo szpiegów było tam co niemiara, ze wszystkich stron świata. Jeżeli ktoś chciał pracować – mówię o wywiadzie – i był przedsiębiorczy, to zawsze mógł sobie sam znaleźć robotę.

Ale dostałeś jakąś działkę wywiadowczą do uprawy?

Tak, przede wszystkim amerykańskie służby specjalne, czyli CIA, FBI, no i tematy gospodarcze, głównie zadłużenie Polski i dostępność nowych kredytów. Jakie warunki, na jakich zasadach.

Co to znaczy „działka FBI i CIA"?

Rozpoznawać ich oficerów. Dokładnie śledzić w źródłach otwartych wiadomości na temat tych służb. I przynosić informacje, które mógłbym ewentualnie pozyskać od rozpoznanych oficerów. Miałem się dowiadywać, co się dzieje w FBI, CIA. Jakie są trendy, w jakim kierunku idą te organizacje, jakie są zmiany. Na przykład dla CIA druga połowa lat siedemdziesiątych to był bardzo ciekawy moment. Okres odreagowania po wojnie wietnamskiej, w którą Agencja mocno się zaangażowała i w efekcie poniosła ogromne koszty.

W jakim sensie?

CIA prowadziła w Wietnamie projekt „Feniks", który polegał na typowaniu i zabijaniu kadr Wietkongu, prawdziwych lub domniemanych szpiegów Wietnamu Północnego. Do tego dochodziły brutalne tortury. CIA uległa w Wietnamie znacznej demoralizacji. Wzięła pod swoje skrzydła tysiące specjalistów od działań paramilitarnych, od zabijania. Program „Feniks" był bardzo rozległy. Prowadził go jeden z szefów rezydentury CIA w południowym Sajgonie, William Colby, który później stanął na czele całej Agencji. W Wietnamie CIA robiła to, czego wywiad nigdy nie powinien robić. Zaangażowała się jako jednostka paramilitarna, wojskowa. A to zawsze odciąga od pracy sensu stricto wywiadowczej, czyli pozyskiwania informacji. Pałki i karabiny demoralizują wywiad. Wojna w Wietnamie została przegrana przez Amerykanów i CIA to odczuła. W 1973 roku przyszedł nowy szef, cywil James Schlesinger, i zaczął robić czystki. Wyrzucił kilka tysięcy ludzi. Właśnie tych, nazwijmy to, specjalistów od Wietnamu. Na światło dzienne zaczęły wychodzić wiadomości o programie „Feniks" – o torturach, zabójstwach.

Powiedziałeś, że CIA po wojnie wietnamskiej przechodziła duże zmiany, że wiele osób wyleciało. Co to oznaczało dla was?
To oznaczało, że będzie dużo ludzi bardzo niezadowolonych. To potencjalna baza werbunkowa. Nam chodziło o typowanie, szukanie takich osób. Podczas wojny CIA przyjęła mnóstwo specjalistów z wojska, marines, weteranów, różnego typu gości od działań paramilitarnych. Część tych ludzi została zwolniona, część przesunięta do innych zadań, z czego nie byli zadowoleni. Jak już mówiłem, wojna zakończyła się dla Ameryki de facto przegraną. A po przegranych wojnach mnóstwo ludzi ma kaca. No i na tym można było jechać, to wykorzystywało się w rozmowach. Czystki w CIA były naprawdę straszne. Zmiana polegała na tym, że do tej pory szefami Agencji byli na ogół ludzie związani z tą służbą. Colby, Helms to byli faceci, którzy wyrośli z tej organizacji. A po wojnie wietnamskiej zaczęli tam przychodzić ludzie z zewnątrz. Schlesinger, o którym wspomniałem, był intelektualistą. Błyskotliwy facet, ale cywil. To nigdy nie robi dobrego wrażenia na funkcjonariuszach wywiadu. Żadnego wywiadu. A my staraliśmy się tę trudną dla CIA sytuację wykorzystywać.

Dla ciebie idealna okazja!
To prawda. Przy okazji zaczęły wychodzić sprawy CIA z lat pięćdziesiątych, sześćdziesiątych. Jak obalali rządy w Ameryce Południowej czy płacili za zabójstwa tamtejszych przywódców. W Kongresie Stanów Zjednoczonych w latach siedemdziesiątych były regularne przesłuchania i wszystkie te grzeszki wychodziły na jaw, a prasa publikowała przecieki. Był taki senator, Frank Church, który przez dobrych kilka lat robił karierę na rozliczaniu CIA.

Ale opowiadasz teraz o materiałach jawnych.

Tak, wiele cennych materiałów miało absolutnie jawny charakter. Na tej podstawie można było sobie wyrobić opinię o stanie CIA, domyślić się, w którą stronę pójdą wewnętrzne zmiany. Potem szedłem sobie na spotkanie z jednym z czterech, pięciu oficerów CIA, których znałem, i po prostu zadawałem im pytania. Prosiłem o komentarz do doniesień prasowych, o ocenę informacji. I najczęściej mi odpowiadali. Nie było tu jakichś oporów.

Ale oni wiedzieli, kim jesteś?
Oczywiście.

I jak to się odbywało? Dlaczego oni rozmawiali ze szpiegiem z Polski?
Każdy ma swój cel. Ich celem było ewentualne pozyskanie mnie, moim – odwrotnie, pozyskanie któregoś z nich. Jeżeli masz taki cel, to musisz z gościem prowadzić dialog, musisz się spotykać. Z jednym z tym oficerów – a mieliśmy go rozpoznanego bardzo dokładnie – potrafiłem rozmawiać cztery, pięć godzin co dwa tygodnie. Wypijaliśmy przy tym mnóstwo alkoholu. Nie chcę wpadać w megalomanię, ale byłem lepiej wykształcony, bo miałem za sobą lepszy uniwersytet – Harwardzką Szkołę Prawa. Ci chłopcy byli na ogół po jakichś college'ach, takich typowo amerykańskich. Jeżeli pochodzili ze Środkowego Zachodu, to mój akcent i język był lepszy i bogatszy od ich angielskiego. To był mocny plus po mojej stronie.

A gdzie się umawialiście? Siedzieliście w knajpach?
W knajpach albo w ONZ, w barach. Tam było bezpiecznie, mogłeś siedzieć godzinami. Nikt ci nie przeszkadzał.

Jak daleko mogłeś się posunąć w takich rozmowach? Czy na przykład mogłeś powiedzieć, że PRL-owska rzeczywistość jest obrzydliwa i tragiczna? Jak to wyglądało od strony Amerykanów?

W takich rozmowach nie możesz dopuścić do tego, by facet doszedł do wniosku, że warto ci przedstawić propozycję werbunkową. Bo jeśli tego nie chcesz, to musisz wtedy powiedzieć „nie". I sytuacja staje się kłopotliwa. Oczywiście możesz to obrócić w żart, zlekceważyć i ciągnąć kontakt dalej. Ale po co prowokować takie sceny? Chyba że wymyślasz sobie z centralą kombinację, w której dążysz do tego, by propozycja werbunkowa padła.

Po co?
Chcesz na przykład na sto procent ustalić, że facet jest ze służby.

Twoi rozmówcy rejestrowali przebieg tych spotkań?
Nie. To znaczy sądzę, że nie.

A ty?
W niektórych przypadkach tak. Czasami było zlecenie, żeby ich sfotografować. Czasami – żeby uzyskać ich odciski palców. Trzeba było ukraść szklankę, z której pili.

Czym fotografowałeś? Miałeś zorkę 5?
Na ogół zapraszałem faceta gdzieś oficjalnie. I moja żona robiła nam fotografię.

Na pamiątkę?
Tak. Sam nie robiłem zdjęć. Inny sposób był taki, że ktoś z rezydentury wiedział, gdzie jesteśmy, przychodził i ukrytą kamerą, na przykład schowaną w teczce, rejestrował obraz.

Po co zbierałeś odciski palców?
Nie wiem. Przyszło zlecenie z centrali, nie pytałem o cel.

Czy to nie był biznes, że musiałeś trochę zdradzić, żeby samemu coś dostać?
Oczywiście, ale zawsze pozostaje kwestia, kto powie więcej i co.

Te rozmowy toczyły się w otwarty sposób? Ty mówiłeś, że jesteś z wywiadu, on – że z CIA, a potem sobie dyskutowaliście?

Tak otwarcie to nie. Nigdy nie było wiadomo, jak oni to wykorzystają przeciw tobie. Nie masz pewności, że na przykład nie nagrają i nie puszczą do mediów.

Gdzie mieszkałeś podczas tego pobytu w Stanach? Jak wyglądała twoja osobista sytuacja?
Przez pierwsze dwa lata byłem polskim dyplomatą, pracowałem także w misji, w stałym przedstawicielstwie przy ONZ. I mieszkałem w budynku ambasady, który był nie na Manhattanie, tylko po drugiej stronie rzeki. Autem to było jakieś czterdzieści pięć minut.

Jakim samochodem jeździłeś?
Kupiłem jakiś stary rzęch. To był ford, mocno używany, ale na chodzie. A później, po dwóch latach, przeszedłem do roboty w sekretariacie ONZ. Zresztą do pracy przyjmował mnie Kofi Annan, późniejszy sekretarz generalny ONZ. Dość dobrze się wtedy znaliśmy.

Kim on wtedy był?
Pracował w kadrach, w wydziale rekrutacji. Bardzo sympatyczny facet. Zostałem przyjęty na dość dobre stanowisko. Bardzo pomógł mi Harvard i oczywiście angielski. No i wtedy wyprowadziłem się z pomieszczeń należących do ambasady, bo tam już nie mogłem mieszkać, i przeniosłem się razem z żoną do wynajętego mieszkania na Manhattanie, jakieś dwadzieścia minut piechotą od budynku ONZ. Samochód się rozpadł. Stanął na ulicy i tam go po prostu zostawiłem. Nie był mi potrzebny, bo na Manhattanie nie miałby większego sensu. Tam chodzi się pieszo albo jeździ taksówką.

Miałeś w ONZ lepszą kasę?
Pensja trzy, cztery razy wyższa niż w przedstawicielstwie. Z tym że był jakiś myk wprowadzony przez MSZ, że część tej pensji trzeba było oddawać. Chyba 25 procent. Mimo to kasa była nieporównywalnie większa.

Wróćmy do twojego pierwszego zadania. Po co zbieraliście te informacje o CIA i FBI?

Każdy wywiad ma w swej strukturze kontrwywiad, który zajmuje się czystością własnych szeregów. Ale jego głównym obiektem działania są obce służby. Pełne ich rozpracowanie. Jakie zaszły zmiany, kto dokąd pojechał, jak ci ludzie się poruszają. Są całe wielkie teczki obiektowe. Na przykład: obiekt CIA. Oni to prowadzą, potrzebują informacji, więc te płyną głównie do tego wydziału, on jest głównym ich odbiorcą.

A ty poznawałeś tych oficerów CIA jako dyplomatów, tak?

Jako dyplomatów, ale mieli też różne legendy, zgodnie z którymi pracowali gdzieś w mieście. Przykładowo: na przyjęciu w stałym przedstawicielstwie Stanów Zjednoczonych przy ONZ poznałem pewnego faceta. Ja byłem z żoną, on też. I oni zaprosili nas na drinka. Poszliśmy. Później zaczęliśmy się widywać co miesiąc. On miał kartę wstępu do klubu „Playboya". Tam się spotykaliśmy. Oczywiście był to współpracownik FBI, który poznał mnie na tym przyjęciu celowo. Myśmy się zorientowali, że to jest podejście, tylko nie wiedzieliśmy, czy CIA, czy FBI. Ciągnąłem to mniej więcej przez pół roku. Obserwowałem, jak się zachowuje, jaką ma taktykę rozmów. I w zasadzie czekaliśmy na propozycję werbunkową z jego strony. Wiedzieliśmy, że prędzej czy później padnie. I rzeczywiście padła. Zaproponował mi, żebym spotkał się u niego w domu z jego dwoma kolegami czy znajomymi z FBI. Mówił mniej więcej tak: „Pogadacie sobie, oczywiście bez zobowiązań. Jak ci się nie będzie podobało, to w każdej chwili możesz sobie pójść. Jeżeli nie pasuje ci u mnie w domu, to możecie się spotkać w knajpie". Ja podtrzymywałem ten dialog. Pytałem o warunki, próbowałem wyciągnąć jak najwięcej informacji. Oczywiście w pewnej chwili się zorientował, że z mojej strony jest to gra, i rozmowa się skończyła. W ten sposób zdobyliśmy pewność, że to było FBI. Poszedłem zameldować o tej sytuacji dyrektorowi, swojemu przełożonemu w sekretariacie ONZ. Ten

dyrektor był Amerykaninem i mieliśmy na sto procent potwier-
dzone, że jest z CIA.

Poszedłeś oficjalnie zameldować w ONZ o próbie werbunku, tak?
Oficjalnie to może nie, bo i w MSZ, i u nas w centrali podjęto
decyzję, że nie będziemy z tego robić afery. Natomiast roze-
gramy sprawę między FBI a CIA. Ten mój dyrektor, który był
z CIA, ucieszył się jak dziecko, bo między CIA a FBI było jak
zwykle na noże. Powiedziałem, że musiałem to zgłosić u siebie w misji, ale, dodałem, Polska nie chce z tego robić żadnej
afery. „Na pewno FBI?" – dopytywał się trzy razy. No i myślę,
że po prostu CIA opierdoliła FBI, że wchodzą na ich teren, że
przeszkadzają. Ale FBI jest pamiętliwe. W 2000 roku chciałem
jechać do Las Vegas. Nie dostałem wizy.

Robota FBI?
Tak, zrobili zastrzeżenie.

**Czy znajomość z facetem, który składał ci propozycje, prze-
trwała?**
Nie. Jak się zorientowali, że po prostu próbujemy ich cyckać,
a to moje niby zainteresowanie jest celowo przeciągane, facet
się zmył i koniec.

**Co to za pomysł, żeby się spotykać w klubie „Playboya"? To był
taki klub, w którym panienki rozbierały się na rurach?**
On zapraszał, miał tam kartę. Kluby finansowane przez „Playboya" były we wszystkich większych miastach Stanów. W tym
klubie króliczki z kitkami, zresztą dziewczyny bardzo ładne
i na poziomie, trochę tańczyły i roznosiły drinki.

I tam padła taka propozycja?
Nie, tam byliśmy parę razy, on ze swoją żoną, ja z moją.

Chodziliście z żonami do klubu „Playboya"?
Tak było, kobiet przecież nikt nie wyrzucał.

On rejestrował rozmowy z tobą?
Tak, mógł rejestrować.

A ty rejestrowałeś rozmowy z nim?
Część tak, jak się spotykaliśmy sami.

To dosyć ciekawy element w tych grach operacyjnych. Pojawiają się prywatne domy i rodziny. Opowiedz, jak to wygląda.
Akurat ojciec mojej żony był oficerem wywiadu. Tak że ona wiedziała, o co tu biega. Nie musiałem jej trzy razy tłumaczyć, bo pochodziła z takiej, a nie innej rodziny. Jeśli więc o coś ją prosiłem, była w stanie to zrealizować bez większego problemu. Oczywiście bywa tak, że dziewczyna czy żona oficera wywiadu jest z zupełnie innej bajki. Czasami oficer dochodzi do wniosku, że nie będzie żonie mówił, gdzie naprawdę pracuje, bo ona tego nie zrozumie, nie zaakceptuje. I takie sytuacje, przynajmniej na pierwszych placówkach, też się zdarzały. Żona oficera nie wiedziała, jaka toczy się gra.

To chyba nie jest komfortowa sytuacja.
Oczywiście ideałem było, żeby żona wiedziała. Jeżeli to była pierwsza placówka, to na ogół oficer mówił żonie, jak jest. Pracuję tu i tu, teraz wyjeżdżamy, będę realizował różne zadania, w związku z tym masz mi pomagać. Zwykle przed wyjazdem żona była zapraszana do wywiadu i przełożony męża z nią rozmawiał. To znaczy rozmowa najczęściej odbywała się w obecności męża. Przełożony tłumaczył, jakie są zasady, o co chodzi, jak powinna się zachowywać, na czym nam zależy, na czym nie zależy, że jeżeli będzie miała problemy, to może pójść na rozmowę do rezydenta. Żonę dobrze jest mieć po swojej stronie. Zresztą wszystkie służby tak robią.

Żona może wiedzieć albo nie wiedzieć, ale nagle w tej grze pojawiają się domy i rodziny. Nagle zaczynają brać w niej udział najbliżsi. To chyba nie jest fajne?

Są kobiety, które świetnie dają sobie z tym radę. Kiedy spotyka-cie się we czwórkę, to znaczy ty z małżonką i ten twój oponent z małżonką, to może być łatwiej. Kobiety łagodzą nastroje, po-jawiają się wtedy lepsze fluidy. Każdy taki element pomocniczy jest dobry, bo pozwala zmiękczyć drugą stronę.

Ale czasem to bywa niezbyt przyjemne. Rodzina myśli, że wu-jek John jest naszym przyjacielem, a w rzeczywistości wujkowi Johnowi chodzi o coś zupełnie innego!
Czasami tak bywa. Wszystko zależy od sytuacji. Jaka jest twoja żona, na co ją stać, ile możesz jej ujawnić.

Jak przekazywałeś informacje do polskiej rezydentury, skoro pracowałeś w sekretariacie ONZ? W jaki sposób to się odby-wało?
Każde państwo ma w sekretariacie ONZ pewną liczbę pracow-ników. Ci ludzie swobodnie mogą chodzić do swoich stałych przedstawicielstw, tak że tu nie było problemu. Potencjalny problem polegał na tym, że gdy przeszedłem do sekretariatu ONZ, utraciłem immunitet dyplomatyczny. Odwiedzałem więc od czasu do czasu nasze przedstawicielstwo, tam sobie siadałem i pisałem albo spotykałem się z rezydentem.

Ale miałeś tam nadal swój pokoik? Swoje biurko? Swoją ma-szynę? Komputer?
Nie, wszystko pisało się odręcznie, nie dysponowaliśmy żad-nymi komputerami. W stałym przedstawicielstwie było kilku oficerów, mieli swoje pokoje, u nich sobie siadywałem. Moje wizyty nie mogły budzić podejrzeń. Jak już mówiłem, każde państwo miało swoich ludzi w sekretariacie ONZ i ci ludzie odwiedzali własne przedstawicielstwa.

Jak odbywała się łączność z centralą w Warszawie?
Przy udziale szyfrantów. W MSW było biuro przygotowują-ce szyfry losowe dla wszystkich placówek. W takiej placów-ce jak ta w Nowym Jorku urzędował szyfrant, który wszystko

nadawał i przyjmował. Depesze szły codziennie. A raz w miesiącu, może raz na trzy tygodnie, odprawiani byli kurierzy, którzy zawsze działali we dwóch. Brali całą pocztę do torby i lecieli do Warszawy, a potem wracali do Nowego Jorku. Oczywiście po przylocie z Warszawy para kurierska obsługiwała wszystkie placówki w USA. W MSZ był wydział kurierski, ale praktycznie podlegał wywiadowi.

Szczególna była rola tych kurierów, czyż nie?
Owszem. Dobierano ich stażem.

Zawsze coś się może zdarzyć. Wypadek samochodowy, zasłabnięcie…
Wszystko jest możliwe. Dlatego zawsze jeździli we dwójkę. Na lotnisku czekał na nich ktoś z ambasady, nigdy nie byli sami, spali wyłącznie w ambasadzie. Byli to więc tacy ludzie szczególnej troski. Zawsze ich przywożono, odwożono, trochę święte krowy.

Rozumiemy, że w kontaktach z tymi gośćmi z CIA było ci nieco łatwiej niż innym polskim oficerom.
Dla mnie te kontakty z Amerykanami były poniekąd naturalne. Przecież słuchałem kiedyś tej samej muzyki co oni, chodziłem do kina na te same filmy, oglądałem w telewizji te same seriale. Byłem po prostu wychowany na tym co moi rozmówcy. Mogłem odwoływać się do czasów, gdy chodziłem w Ameryce do szkoły średniej. Czasami miałem takie wrażenie, że oni zapominali, z kim rozmawiają. Opowiadałem im, jak było na Harvardzie, jaka to uczelnia. Wśród swoich rozmówców nie spotkałem nikogo, kto by tam studiował. Tworzyło to atmosferę bardzo dla mnie pomocną.

Chyba im się nie zdarzało spotkać kogoś zza żelaznej kurtyny, kto byłby wychowany u nich?
Rzadko, rzadko. Miałem w Stanach takiego zaprzyjaźnionego Anglika, zresztą potem się okazało, że był oficerem brytyjskiego

wywiadu. Facet w moim wieku. On był z Londynu, w którym przecież w dzieciństwie mieszkałem. Rozmawialiśmy sobie o tym, o tamtym, o Londynie lat pięćdziesiątych, sześćdziesiątych, a to wszystko bardzo pomagało nam w relacjach. On był kawalerem i w Stanach nieszczęśliwie się zakochał. Zaczął mi się zwierzać, że ma dylemat, czy się chajtnąć, czy nie chajtnąć. Ta kobieta nie bardzo chciała. I w końcu mi się zwierzył, że jest z wywiadu brytyjskiego. Usiedliśmy, rozmawialiśmy sześć godzin, wszystko mi powiedział. Powiedział, co o mnie myślą Anglicy, co o mnie myślą Amerykanie. Wszystko mi wyłożył.

A on wiedział, kim jesteś?
Oczywiście. Zrelacjonował mi z pozycji oficera wywiadu brytyjskiego przebieg konsultacji na mój temat między Amerykanami a Brytolami.

Rozkleił się.
Rozkleił się totalnie.

Na tle uczuciowym?
Tak, po prostu musiał się komuś zwierzyć. Pewnie decydująca była moja przeszłość w Londynie. Ja wtedy mogłem spokojnie przechodzić z akcentu amerykańskiego na brytyjski, nie miałem z tym żadnego problemu. Chciałem, to byłem Anglikiem, chciałem, to mówiłem z twardym akcentem amerykańskim. Z tym oficerem oczywiście rozmawiałem po brytyjsku. To nasze najważniejsze spotkanko trwało od osiemnastej do północy. I chyba koledzy Amerykanie nas namierzyli, bo już następnym razem nie był taki wylewny.

Spotkaliście się w knajpie?
Tak, tamtego wieczoru obeszliśmy zresztą kilka knajp. Oczywiście wiedziałem, że jest to niezgodne ze sztuką, ale chciałem wykorzystać okazję i wycisnąć wiedzę do maksimum.

Ale co jest niezgodne ze sztuką? Szlajać się z takim gościem po mieście, tak?

Musiałby się zdarzyć cud, żeby cię nie namierzyli. Ale facet zaczął się otwierać, to trzeba było ten dialog ciągnąć. W końcu on odszedł ze służby. Spotykaliśmy się jeszcze przez następny rok, ale już wyłącznie towarzysko. Na ogół na jakichś przyjęciach. Ale pozyskanie go dla nas nie wchodziło w grę.

Co myślała o tobie druga strona? Co on ci na ten temat powiedział?

Uważali mnie za niebezpiecznego. I decydowała o tym moja przeszłość brytyjska i amerykańska. Oraz język. Wedle tych ocen to wpływało rozluźniająco na rozmówców, uspokajało ich i sprawiało, że zapominali, z kim mają do czynienia.

Mieli o tobie informacje, które cię zaskoczyły? Byłeś świadomy, że jesteś dobrze rozpracowany?

Byłem świadomy. Po zdradzie tego gościa z naszego roku z Kiejkut Amerykanie mieli pewność, kim jestem. W pewnym sensie to mnie nawet ośmieliło. Nie musiałem udawać, owijać w bawełnę. Wiedziałem, że oni i tak wiedzą.

Jesteś uważany za niebezpiecznego przez profesjonalną służbę, która zajmuje się kontrwywiadem, przebywasz na wrogim terenie, od pewnego momentu nie masz immunitetu. To nie jest komfortowa sytuacja.

Dlatego gdy przechodziłem do roboty w sekretariacie ONZ, prawie cała moja rozmowa z rezydentem była poświęcona kwestiom bezpieczeństwa, sposobom uniknięcia prowokacji. Jak nie masz immunitetu, to mogą ci zrobić kuku, mogą zatrzymać, mogą zechcieć posłużyć się tobą do wymiany.

Jak oceniałeś ONZ od wewnątrz? Jaka to była organizacja?

Dziwne miejsce. W tym ONZ-owskim systemie pracowały całe rodziny, niekiedy od pokoleń. To była niezła kasa, bo oni sami sobie ją ustalali, a po pięciu latach roboty uzyskiwałeś prawo do emerytury. Mnóstwo przywilejów, pieniądze na przeprowadzki, rozłąkowe. Marnotrawstwo ogromne, zresztą podobnie jak dzisiaj w systemie biurokracji brukselskiej. Myślę, że z przysłowiowego dolara, przeznaczanego w ONZ na pomoc głodującym w Afryce, do tych ostatnich spływało z pięć centów. Organizacja była nastawiona na siebie, na swoją biurokrację. Totalny parkinson.

Czy fakt, że byłeś rozpracowany przez Amerykanów i pozbawiony immunitetu, nie wiązał ci rąk? Czy nie było tak, że mogłeś kogoś wytypować do werbunku, coś ocenić, ale już w bój sam pójść nie mogłeś?
Była ciekawa sytuacja z gościem z CIA, z którym najdłużej się tam spotykałem. Na tapecie była akurat kwestia amerykańskich zakładników w Iranie. On mi praktycznie w 75 procentach nakreślił, jak będzie wyglądała próba ich odbicia. I to się potem sprawdziło. Po spotkaniu napisałem raport, w którym sugerowałem, żeby przedstawić mu propozycję werbunkową. Byłem już wtedy bez immunitetu. I dla własnego bezpieczeństwa spotykałem się z tym Amerykaninem w ONZ. Centrala kombinowała, zastanawiała się. Werbunek oficera obcej służby, zwłaszcza na jego terenie, jest zawsze ryzykowny. Jeżeli odmówi, to konsekwencje mogą być nieprzyjemne. Centrala nie chciała się zgodzić, żebym to ja był werbownikiem. W przypadku odmowy praktycznie od razu szła nota, że werbujący jest persona non grata. Trzeba się było pakować i odlatywać do kraju. Ze mną mogło być jeszcze gorzej, bo jako gościa bez immunitetu mogli mnie po prostu zwinąć. Jednak zanim centrala coś wykombinowała, facet się rozpłynął. Nie przyszedł na kolejne umówione spotkanie. Już nigdy więcej go nie zobaczyłem.

Obsługiwałeś wtedy skrzynki, prowadziłeś kogoś?
Tak. Jedno i drugie. Skrzynkę może obsługiwać kilka osób. Chodzi o to, żeby nie budzić podejrzeń, nie wpadać w rutynę.

Trasy sprawdzeniowe robiłeś?
Oczywiście.

I co? Wykrywałeś obserwację?
Ze dwa razy udało mi się ustalić, że była. Oczywiście sprawdzanie się w pobliżu ONZ nie miało sensu, bo Amerykanie prowadzili obserwację z punktów zakrytych. Dlatego ważniejsze spotkania należało umawiać w innych dzielnicach.

Co to są „punkty zakryte"?
Lokal, gdzie siedzi obserwacja i filuje, rejestruje obraz. Jeżeli nasze stałe przedstawicielstwo było na ulicy Y, to FBI wynajmowało sobie lokal naprzeciwko, z kamerą na wejście. I filowało dwadzieścia cztery godziny na dobę, kto wchodzi, wychodzi. FBI miało poustawiane takie punkty w całym mieście. Zwłaszcza wokół ONZ, żeby na przykład namierzać rutynowe działania takich facetów jak ja. Tak działa obserwacja.

Co to znaczy „rutynowe działania takich facetów jak ja"?
To na przykład, że oficer wpadnie w rutynę i chodzi ciągle do jednej knajpy albo do dwóch, albo do trzech. Jest leniem i robi sobie dwie trasy sprawdzeniowe: w jeden dzień jedną, w drugi – drugą. I po paru takich przejściach już go mają rozpracowanego.

W jakim stopniu twoja żona była w to zaangażowana? Obsługiwała jakieś skrzynki, zostawiała znaki?
Nie, nie robiła tego.

Nie?
Nigdy.

A miała robotę w przedstawicielstwie?
Przez dwa lata pracowała w konsulacie. Ale tak to przez półtora roku chodziła do szkoły językowej. Coś musiała robić, żeby się nie nudzić.

W okresie twojej pracy w sekretariacie ONZ przyjeżdżali jacyś ważni towarzysze z kraju? Jaroszewicz, Gierek, Babiuch? Albo jakaś inna szyszka?

Na sesje ONZ zawsze przyjeżdżał ktoś ważny, zawsze był obecny minister spraw zagranicznych. Gierek chyba też był. Na sesji Zgromadzenia Ogólnego przemawiali prezydenci, premierzy. Ale wtedy była chmara oficjeli do obskakiwania, więc byłem zaabsorbowany czym innym.

A z towarzyszami z radzieckich służb miałeś kontakt?

Nie miałem kontaktu oficjalnego, bo ten był zastrzeżony dla rezydenta. Natomiast z grubsza wiedziałem, kto jest kim. Oczywiście oni tam mieli olbrzymią rezydenturę. I jak zaobserwowałem, dysponowali Rosjanami „wschodnimi" i „zachodnimi". „Wschodni" chodzili w takich garniturach, że wyglądali, jakby przed chwilą wyleźli ze stogu siana. I była cała grupa „zachodnich", jak ich nazywałem. Ubrani super, najnowsze garnitury, eleganckie koszule, krawaty dobrane, znajomość dwóch czy trzech języków. Radzieccy czasami brali takiego swojego i wystawiali na wabia. I on się zachowywał, jakby był trzema oficerami KGB. Chodziło o to, żeby przykuwał uwagę.

Odciągając ją od kogoś innego, tak?

Obserwacja chętnie rzuca się na takiego gościa, a reszta może wtedy łatwiej funkcjonować. Pamiętam, że przyjaciele radzieccy, jak ich nazywaliśmy, dostali sraczki, gdy Karol Wojtyła został wybrany na papieża. Już wtedy byłem w sekretariacie ONZ. To było wielkie wydarzenie. Wszyscy nam gratulowali. Ukazał się „Times" z papieżem na okładce. Powiesiłem ją w swoim pokoju w ONZ. Radzieccy nie dawali nam spokoju. Zinterpretuj, oceń, a co to oznacza, jak wy to widzicie? Zawracanie dupy straszne. Ale tak to właściwie nie mogłem mieć z nimi żadnych oficjalnych kontaktów. Były zabronione, a jeśli już miały miejsce, to wyłącznie za zgodą rezydenta.

Ale przecież przychodzili do ciebie, żebyś im zinterpretował sprawę wyboru papieża?

No, ale to było nieoficjalne podejście. Oczywiście znałem Rosjan, którzy pracowali w sekretariacie ONZ, i wiedziałem, że to są ludzie ze służb. Dwaj, z którymi miałem kontakt, to byli goście na bardzo wysokim poziomie merytorycznym, świetnie znali angielski. I chodziliśmy sobie od czasu do czasu na drinka. Oczywiście nikt nikomu nie mówił, skąd jest. To było jasne dla obu stron. Wymienialiśmy uwagi na temat Stanów Zjednoczonych. Mnie interesował ich sposób rozumowania, bo możliwości mieli ogromne. Chciałem sprawdzić podczas tych rozmów, czy moje interpretacje pokrywają się z ich ocenami.

Skąd brał się u radzieckich ten podział na „wschodniaków" i „zachodniaków"?

To był taki mój nieoficjalny podział. Część – ta bardziej „zachodnia" – to byli synowie dyplomatów, ludzi ze służb. Obyci ze światem. A pozostali pochodzili z awansu. Tyle że jeden z najbardziej inteligentnych Rosjan, jakich tam spotkałem, był typem „gościa ze Wschodu". Garnitur jakby nigdy nie zaznał żelazka, gęba jak u chłopa małorolnego, ale łbem, inteligencją nie mógł temu facetowi dorównać żaden inny.

9
Szyfrant ucieka

W kabinie ciszy – Szpiegowanie długu Gierka – Ja, prawie niele-
gał – Zdrada numer 2

Rozumiemy, że przez pierwsze dwa lata rezydent wywierał na
was presję. Jak, kolego, nie wyrobisz normy, to wracasz do kraju.
Dwa pierwsze lata były u niego ciężkie. Przygotowywał na
przykład pytajnik na półtorej strony. „Proszę mi te informacje
pozyskać na spotkaniu". Był bardzo wymagający. Niektórzy koledzy prawie łzy mieli w oczach.

Opowiedz o przebiegu rozmowy, w czasie której po dwóch la-
tach zapadała decyzja: powrót albo pozostanie na placówce.
Rezydent miał swój pokój. Za nim była tak zwana kabina ciszy.
Czyli to, co może widzieliście na filmach. W środku pomiesz-
czenia stała plastikowa kabina, całkowicie przejrzysta. Urucha-
miały się różne wiatraki nie wiatraki, wyciszenie totalne. Jak
tam wchodziłeś, wykładałeś wszystko z kieszeni. Dłużej niż
dwie godziny w takim miejscu nie wytrzymałeś, bo tak tam
było duszno.

A były tam krzesła?
Tak, stolik plastikowy i plastikowe krzesła.

Przezroczyste?
Wszystko przezroczyste.

Wchodziło się tam w butach?

Bez butów, bez marynarki, tylko w spodniach i koszuli. Miejsce na pewno bezpieczne, ale mało komfortowe.

Duże to było? Ile mogło mieć metrów kwadratowych?
Dziesięć, może dwanaście. Trzy, cztery osoby z trudem się mieściły. Na ogół rozmawiało się tam we dwóch.

Często bywałeś w tym miejscu?
Nie, bo znacznie wygodniej było spotkać się w ONZ i pogadać, spacerując po korytarzu, czy gdzieś w mieście, czy w ogrodach ONZ, jak była pogoda. Dopracowywałeś sobie z rezydentem jakiś temat i do tej kabiny szedłeś omówić na przykład coś, co było absolutną kwintesencją. No i tam odbywało się też to dwuletnie podsumowanie: ile i jakich pozyskałeś kontaktów, ile i jakich pozyskałeś informacji. No bo każda informacja, którą zdobyłeś, szła do centrali, gdzie była oceniana, a wyniki przesyłano nam w wiadomości zwrotnej. Jak została wykorzystana, czy przekazano ją w informacji zbiorczej, czy też jako informację indywidualną i na jaki rozdzielnik, czy do MSZ, czy do Biura Politycznego. Wszystko, cokolwiek napisałeś, wędrowało do centrali i było oceniane. I między innymi na tej podstawie każdy wydział cię oceniał, a rezydent przygotowywał też własną ocenę. Po tych dwóch latach przysługiwał ci bezpłatny przelot do kraju. Zjeżdżałeś do centrali i tam dokonywano oficjalnej twojej oceny. Ocena rezydenta była elementem oceny centrali – istotnym, ale tylko elementem. No i dopiero po tym wszystkim dowiadywałeś się, jak zostałeś sklasyfikowany. Moja ocena wypadła pozytywnie i powiedziano mi, że jadę do Ameryki na następne dwa lata.

Jeszcze jednej rzeczy nie omówiliśmy. Wspomniałeś, że miałeś zadania związane z długiem Polski i z nowymi pożyczkami. Czy uświadamiałeś sobie, że robi się niebezpiecznie, bo nabraliśmy zbyt dużo kredytów?

W latach 1978–1979 miałem w Stanach źródło bardzo dobrze wstrzelone w ten temat. I ono przekazywało: z waszego punktu widzenia to idzie w złą stronę, oczywiście banki pożyczą wam każdą ilość kasiory, ale będziecie mieć problem ze spłatą. To był facet obyty i dobrze znający się na finansach. Mówił jasno, że jesteśmy zadłużeni po uszy.

Jakie konkretnie miałeś zadania związane ze sprawą długu i kredytów?
Na przykład Polska wystąpiła o kolejną transzę pożyczki. Miałem ustalić, jakie warunki postawi druga strona. Jakie będzie oprocentowanie, ile mogą nam pożyczyć i na jakich warunkach.

Pisałeś otwarcie to, czego się dowiedziałeś? Nie musiałeś nic pucować?
Oczywiście, że pisałem. Przecież to nie była kwestia krytykanctwa, tylko realnych ocen. Przedstawiałem informacje, jakie pozyskałem od źródła. Rzecz jasna, jeżeli facet mówił: „Gierek jest kretynem", to ubierałem to w bardziej dyplomatyczne słowa. Ale pisałem prawdę, bez pucowania. Wywiad, przynajmniej na moim poziomie, jest rozliczany z prawdy. Co potem się działo z tymi informacjami, to już nie była moja broszka.

Trochę twoja, bo przecież te informacje były oceniane.
To prawda. Przychodziła z centrali ocena na przykład piętnastu czy dwudziestu nadesłanych przeze mnie informacji. Ta oceniona na tyle i poszła na taki rozdzielnik, ta na tyle i na ten rozdzielnik...

Zgadzałeś się z tymi ocenami?
Czasami się zgadzałem, a czasami rezydent mówił: „Ni chuja, chcemy wyższej oceny". Taki dialog domagający się lepszych ocen rezydent prowadził regularnie z centralą.

Wydawało ci się, że to, co dostarczasz, ma jakiś wpływ na rzeczywistość?

Uważałem, że to, co nadsyłam, rozjaśnia obraz i pokazuje prawdziwą sytuację. Jak to potem było wykorzystywane przez decydentów – to już inna sprawa.

Czy zdawałeś sobie sprawę, co się działo wówczas w kraju? To był szczyt propagandy. Jest świetnie, jesteśmy prawie mocarstwem!
Amerykańskie społeczeństwo od dawien dawna żyło na kredyt. Miało jednak świadomość, że pewnej bariery przekraczać nie wolno. Polska tę barierę zaczynała niebezpiecznie przekraczać.

Mówiłeś, że dostawałeś wiadomość zwrotną z oceną twoich doniesień. Jak to wyglądało?
Miałem dobre oceny wydziału informacyjnego. Nie mogłem narzekać. Dużo moich informacji szło na wysoki rozdzielnik.

Do kiedy przebywałeś w Ameryce?
Do czerwca 1980 roku, blisko pięć lat.

Dlaczego powiesiłeś w swoim pokoju w ONZ tę okładkę „Timesa" z papieżem?
Z punktu widzenia Polski to był ogromny prestiż. W sekretariacie ONZ zapanował totalny szał, gratulacjom nie było końca. Wizerunek Polski podskoczył jednego dnia o jakieś 30 procent.

Byłeś członkiem PZPR?
Byłem.

I mieliście na placówce zebrania partyjne?
Rzadko. Na przykład gdy z kraju na sesję ONZ zjeżdżał jakiś oficjel, zwoływano zebranie z jego udziałem. Gość z Polski wygłaszał jakiś referat.

I jako członek partii musiałeś brać w tym udział?
Tak, chyba że miałem jakąś ważną robotę w ONZ.

Trochę śmieszne, nie?

Czasami przyjeżdżali faceci oderwani od rzeczywistości, nie-
znający świata. Po prostu żenujące.

**Dziwaczne. Dorośli ludzie funkcjonujący w zachodnich re-
aliach zbierają się w jaczejkę i omawiają sytuację.**
Dlatego te zebrania były prowadzone szybko i sprawnie. Życie
partyjne na placówce nie było zbyt bogate. Zebrania odfajko-
wywano.

**To była prestiżowa placówka, więc pewnie zawsze znalazł się
ktoś, kto chciał towarzysza partyjnego podpierdolić, żeby wyleciał, tak?**
Nie byłem świadkiem takich rozrób, że ktoś chciał kogoś wy-
pierdolić. Ani że organizacja partyjna się na kogoś uwzięła
i zgłosiła wniosek o odwołanie. To jednak byli dyplomaci wyso-
kiego szczebla i wszystko odbywało się kulturalnie, spokojnie.

Jaki miałeś stopień?
Podczas pobytu na placówce w Ameryce dorobiłem się kapitana.

A order już jakiś dostałeś?
Może jakiś resortowy, za zasługi. Pewnie brązowy, ale nie pamiętam dokładnie.

Czyli wpadłeś po dwóch latach do Warszawy, tak?
Tak. To był rok 1978. To rozliczenie zajęło mi ze dwa tygodnie.
Obejście wszystkich wydziałów w wywiadzie trochę trwało.

Jak wyglądała wtedy twoja sytuacja? Miałeś mieszkanie?
Tak, resortowe. W normalnym bloku na Ursynowie. Na ulicy
Związku Walki Młodych.

**Czy w ONZ byli polscy nielegałowie? Czy wy jako rezydentu-
ra coś o nich wiedzieliście?**
Nie miałem wiedzy na ten temat. Nielegałowie nigdy nie byli
obsługiwani z pozycji placówki, tylko zawsze przez centralę.

Ich obsługą zajmował się pion N, czyli wydział nielegałów, który był jednym z największych. Nielegał nigdy nie miał nic wspólnego z placówką. Pion N mógł zlecić rezydenturze zrobienie jakichś ustaleń, które były mu potrzebne do różnych przymiarek. Miał swoich kurierów, swoich łączników, wszystko realizował sam.

Czy to był najbardziej prestiżowy pion wywiadu?
Tak. Najciekawsza i najbardziej prestiżowa praca. Działanie pod przykryciem obcego obywatela na fałszywych dokumentach. Ja się tam zgłosiłem na ochotnika w 1974 roku. Dwukrotnie rozmawiałem z wicedyrektorem wywiadu, który odpowiadał za ten pion. Pytał mnie, czy jestem przekonany, czy zdaję sobie sprawę, z czym się to będzie dla mnie wiązać, jeśli przejdę do tego pionu.

Miałbyś być nielegałem?
Tak, chodziło o to, żebym na paszporcie brytyjskim albo amerykańskim realizował zadania za granicą. Wicedyrektor wywiadu uświadomił mi, że musiałbym zniknąć na kilka lat, żeby wypłynąć potem z nową tożsamością. To nie był dla mnie jakiś osobisty problem, bo w 1974 roku byłem jeszcze kawalerem. Ale szefowie wywiadu, jak sądzę, ostatecznie doszli do wniosku, że jestem za bardzo znany lub za długo funkcjonowałem na Zachodzie. Mogę się na kogoś natknąć i będą problemy.

Wiesz, że ostatnio IPN ujawnił, gdzie była siedziba tego pionu N?
Słyszałem.

Na Smyczkowej.
Tam był pion N, chociaż niecały.

Kogo ty mógłbyś udawać? Brytyjczyka, Amerykanina?
Na przykład, ale niekoniecznie w ich krajach rodzinnych, tylko w Niemczech, we Francji. Czemu nie?

I kim byś był?
To wszystko zależałoby od możliwości pionu N. Mogłem, powiedzmy, dobić na Zachodzie do jakiegoś nielegała, który by mnie zatrudnił. Z czasem mógłbym się usamodzielnić, rozpocząć indywidualną drogę.

Ale to było tak, że korzystało się z cudzych dokumentów?
Z cudzych dokumentów, cudzych życiorysów.

Jak się budowało te tożsamości, te życiorysy?
Od dziecka, sieroty.

No dobra, jesteś sierotą spod Nowego Jorku. Z domu dziecka. Musisz wszystko wiedzieć o tym miejscu, tak? Musisz znać wychowawczynię, musisz wiedzieć, gdzie był sklep...
Tak, wszystko muszę wiedzieć. Na przykład jako oficer rezydentury mogłem dostać zadanie. Mam wziąć żonę i pojechać na weekend do miasteczka Y pod Waszyngtonem. I mam się dowiedzieć wszystkiego o tym miasteczku, bo centrala potrzebuje tych informacji. I w takiej sytuacji żona okazuje się bardzo przydatna, bo jest dobrą legendą, gdy trzeba pojechać do hotelu, odwiedzić sklepy, zobaczyć zabytki. I to mogło być zlecenie właśnie na rzecz pionu N.

Odebrałeś odmowną decyzję jako...
...jako uznanie, że byłoby to zbyt ryzykowne, bo mógłbym natknąć się na kogoś, kto by mnie pamiętał.

Być takim nielegałem to wielkie obciążenie psychiczne. Ulatniasz się, nie masz kontaktu z bliskimi...
No tak, ale był mój brat. On mógł zajmować się rodzicami. Poza tym oni nie byli jeszcze w podeszłym wieku, byli po pięćdziesiątce. A własnej rodziny w 1974 roku nie miałem. Wiecie, jak decydujecie się na robotę w wywiadzie, to chcecie robić to, co jest najciekawsze, najbardziej prestiżowe. Gdy masz dwadzieścia trzy, cztery lata, to fantazja ciągnie cię w takim kierunku!

Wróćmy jeszcze na chwilę do Nowego Jorku. Sprawdzaliście jakoś czujność amerykańskich służb?

Tak, podam wam przykład. Jeden z naszych ludzi był dość mocno obstawiony przez służby amerykańskie…

Mieli powody go obstawiać?

O tak, był poważnie zaangażowany w grę. Nagle facet wdaje się w romans z dziewczyną z Ameryki Południowej…

Chwileczkę, sprowokowaliście romans?

Powiedzmy, że pozwoliliśmy sytuacji się rozwinąć. Trwało to półtora roku. Amerykanie absolutnie mieli podstawy, żeby coś zrobić. Człowiek był żonaty, więc mogli go szantażować. Tymczasem zero reakcji. Na początku myśleliśmy nawet, że dziewczyna jest od nich, bo to ona była inicjatorką. Ale wyszło, że nie.

Jakie wnioski?

Przegapili, mieli widać za dużo innej roboty, nie starczało im sił. Opierając się na tym przykładzie, tłumaczyliśmy różne inne. Zaczęliśmy analizować, jak głęboko mogą sięgać. Kogo mogą typować, a na kogo nie będą mieli środków.

A wasz człowiek? Pisał wam „romantyczne" raporty?

Nie było takiej potrzeby. Myśmy się skupiali na reakcji FBI lub CIA.

Sławomir Petelicki był przez cały ten czas w USA?

Przez rok, gdy byłem na placówce, Sławek pracował w konsulacie. Później wrócił do Polski i funkcjonował w Wydziale XI.

A czym on się zajmował w Ameryce?

Jak się domyślacie, tego nigdy mi nie opowiadał. Pewnie zajmował się tym, czym się zajmuje oficer w konsulacie. Konsulat obsługuje Polonię, więc badał, czy jest ona penetrowana przez FBI, a tych, którzy często odwiedzali Polskę, sprawdzał, czy czasem nie pracują dla CIA. Przypomnę, że również stypendyści byli pod opieką konsularną. Sławek, jak to Sławek, zawsze był dość przebojowy.

Marian Zacharski to też były twoje czasy w USA.
Tak. Tylko ja o jego misji i o nim samym nic nie wiedziałem. Pierwszy raz o całej sprawie przeczytałem w „Newsweeku" czy w „Timie": że facet został zatrzymany i że to polski szpieg. Pamiętam, było też jego zdjęcie en face. On najpierw działał w okolicach Chicago, a później na Zachodnim Wybrzeżu. Wobec czego nie mieliśmy żadnego kontaktu.

Opowiedz nam trochę o tej sprawie. To jedna z najgłośniejszych historii ostatnich kilkudziesięciu lat. Czy Marian Zacharski od początku był oficerem wywiadu?
Nie. Był kontaktem operacyjnym. Został pozyskany do współpracy przez wywiad naukowo-techniczny, tak jak się pozyskiwało ludzi, którzy wydawali się godni uwagi. Wyjechał do pracy w polskiej spółce działającej w USA. Tam trafił na Williama Bella, który miał dostęp do ciekawych materiałów.

Czy Zacharski został przeszkolony?
Umówmy się, że szkolenie kontaktu operacyjnego kończyło się na godzinnym wykładzie. Dopiero gdy poznał Bella, był intensywnie doszkalany.

Podobno Zacharski już na studiach był szkolony na nielegała.
Nigdy nie słyszałem takiej wersji.

A jak oceniasz jego wpadkę? Czy wynikała z chęci osiągnięcia jeszcze większego sukcesu? Czy to prawda, że Zacharski dostał z Warszawy dyspozycję, żeby się zaczął wycofywać?
Tego nie wiem. Ale on absolutnie nie miał przygotowania wywiadowczego z prawdziwego zdarzenia. Nie da się przecież dobrze wyszkolić współpracownika na zasadzie doskoku. Dlatego popełniał różne błędy. Nie wiem, kiedy w sprawę wmieszało się FBI. Nie wiem, czy Bell od początku był podstawiony. Myślę

natomiast, że gdyby Zacharski był oficerem z jakimś doświadczeniem, to być może zadziałałby u niego instynkt, wyczułby fałsz albo jakieś zagrożenie. I żeby było jasne: nie obwiniam tu w żaden sposób Zacharskiego. Bo skoro nie miał wyszkolenia, wypracowanych zachowań, to miał prawo popełnić błąd. Do tego gdy spłynęły pierwsze materiały od Bella, atmosfera się podgrzała. Bo to były bardzo, bardzo ciekawe dokumenty. Jeśli nagle trafiasz na coś tak dobrego, to instynkt samozachowawczy, siłą rzeczy, zaczyna szwankować. Myślę, że to dotyczyło i jego, i ludzi, którzy go prowadzili.

Bierzesz pod uwagę, że Bell był podstawiony od początku?
Wszystko biorę pod uwagę. Kiedy po wpadce siada się do analizy sprawy, zakłada się wszystko, a jednym z głównych założeń jest to, że zwerbowany agent był od początku podstawiony.

Chwileczkę. Przecież Bell dostarczył jednak wiele ważnych materiałów. Wiadomo, że szef wywiadu Jan Słowikowski dwa razy osobiście informował generała Jaruzelskiego o działalności Zacharskiego w USA.
Nie mogę potwierdzić, że Słowikowski rozmawiał z Jaruzelskim, ale wydaje się to bardzo prawdopodobne. Aby ocenić wartość materiałów dostarczonych przez Zacharskiego, musielibyśmy razem z dobrymi inżynierami usiąść nad materiałami Bella i dogłębnie je przeanalizować. Istnieje teoria, że w niektórych elementach dokumenty były przez Amerykanów fałszowane. Wszystko po to, żeby rosyjska zbrojeniówka szukała rozwiązań nie tam gdzie trzeba, a opierający się na tych materiałach naukowcy zabrnęli w ślepą uliczkę.

Totalna mistyfikacja?
Tak, absolutna zmyła. Mogło chodzić o to, żeby Rosjanie zrobili sobie rakietę, ale koślawą, taką, która źle działa, a przy okazji wydali na to kupę pieniędzy. Jednak ja myślę, że prawda leży pośrodku.

To znaczy?

Bell był na początku czysty. Później Amerykanie go namierzyli i pozyskali. Część materiałów była więc prawdziwa, część zawierała fałszywe dane.

Jak Zacharski był doszkalany?

Myślę, że dostawał po prostu bardzo precyzyjne instrukcje, jak ma postępować podczas każdego spotkania, na co zwracać uwagę. Brał to pod uwagę albo nie.

A może w pewnym momencie chciano mu zabrać Bella, tak żeby to nie on go prowadził, żeby to nie on się z nim kontaktował.

Nie słyszałem o tym, ale możliwe. Jeżeli w centrali doszli do wniosku, że sprawa jest zbyt poważna, a Zacharski za bardzo wystawiony na niebezpieczeństwo, to taka decyzja mogła zapaść. Najbezpieczniej byłoby w ogóle przenieść spotkania z Bellem na inny teren, poza USA.

Bell jeździł do Europy, do Szwajcarii, gdzie spotykał się z polskimi służbami.

To standardowa procedura, tak jest zawsze bezpieczniej. W Szwajcarii mógł się w miarę bezpiecznie spotkać na przykład z oficerem centrali.

Czy jednak tego kontaktu nie powinien był przejąć profesjonalista? Choć trzeba też pamiętać o tym, że Zacharski i Bell byli mocno zaprzyjaźnieni. Bell mógł nie chcieć współpracować z nikim innym.

Zmiana prowadzącego to bardzo delikatna operacja. Zwłaszcza że Zacharski był tym, który tę współpracę rozpoczął. Bell mógł nie chcieć, bo lubił Zacharskiego. Mógł nie chcieć – jeśli rzeczywiście był sterowany przez FBI – bo Amerykanie mu przykazali, żeby nie zgadzał się na żadne zmiany.

Jeśli chodzi o wpadkę, to bardzo prawdopodobna jest wersja, że Zacharski został zdekonspirowany z powodu zdrady podpułkownika Jerzego Korycińskiego z wywiadu naukowo-technicznego. Tak przynajmniej utrzymywał Kiszczak w 1984 roku, ale może robił to dlatego, żeby osłabić generała Milewskiego. Co o tym sądzisz?

Trudno to rozstrzygnąć. Dla Kiszczaka i Jaruzelskiego Milewski był wówczas człowiekiem Moskwy, którego należało jak najskuteczniej zneutralizować. Myślę więc, że Koryciński nie miał nic do wpadki Zacharskiego. Ten ostatni został zwyczajnie namierzony przez FBI. Chciwość operacyjna wzięła górę nad ostrożnością.

Interesujące jest to, że Zacharski płacił temu Bellowi jakimiś złotymi monetami. To był standard?

Umówmy się, że najbardziej kompromitująca jest kasa, pliki dolarów, z których nie ma jak się wytłumaczyć. Złote monety to jednak coś innego. „Ta jest po dziadku, a tę wymieniłem z kolegą z Polski, bo, wie pan, ja jestem kolekcjonerem i on też zbiera monety". Otwierają się jakieś możliwości, można coś wymyślić.

A mieliście takie na wyposażeniu?

No, to nie jest szczególny problem. Jeżeli agent sobie życzy, to – w granicach rozsądku – wszystko można pozyskać, krugerrandy, sztabki złota, nawet jakiś obraz, dzieło sztuki. Są agenci szczególnie wyczuleni na punkcie bezpieczeństwa. Chętnie biorą drogi obraz, bo to zawsze można powiedzieć, że „miał fantazję człowiek i mi podarował" albo „kupiłem go po okazyjnej cenie u marszanda".

Czy sprawa Zacharskiego wpłynęła jakoś na życie rezydentury?

W ogóle nie wpłynęła. Wpłynęło natomiast coś innego, mianowicie zdrada szyfranta. Bodaj rok przed moim wyjazdem szyfrant po prostu „wybrał wolność" i został w Ameryce. Dla rezydentury to jest potężny cios, bo oczywiście szyfrant ma ogromną wiedzę. Przecież szyfruje wiadomości.

Co wie, a czego nie wie szyfrant?
W depeszach nie ma na przykład nazwisk, nigdy, tylko pseudonimy. Jednak sama treść może wskazywać na źródło. Warto też wiedzieć, że depesze dotyczące spraw najdelikatniejszych są szyfrowane inaczej. Rezydent ma osobny szyfr – przygotowany specjalnie przez biuro szyfrów na jego użytek. Najbardziej newralgiczne zdania w depeszach, nazwiska itp. były szyfrowane przez rezydenta. Mimo wszystko strata szyfranta to koszmar.

Wytłumacz, jak to działa: depesza ma dziesięć zdań, dwa są szczególnie wrażliwe. Co się dzieje?
Te dwa zdania szyfruje rezydent. To znaczy, że szyfrant dostaje dziesięć zdań depeszy, z czego dwa są zapisane cyferkami. Szyfry były liczbowe.

Czyli litery zamieniało się na cyfry? Jakaś tajemnicza maszynka to zamieniała czy były książki?
Były takie specjalne, nazwijmy to, materiały szyfrujące. Do każdego słowa dopasowywało się liczbę.

Co to jest „materiał szyfrujący"?
To były po prostu ciągnące się grupy liczbowe, które odpowiednim systemem były dopasowywane do każdego słowa. Strony z tymi grupami były numerowane i to rezydent zaznaczał, że szyfruje w danej chwili, korzystając ze strony, dajmy na to, dwudziestej drugiej. Upierdliwa robota. Istna makabra. Byłem rezydentem w Rzymie i sam musiałem to robić. Już po półgodzinie ci się nie chce. Trzeba mieć do tego wyjątkowe predyspozycje, żeby nie zwariować. A szyfranci tak dzień w dzień. Dlatego przyjeżdżali na dwa lata. Czterech lat nikt by nie wyrobił. Poza tym była to wyjątkowo pracochłonna placówka.

Wróćmy do ucieczki szyfranta.

Akurat jego ucieczkę wiążę właśnie z nadmiarem pracy. To był człowiek, który był w służbie już dosyć długo. Wprawdzie nie w naszym departamencie, ale w ogóle w strukturach MSW. Problem według mnie polegał na tym, że rezydent był wymagający, bardzo wymagający. W Nowym Jorku zawsze było dwóch szyfrantów, ale nawał pracy i tak był ogromny. De facto dwie placówki: konsulat generalny i stałe przedstawicielstwo przy ONZ. Każdy, kto przyjeżdżał z Polski na sesję ONZ, chciał się popisać aktywnością. Przysyłano ludzi z różnych instytucji – z MSZ i innych resortów, które miały swoje interesy związane z obradami w różnych komitetach: od rolnictwa poprzez handel po gospodarkę morską. Każdy jak już się nagadał w ONZ, to siadał i dawał raport szyfrantowi. Do tego dodajcie sobie rezydenturę, która także nie próżnowała. Prawda była taka, że każdy rozliczany był z tego, ile i jakich wiadomości dostarczy do centrali. Do Warszawy szły nie depesze, tylko epistoły, długie jak stąd do wieczności. Szyfranci byli zawaleni od świtu do nocy. I ten zaczął w pewnym momencie wymiękać. Kilka razy zresztą mi się skarżył: „Panie, po co oni to każą szyfrować? Przecież to zwykła gazetówka".

Stary, młody?
W średnim wieku, około czterdziestki.

Rodzina?
Tak.

Na miejscu?
Na miejscu. Szyfrant zawsze mieszka w placówce. W pewnej chwili ten człowiek zaczął mnie zastanawiać. Kilka razy wyczułem od niego rano alkohol. Poszedłem pogadać z rezydentem. To było w ONZ, spacerowaliśmy sobie. Mówię, że szyfrant jest przepracowany, że zaczyna popijać i ma już chyba dosyć tego wszystkiego. W tym momencie rezydent powinien był złożyć wniosek o odwołanie szyfranta.

Rozumiemy, że nie złożył.
Nie złożył albo złożył za późno. W każdym razie facet z rodziną zgłosił się do Amerykanów.

Co to oznacza?
To oznacza, że pracę operacyjną rezydentury trzeba praktycznie zamrozić. I tak się stało. Miałem swoje źródła, którym płaciłem, wszystko się kręciło – i z dnia na dzień klapa.

Bałeś się?
Mogłem się obawiać o źródła, bo sam przecież miałem immunitet. Rozumiem, że pytanie dotyczyło strachu o własną skórę. Wtedy się nie bałem.

A kiedy?
Gdy już byłem pracownikiem ONZ, bez immunitetu. W środku Manhattanu po raz pierwszy dawałem komuś pieniądze, on mi je kwitował. Było już późno, około dwudziestej trzeciej, siedzieliśmy w jakimś barze. Miałem wrażenie, że za chwilę poczuję czyjąś rękę na ramieniu i padnie: „Pan pozwoli z nami, kolego". To był moment, kiedy czułem strach. Zupełnie inny niż ten, który później czułem w Afganistanie, robiąc różne rzeczy.

Opowiedz o przygotowaniach do takiej dość ryzykownej operacji.
Termin i miejsce zostały umówione już podczas poprzedniego spotkania. Mogłem najwyżej zadzwonić z budki, żeby coś zmienić, dodać. Scenariusz spotkania też jest znany: on wie, że dostanie kasę i będzie musiał ją pokwitować, godzi się na to. Dzień jest zaplanowany już od rana. Wychodzę z domu, idę do ONZ. Pracuję, coś załatwiam. Nie mogę wrócić do siebie, bo właśnie gdy wychodzę z domu, najłatwiej jest podjąć obserwację. Idę na jakiś komitet, wkręcam się na jakieś obrady. Tak mi schodzi czas do dwudziestej. Potem zaczynam długą trasę sprawdzeniową. Trzy godziny. Po drodze jakieś spotkanie ze

znajomym. Przed dwudziestą trzecią jestem w zasadzie pewny, że nikt się za mną nie ciągnie. Idę więc do umówionego baru.

„W zasadzie pewny"?
Nigdy nie ma pewności, nigdy. Przychodzi człowiek. Przekazuje mi materiały. Daję mu kasę, on kwituje, dwa słowa i się rozstajemy.

Ale jak mu dajesz kasę? W kopercie?
W „Newsweeku". Nie daję mu w kopercie, bo nie chcę, by wszyscy widzieli, że dostaje kopertę.

Nie przelicza?
No nie, oczywiście, że nie przelicza.

I się podpisuje.
Tak, ale nie przy stoliku. Idzie się odlać i przynosi mi podpisany papierek: „Ja (tu kryptonim) kwituję odbiór iluś tam dolarów", podpis, data i koniec. Nie ma ustalonych reguł formalnych. Przecież chodzi tylko o to, by napisał, że wziął kasę. Ja przyjmę od niego wszystko. Nawet jeśli napisze „pobrałem tyle a tyle" i się nie podpisze. Wezmę to. Nawet jak mi odmówi podpisu, i tak mu dam kasę. O ile, oczywiście, jest cennym informatorem i chcę, żeby dla mnie pracował. Kwitek ma jedynie dodatkowo go wiązać.

Ile to trwało?
Tak z pięć, dziesięć minut.

Wracasz spokojnie do domu?
Prostą drogą.

Dopiero rano składasz meldunek, że wyszło?
Tak.

Rezydent się denerwuje.
Nie będę do niego dzwonił i mówił, że wszystko jest cacy. Ja się denerwowałem, to i on niech się trochę podenerwuje.

A rodzina się denerwuje?
Rodzina nic nie wie. Myśli, że ambasador kazał mi śledzić jakieś nudne obrady w ONZ.

Wróćmy do sprawy szyfranta.
Nazywał się Waldemar Mazurkiewicz, podpułkownik.

I był kopalnią wiedzy…
Kopalnią wiedzy operacyjnej, kopalnią informacji i kopalnią wiadomości na temat życia osobistego wszystkich pracowników placówki, bo on przecież siedzi cały czas na miejscu, zna wszystkie plotki i układy. Do tego wie, jakie informacje idą do MSZ, jakie do wywiadu. Zna strukturę wywiadu, zna zasady działania biura szyfrów.

Zabrał materiały do szyfrów?
Mógł zabrać ze sobą te, które miał pod ręką, i pokazać, jak to wygląda, drugiej stronie. Oczywiście szyfry zaraz się zmienia. To nie są stałe kody, tylko zestaw liczb wybierany losowo przez maszyny. No ale jakkolwiek by to tłumaczyć, porażka była totalna. Żaden oficer, który przejdzie na drugą stronę, nie spowoduje takich szkód jak szyfrant.

Pamiętasz dzień, w którym się okazało, że pana Mazurkiewicza nie ma już wśród was?
Rezydent mi powiedział. Pomyślałem sobie: „Kurwa mać. Tyle pracy poszło w…".

Ale co ci powiedział rezydent?
No, że pan szyfrant był łaskaw, kurwa, zniknąć. Odpowiedziałem staropolskim „o kurwa!" i koniec. Co jeszcze mogłem zrobić?

Jak wygląda procedura po takim numerze?
Rezydent zostaje wezwany do centrali. Powoływana jest komisja, która bada sprawę. Dlaczego szyfrant nie został odwołany, czy nie było sygnałów, czy nie było symptomów. Wywiad robi

całe dochodzenie, jak przy każdej wpadce. Na koniec komisja przedstawia dyrekcji raport i wnioski.

A kto w placówce, w rezydenturze odpowiedzialny jest za bezpieczeństwo? Jakiś człowiek od kontrwywiadu?
Byli ludzie od bezpieczeństwa, ale fizycznego. Natomiast za każdy inny rodzaj bezpieczeństwa i w ogóle za wszystko odpowiada rezydent. To jego działka.

Dziwne, że szyfrant mógł sobie tak spokojnie wychodzić.
Nie, szyfrant nigdy nie wychodził sam. Nawet po zakupy szedł z kimś, choćby po to, żeby nikt go nie porwał.

To jak mu się udało uciec, i to z rodziną?
On miał żonę i – zdaje się – dziecko. Wyszli w nocy, bo na placówce nie było całodobowego wartownika, i rozpłynęli się w ciemności. Zakładam, że miał kontakt ze służbą amerykańską. Powiedzieli mu: zostawiasz wszystko, wychodzisz tak, jak stoisz, jakbyś szedł po fajki, idziesz na róg taki a taki, tam czeka samochód. Wszystko.

Co on wyniósł?
Nie wiem. Wykazało to dochodzenie, ale ja nie miałem dostępu do tych informacji.

Jak wyglądał twój następny dzień?
Odbyła się narada. Ustaliliśmy, które kontakty zamrażam, a które ciągnę. Podział był prosty: ze źródłami z ONZ pracuję dalej, źródła amerykańskie do zamrażarki.

Co to znaczy „zamrażam"?
Spotykam się z nimi i podaję legendę, na przykład że wyjeżdżam na jakiś czas. Ustalam hasło do nawiązania kontaktu i mówię, że zgłoszę się za pół roku albo zgłosi się ktoś ode mnie i poda to hasło. Mało sympatyczne, ale tak się robi.

Nagle masz dużo wolnego czasu.
O tak.

Chodziłeś do kina?
Mogłem dalej spotykać się z ludźmi, których rozpracowywałem, co było ważną działką. No i, jak wspomniałem, mogłem działać w ONZ.

Czy szyfrant ma techniczną możliwość kolekcjonowania notatek, czy nie?
Nie. Rezydent je zabierał i niszczył. Notatka wykorzystana, zaszyfrowana, wraca, idzie do kasacji.

Szyfranci pracowali w jakimś specjalnym pomieszczeniu?
Tak, bez okien. Warunki były fatalne. Kanciapa dwa na dwa metry. Gdy był nawał zajęć, na przykład sesja ONZ, pracowali non stop.

Co szyfrant mógł wiedzieć o tobie? Dawałeś mu depesze do ręki, znał twój kryptonim?
Nigdy nie dawałem mu depesz do ręki. Wszystko szło przez rezydenta. Natomiast po jakimś czasie mógł się tego kryptonimu domyślić. Trzeba było przyjąć jeszcze jedno założenie: że on współpracował ze służbą gospodarzy od jakiegoś czasu. Wtedy wiele rzeczy można było dość dokładnie ustalić. Mógł podawać im informacje z wewnątrz, a służby amerykańskie uzupełniały je o dane wynikające z prowadzonej obserwacji. Mogły więc naprawdę sporo o mnie wiedzieć. Każdy szyfrant, który wyrazi chęć przejścia na drugą stronę, jest natychmiast przyjmowany. Lepszy byłby tylko rezydent. Tak jak Oleg Gordijewski, rezydent KGB w Londynie, który pracował dla Brytyjczyków. No ale to już jest megastrzał.

Myślisz, że Mazurkiewicz współpracował jakiś czas przed ucieczką czy raczej zachował się spontanicznie: nawiązał kontakt i zwiał?
Mogę mówić tylko o swoich obserwacjach. Stykałem się z nim wielokrotnie. W tym czasie spadek jego formy psychicznej był dla mnie oczywisty. Pił – może dlatego, że go pozyskali? Od-

czuwał wyrzuty sumienia? Stres? Strach przed wpadką? Więc zaglądał do kieliszka. Ale moim zdaniem było inaczej. Pił, bo nawał pracy po prostu go wykończył. Był podskórny konflikt z ambasadorem i rezydentem. Oni wymagali, on się nie wyrabiał, oni się wkurzali. Mógł zakładać, że po powrocie dostanie złą ocenę. Więc doszedł do wniosku, że wcale nie musi wracać.

Ucieczka szyfranta położyła się cieniem na twojej karierze?
Nie, ale na karierze rezydenta – owszem. Do tej pory był on jednym z lepszych oficerów: bardzo wymagającym, sprawnym. Myślę, że mógł celować nawet w stanowisko dyrektora wywiadu. No ale po czymś takim musiał o tym zapomnieć. Za taką sytuację rezydent zawsze ponosi winę. Nigdy nie wyjdzie czysty: a to zaniedbał, a to nie dołożył starań.

Musiałeś zeznać, że zwracałeś mu uwagę na zachowanie szyfranta?
Ja chyba tego nie zeznałem. Lubiłem rezydenta, uważałem, że jest absolutnym profesjonalistą. Doszedłem do wniosku, że moje zeznanie i tak szyfranta nam nie zwróci. Mnie w niczym nie pomoże, a rezydentowi zaszkodzi jeszcze bardziej.

Ryzykowne, nie?
Dlaczego?

Rezydent mógł zeznać, że go ostrzegałeś.
Zawsze mogłem powiedzieć, że zapomniałem. Ale nie sądzę żeby się wyrywał z czymś takim.

Ściągnęli was wszystkich do Warszawy?
Jego ściągnęli. Ja napisałem obszerną notatkę. Szyfrant, ten, który został, zaszyfrował i poszło. Drugi szyfrant nie mógł być odwołany od razu, boby się wszystko rozleciało. Natomiast rezydent zakończył misję w najgorszy sposób, jaki można sobie wyobrazić.

Zdjęli go ze stanowiska od razu?

Nie, pojechał, żeby stanąć przed komisją. Wrócił i zjechał zgodnie z rozkładem jazdy. Nie odwoływano go wcześniej z placówki, żeby nie robić przyjemności drugiej stronie. Dosłużył więc w Nowym Jorku do końca.

Czy Mazurkiewicz kiedyś potem wypłynął?

Nie pamiętam, żeby wypłynął.

Jakaś czarna seria dla wywiadu w USA: Zacharski wpadł, zdradził Mazurkiewicz, Koryciński i jeszcze sierżant Henryk Bogulak, kierowca w ambasadzie w Paryżu – też wasz człowiek.

Samo życie.

Z czego to się brało? Bo wywiad się rozrósł? Więcej akcji i więcej wpadek?

Bardzo możliwe. Odkąd zaczęła działać szkoła, do służby przychodziło około czterdziestu osób rocznie. Po kilku latach zrobiła się już spora liczba. Rzeczywiście wiele zaczęło się dziać. Może więc zadziałała w praktyce teoria prawdopodobieństwa.

10
Żołnierze przejmują wywiad

Wywiad trzaska obcasami – Wydział amerykański krytykuje system – Palenie dokumentów – Plan obrony resortu – Stan wojenny przy Rakowieckiej

Wracasz do Polski w czerwcu 1980 roku.
Tak. Piękne lato, do sierpnia wszystko wyglądało w miarę spokojnie.

Gdzie dostajesz przydział?
Do wydziału amerykańskiego. Po znacznej aktywności za granicą przychodzi okres spokoju, totalnego.

W Polsce jednak zaczyna się już sporo dziać. Od początku lata wybuchają protesty.
Trudno tego nie zauważyć. Czytam prasę, biuletyny wewnętrzne. Widzę, że strajki narastają.

A macie dostęp do wolnych mediów?
Oczywiście, jak zawsze.

W Ameryce miałeś dość dobry ogląd sytuacji. Widziałeś, że kraj się zadłuża, że gospodarka zmierza do upadku. Wpłynęło to na ciebie?
Potwierdziło moją opinię, że władze mamy marne. Ale w końcu nie był to pierwszy zakręt dziejowy, który przeżywaliśmy.

Sprawy się jeszcze skomplikowały, bo wybory wygrał Ronald Reagan i zanosiło się na ostry kurs wobec bloku krajów socjalistycznych.

Zawsze gdy w Stanach Zjednoczonych republikanie zastępowali demokratów, należało się spodziewać ostrego kursu. Było wiadomo, że z republikanami nie będzie żadnej dyskusji. W dodatku Reagan miał wśród republikanów opinię konserwatywnego, jastrzębia. Wybory wygrał w listopadzie 1980 roku, funkcję objął dwudziestego stycznia 1981. Było jasne, że zacznie się jazda.

Czyli idą ciekawe czasy dla wydziału amerykańskiego, w którym jesteś już szychą, tak?

Wróciłem i otrzymałem stanowisko starszego inspektora. Następnym awansem powinien być fotel zastępcy naczelnika. Miałem za sobą osiem lat pracy, jedną placówkę i pobyt stypendialny. Byłem w pełni samodzielnym oficerem, któremu wszystko można powierzyć. Osiągnięcie pełnej samodzielności to pięć, dziesięć lat pracy.

Byłeś na pierwszej linii, a teraz? Jakie są twoje zadania? Czym się zajmujesz?

Obsługą terenu. Dostałem do prowadzenia rezydenturę nowojorską. W perspektywie cztery lata pracy za biurkiem, bo po tym czasie powinienem znów lecieć do Nowego Jorku. Po placówce to była straszna nuda.

Solidarność liczyła dziesięć milionów ludzi wkurzonych na władze i zmęczonych marną jakością życia. Nie robiło to na tobie wrażenia?

Zastanawiałem się, jak te strajki rzeczywiście się zaczęły. Historycznie często było tak, że politycy wykorzystywali „słuszny gniew klasy robotniczej", żeby obalić rządzącą ekipę. Skoro na fali strajków szybko zmieniono ekipę Gierka i przyszli następni, to uważałem, że moja analiza jest słuszna. Zresztą nie tylko ja – tak sobie z kolegami ze służby dyskutowaliśmy. I opinia była zgodna: to był przewrót pałacowy, który się wymknął spod kontroli. A jeśli chodzi o strajkujących? Pewnie, że wszyscy w resorcie się zastanawiali: mają rację czy nie? Dwadzieścia jeden postulatów można sobie było roztrząsać pod różnymi kątami. Część oczywiście była uzasadniona. Wolne soboty każdy by chciał mieć. My też.

I tak sobie o tym rozmawialiście w resorcie co rano?
Bez przesady. Nie tak, żeby to był główny temat. Ale rozmowy o tym, co się dzieje w kraju, były na porządku dziennym.

Mówiąc serio, to wywiad dostarczał niesamowitych analiz. Siemiątkowski wykopał na przykład w IPN Biuletyn Informacyjny Departamentu I i Departamentu II MSW z września 1980 roku. Jest tam notatka „Zachodnie plany działania przeciwko Polsce i innym krajom socjalistycznym". Powołując się na ekspertów NATO, pisano, że sierpniowe strajki są wynikiem „immanentnych wad systemu komunistycznego", że „przewidywano proces stopniowego wychodzenia Polski i następnie innych krajów socjalistycznych spod radzieckiej dominacji". Wydaje się, że akurat ta analiza nie mogła powstać bez twojego udziału.
Oczywiście nie pamiętam tego dokumentu, ale to dość naturalne, że pewnie wykorzystano jakieś moje materiały z Nowego Jorku. Wyglądało to tak, że moje notatki trafiały do wydziału amerykańskiego, a potem do wydziału informacyjnego. Tam pracowali nad nimi analitycy, którzy nie dość, że byli fachowcami, to jeszcze mieli dostęp do wiadomości z całego świata. Mogli więc twój materiał rzucić sobie na tło. Każda informacja dostawała ocenę. Jeśli konfabulowałeś, robiłeś wstawki ideologiczne zamiast twardych faktów – oceny miałeś kiepskie. A od ocen zależała twoja dalsza kariera. Użyję porównania. Dobry wywiad jest jak dobra redakcja. Jeśli dostarcza badziewie, to traci czytelników. Oczywiście nie wiem, co na biurko dostawał

Gierek czy któryś z jego następców, bo były różne sita. Wiem, że wywiad produkował dobre i prawdziwe analizy.

Były także inne ciekawe notatki, świadczące o tym, że wywiad, **zwłaszcza wydział amerykański, bardzo dobrze się orientował w sytuacji i przewidywał jej rozwój. Pisano, że USA będą pomagały Polsce gospodarczo, ale w taki sposób, by wymusić korzystną ewolucję systemu politycznego. Z notatek wynika jasno, że Departament I zdawał sobie sprawę z katastrofalnej sytuacji gospodarczej, która wcześniej czy później doprowadzi do konfliktu z Moskwą oraz pluralizmu w życiu politycznym. Trzeba przyznać, że to dość celne uwagi.**

Myślę, że te akurat mogą być moje. Jednym z tematów, za które byłem odpowiedzialny w Nowym Jorku, były kwestie polskich długów i możliwości pozyskania nowych kredytów. Ustalałem kwoty, jakie mogą wchodzić w grę, i warunki, pod którymi możemy je otrzymać. Przy okazji słyszałem od swoich rozmówców, że Polska wpada w klasyczną pułapkę kredytową. Oczywiście informowałem o tym centralę. Byliśmy od pozyskiwania informacji, a nie od picowania rzeczywistości. Zresztą tak to było ustawione. Nas w wywiadzie premiowano tylko za wiarygodne informacje. Za propagandę nie było żadnych dodatkowych punktów.

Jak zmiany na szczytach politycznych przełożyły się na resort?
Przełożyły się tak, że koledzy wojskowi objęli władzę.

Junta.
Właśnie junta *(śmiech)*. W lipcu 1981 roku przyszedł na ministra kolega Czesław Kiszczak i zaczął wprowadzać wojskowe porządki. Oczywiście resort MSW zawsze był paramilitarny, mieliśmy stopnie. Część nawet jeszcze stare wojskowe, ale większość milicyjne. Jednak nie było wojskowego obyczaju. Kolega Kiszczak zaś wprowadził obowiązek meldowania się. W resorcie pewnie zawsze sobie meldowali, ale w wywiadzie nie było to

takie restrykcyjne. Używało się formułki „melduję", ale bardziej pro forma. No to zaczęliśmy się meldować porządnie.

Trzeba było trzaskać obcasami?
Jak się stawało przed nim, było to dobrze widziane. Kiszczak narzucił reszcie resortu liczbę pozyskań, notatek i składanych informacji. To było takie wojskowe – meldunki, raporty. Wywiadowi szczęśliwie tych pomysłów oszczędzono. I o ile pamiętam, Kiszczak był inicjatorem ogrodzenia resortu. Przed 1980 rokiem ludzie sobie chodzili na skróty przez nasz teren. Cóż, był stan wojenny, więc szef uwojskowił całe MSW.

A jak traktował wywiad?
U nas przyjście Kiszczaka nie było szczególnie zauważalne. Przyszedł, wprowadził jakieś swoje pomysły, a wywiad dalej funkcjonował tak jak dotąd. Tyle że miał więcej dodatkowych zadań. Ze względu na sytuację.

Kiszczak chciał być europejski? Zapraszał was na wódkę?
Nie, nie, nigdy czegoś takiego nie było. Żadnych przyjęć. Byłem w Jedenastce starszym inspektorem, później zastępcą naczelnika i naczelnikiem. Nie było żadnych spotkań towarzyskich z Kiszczakiem, a o alkoholu w ogóle nie mogło być mowy. Wszystko z powodu Jaruzelskiego, który, jak wiadomo, picia nie znosił. Alkohol został więc w ogóle wykluczony z resortu.

Tak?
Absolutnie. Po przyjściu wojskowych nie było picia. Więcej – było ono tępione w sposób straszny.

To już brzmi bardziej prawdopodobnie.
Ale zmiana jakościowa była dość potężna. W wywiadzie mieliśmy do alkoholu dosyć swobodne podejście. Ciągle ktoś przyjeżdżał, wracał, rozliczał się. Kto wpadał z zagranicy, siłą rzeczy przywoził kilka flaszek i rozdawał je jako prezenty. Możecie sobie wyobrazić, że po jakimś czasie wszystkie szafki były wypeł-

nione butelkami, i to całkiem niezłymi. Whisky, koniaki, raczej nie wóda Bałtycka. Jeśli więc ktoś miał ochotę albo padało hasło: „To może kielicha?", nie trzeba było daleko szukać. Zresztą ustaliła się tradycja, że gdy ktoś wyjeżdżał na placówkę, to się żegnał w wydziale. Co jakiś czas było więc drobne przyjątko w godzinach pracy. Około trzynastej, czternastej wjeżdżały jakieś ciastka, kawa i wtedy alkohol spokojnie się lał. Podobnie było, jak rezydent wracał do kraju. Wchodził do wydziału i z automatu organizowało się drobnego drinka.

Dużo się piło?
W granicach rozsądku. Nikt nie pił tyle, żeby nie móc się wyczołgać z firmy, ale się piło. Jak przyszli wojskowi – koniec. Żadnego oficjalnego alkoholu.

Czyli musieliście się ukrywać.
Piliśmy po godzinach.

Mieliście swoje ulubione knajpy?
Najbliżej był zawsze Cristal, czyli Budapest. W nim często się spotykaliśmy. W tej chwili jest tam zresztą filia IPN *(śmiech)*.

Poczuliście się gorzej, gdy Jaruzelski narzucił wam ministra?
Na moim szczeblu nie miało to praktycznie żadnego znaczenia. Dla mnie było oczywiste, że skoro pierwszym sekretarzem zostaje wojskowy, to będzie sobie dobierał swoich ludzi. Normalka.

Jasne, jednak przyjście Kiszczaka oznaczało, że odejdzie szef wywiadu Jan Słowikowski, uchodzący za człowieka Mirosława Milewskiego. Zastąpił go Fabian Dmowski, co ciekawe, też człowiek Milewskiego, ale systematycznie odcinany przez Kiszczaka od swojego protektora.
Było jasne, że wojskowi zechcą wstawić na ważne stanowiska swoich ludzi. Ja zresztą nic złego nie mogę o Słowikowskim powiedzieć. Był fajnym facetem, uważałem go za wysokiej

klasy fachowca, a w dodatku przyjaźniłem się z jego córkami. Natomiast Dmowski był kandydaturą ewidentnie przejściową. Najkrócej urzędujący szef wywiadu w historii do 1989 roku. Potem Marian Zacharski pobił ten rekord, bo był szefem wywiadu przez cztery dni.

Kiszczak nie ukrywał, że będzie czyścił aparat. Wielu oficerów mówiło, że jego obecność to nieszczęście dla służby.
Szczerze mówiąc, nie pamiętam szczególnej atmosfery wkurzenia. Dla mnie to było oczywiste. Wojsko przejęło władzę, więc przejmuje poszczególne struktury państwa.

Jesienią 1981 roku Amerykanie znają plany wprowadzenia stanu wojennego, bo pracuje dla nich Ryszard Kukliński. Nagle szef CIA William Casey popełnia dziwny błąd. Wysyła do Watykanu nieprzeszkolonego faceta, który próbuje zachęcić Jana Pawła II do zdecydowanego wystąpienia przeciwko planom Jaruzelskiego.
Znam sprawę, ale myślę, że papież te plany znał tak samo dobrze jak CIA. Kościół był świetnie zorientowany w zamiarach władzy.

Okej. Jednak po wizycie oficera CIA w Watykanie i rozmowie, w której napomknął o źródle w Sztabie Generalnym, informacja wraca do Warszawy. Wojskowi wiedzą, że Amerykanie mają kreta, i to bardzo wysoko. Drugiego listopada 1981 roku odbywa się dramatyczna narada u generała Jerzego Skalskiego, wiceszefa Sztabu Generalnego. Kukliński omal nie wyskakuje przez okno, boi się dekonspiracji. Kilka dni później Amerykanie ewakuują jego razem z rodziną. Czy wy coś wiecie na temat tej historii?
Nie. To była sprawa wojska. Musicie sobie uświadomić, że wojsko było ogromną instytucją o potężnych możliwościach. Tej skali nie da się porównać nawet z możliwościami służb cywilnych. Kilkusettysięczna armia, do tego pobór. Oni mieli

praktycznie informację o każdym. Każdym, kto przechodził przez ich machinę. W ogóle nie dzielili się niczym, tym bardziej historią tak ogromnej wpadki. Wręcz przeciwnie, ze względu na osobę Kiszczaka to wojsko kontrolowało MSW, a nie odwrotnie.

Były napięcia między służbami?
W PRL nieustannie trwała rywalizacja pomiędzy wywiadem, Zarządem II Sztabu Generalnego, czyli wywiadem wojskowym, a MSW. Na placówce był ambasador, jego zastępca i dwie najważniejsze osoby: rezydent wywiadu cywilnego i attaché do spraw wojskowych, czyli ich rezydent. Stosunki na ogół były do dupy. Do różnych rzeczy dochodziło. Pisali na siebie donosy, podkładali świnie. Ale to nie jest tylko przypadek polski. W czasie wojny wietnamskiej trwała cicha wojna między CIA a DIA, czyli Defense Intelligence Agency. Już nie wspominam nawet o rywalizacji między CIA a FBI. To była zupełna paranoja. Ja akurat miałem szczęście, bo gdy zostałem rezydentem w Rzymie, to łączyły mnie z kolegą z wojska wręcz przyjacielskie kontakty. No ale to był 1988 rok, inne czasy.

Przed wprowadzeniem stanu wojennego panowały w resorcie ciekawe nastroje. Podobno funkcjonariusze podzielili się na dwie grupy. Ci liberalni przychylali się do szukania porozumienia z Solidarnością, natomiast pion ideologiczny, zresztą wykorzystując materiały Wydziału XI, o którym będzie jeszcze mowa, dostarczał władzom – z ominięciem drogi służbowej – informacje uzasadniające konieczność walki z antysocjalistyczną opozycją. Szkoła w Kiejkutach, placówka w USA, powiązania ojca z liberalnym Szlachcicem każą nam przypuszczać, że byłeś w pierwszej grupie.
Trafiali się nawet tacy, którzy chcieli zakładać Solidarność w wywiadzie. To znaczy rzucano takie pomysły, lecz nie znalazły one zrozumienia. Nie przesadzajmy więc z tymi podziałami. Ludzie rozmawiali, mieli swoje poglądy, ale na pewno nikt na

nikogo nie patrzył wilkiem z powodów politycznych. Rozłam w wywiadzie po grudniu 1981 roku zaliczyłbym do mitów.

Zachowały się bardzo konfrontacyjne notatki Jedenastki, atakujące Solidarność i jej powiązania z Zachodem. Odbiegały w tonie od większości tego, co wówczas produkował Departament I.

Powiązania Solidarności z Zachodem były oczywiste. Natomiast istotny był ich charakter i to, co Zachód chce przy pomocy Solidarności osiągnąć. To było przedmiotem dociekań Jedenastki, w której zresztą jeszcze nie byłem.

Czy jednak nie było tak, że MSW bało się porozumienia z opozycją? Łatwo sobie wyobrazić sytuację, w której wojskowi dogadują się jednak z Solidarnością, a resort, czyli esbecję, składają na ołtarzu porozumienia. Do czego zresztą doszło po latach.

Nie, wtedy nie było takich obaw.

Siedzisz sobie w tym wydziale amerykańskim, nudzisz się, a tu generałowie wprowadzają stan wojenny.

Akurat rozmawiałem przez telefon, no i o dwunastej w nocy się urwało. Zorientowałem się, że coś nie gra. Wiadomo było, że na siedemnasty grudnia zapowiedziano w Warszawie wielką demonstrację, która miała zgromadzić kilkaset tysięcy ludzi. Jeśli więc władze chciały coś wprowadzać, musiały zrobić to wcześniej. Weekend nadawał się do tego doskonale. Skoro więc telefon zamilkł, to się domyśliłem i ruszyłem do resortu.

Wiedzieliście, że coś takiego będzie, tylko nie wiedzieliście kiedy?

Tak, pewności nie było, ale zanosiło się na takie rozwiązanie.

Zdecydowanie się zanosiło. Na początku grudnia przyszło polecenie zniszczenia zbędnych dokumentów. Operacja trwała trzy dni.

Wstrzymano urlopy, wprowadzono stan podwyższonej gotowości, w kinie Luna utworzono zapasowy ośrodek dowodzenia wywiadu. Dlatego nie byłem zdziwiony stanem wojennym. Zresztą żeby nie demonizować – nie było co tydzień ćwiczeń, alarmów i przygotowań. Rozkazy zostały wydane, zadania rozdzielone, a życie toczyło się po staremu.

Opowiedz, jak wyglądał resort tej nocy.
Po dwunastej zaczął prószyć lekki śnieg. Wsiadłem do auta, wziąłem po drodze kolegę, wojsko już rozjeżdżało się po całym mieście. Pojazdy opancerzone, czołgi. Raz czy dwa zostaliśmy zatrzymani, więc się wylegitymowaliśmy. Do wydziału dojechaliśmy godzinę po północy jako jedni z pierwszych. Był naczelnik. Ja jeszcze parę razy pojechałem do miasta, żeby przywieźć kolegów. O trzeciej, czwartej nad ranem chyba wszyscy się zebrali. Pogadaliśmy sobie, po czym się rozjechaliśmy. Wróciliśmy do roboty następnego ranka na siódmą czy ósmą. Zaczęliśmy działać w nowej rzeczywistości.

Baliście się?
Nie było się czego bać, był pełny spokój.

Tym bardziej że przecież była przygotowywana obrona resortu – operacja o kryptonimie „Trapez". Twój kolega Sławomir Petelicki miał dowodzić obroną piętra, tak?
Tak, wszyscy zresztą mieli wyznaczone pozycje, każdy w swoim pokoju.

Miałeś się ostrzeliwać ze swojego pokoju?
Gdyby doszło do ataku, to pewnie bym się ostrzeliwał – ze swojego pokoju albo z jakiegoś innego miejsca, jeśli dostałbym rozkaz. Ale na serio nie zakładaliśmy takiego rozwoju sytuacji. Było to równie prawdopodobne jak tornado w Warszawie. Trzeba zresztą oddać wojskowym, że stan wojenny został wprowadzony dość sprawnie, głównie wskutek totalnego zaskoczenia. Zwłaszcza że od jakiegoś czasu było wiadomo, że

musi nastąpić coś spektakularnego, bo obie strony nie potrafiły się za sobą dogadać.

Trzynastego grudnia rano zebraliście się, piliście kawę i czyściliście kałachy?
Broń mieliśmy cały czas krótką, osobistą. Inna broń była zgromadzona w departamencie, ale nie była rozdawana. Jakiś czas przed stanem rzeczywiście do zbrojowni napłynęły kałachy.

Chodziłeś z bronią?
Przez pierwsze parę dni, ale później już nie miało to sensu, zwłaszcza w Warszawie. Po co? Zgubić możesz albo zabiorą. Tym bardziej że gołym okiem było widać, że jest spokojnie, że nie będzie biegania po mieście i strzelania.

No ale potem zaczęły napływać informacje, że nie jest ciekawie. Strajki okupacyjne, a w końcu ofiary, górnicy zabici w kopalni Wujek.
Mieliśmy dostęp do szczegółowych informacji. Oceniam, że jak na skalę przedsięwzięcia, przebiegło to sprawnie. Z wyjątkiem kopalni Wujek.

W 1970 roku strzelali do robotników, ale nie bardzo cię to ruszało, bo studiowałeś. Teraz już byłeś dorosłym człowiekiem, doświadczonym. Polała się krew. Siedzicie sobie z kolegami na Rakowieckiej i co?
Stany wyjątkowe przeprowadzano w wielu krajach. Ten nasz przebiegł i tak w miarę łagodnie. Straty nie były wielkie. Wiedzieliśmy, że ci robotnicy nie byli całkiem bezbronni, też mieli przygotowane różne narzędzia walki, nie broń oczywiście, ale śruby, pałki. Skończyło się źle. A zawinił oczywisty brak profesjonalizmu wojskowych. Nie było najmniejszej potrzeby wjeżdżania czołgiem na teren kopalni, kruszenia ścian. Otoczyć ich i niech siedzą. Ile wytrwają? Dwa dni? Trzy? Tydzień? Nie da się dłużej. Można było ich zagadać, poczekać, aż skończy się woda, jedzenie. Ale weszli, zaczęli strzelać i padli zabici. Typo-

wa sytuacja, gdy ludzie z bronią zaczynają panikować. W latach siedemdziesiątych na Uniwersytecie Kent w Ohio zastrzelono cztery osoby, wiele raniono. Była demonstracja studentów przeciw wojnie w Wietnamie. Dużo policji: tarcze, pałki. Nagle zaczęli strzelać do tłumu! Absolutnie bez sensu. Jakie były straty w ludziach po zabójstwie Kinga 1968 roku? W samym Waszyngtonie w ciągu pierwszych czterdziestu ośmiu godzin zabito dwanaście osób, było ponad tysiąc rannych i sześć tysięcy aresztowanych, godzina policyjna. To tylko jedno miasto. Przebywałem wtedy w Waszyngtonie, więc pamiętam to dobrze. Mój pierwszy stan wojenny.

„Jesteśmy z ekipy, która wprowadza czołgi do zakładów, wali z kałasznikowów do robotników". Myślicie o tym?
Wiecie, jak myślimy? „Jesteśmy z ekipy, która nie daje sobie rady!" Każda śmierć cywila to porażka. I Kiszczak pewnie tak to odebrał. Na pewno nie było to zwycięstwo, prawda?

Powiedz od siebie, czy stan wojenny przyjąłeś z ulgą, bo bałeś się, że wojskowi was wystawią, czy raczej jako zmarnowaną szansę.
Uważam, że stan wojenny był mniejszym złem. Gdyby doszło do zaplanowanych na siedemnasty grudnia manifestacji, polałoby się dużo krwi z obu stron.

11
Wydział XI

Decyzja, która zmienia życiorys – Na froncie walki z opozycją –
Jak kompromitowano Wałęsę – Milczenie w sprawie agentów –
Najważniejszy wydział w resorcie

Mówisz, że się nudziłeś w wydziale amerykańskim.
Dlatego napisałem raport o przeniesienie do kontrwywiadu
zagranicznego, który był w strukturze wywiadu.

**Dlaczego wybrałeś kontrwywiad? Przecież sam mówisz, że
chciałeś robić inne rzeczy. Chciałeś być nielegałem, pracować
w wywiadzie.**
Chciałem robić to co na placówce. Kontrwywiad zagraniczny
oznaczał pracę operacyjną wymierzoną w inne wywiady. Zawsze byli jacyś oficerowie obcych służb do rozpracowania, do
werbowania i tak dalej.

A jaka była odpowiedź naczelnika?
Zgodził się, ale nie był zachwycony, że chcę odejść z wydziału amerykańskiego. Byłem po placówce, doświadczony, znałem
język.

**A jednak nie poszedłeś do kontrwywiadu, tylko do Wydziału XI,
jednostki wywiadu przeznaczonej do zwalczania opozycji. Legenda głosi, że robotę w Jedenastce zaproponował ci przy pi-
suarze Sławomir Petelicki.**
Nie pamiętam. Wydaje mi się, że spotkaliśmy się na korytarzu.
Wiedział, że idę do kontrwywiadu zagranicznego. „A po co bę-

dziesz tam szedł? Przyjdź do mnie". On był zastępcą naczelnika w Jedenastce. I, jak to on, toczył bój z naczelnikiem. Potrzebował wsparcia. Zgodziłem się i tak trafiłem do Jedenastki – wydziału do spraw zwalczania dywersji ideologicznej. Gdybym się nie natknął na Sławka, miałbym zupełnie inny życiorys. Są momenty w życiu, nie?

Wcześniej byłeś szpiegiem, wykradałeś sekrety. Teraz działałeś w Polsce przeciwko opozycji, a zacząłeś to robić w stanie wojennym. Nie miałeś wrażenia, że przekroczyłeś pewną granicę?
Opozycja zawsze była przez kogoś finansowana. Zawsze stał za nią jakiś wywiad. Jeżeli ja jestem oficerem wywiadu, to moje zadanie polega na ustaleniu źródeł tego finansowania, bo to nie jest normalna sprawa.

Nie mogli działać przez lata legalnie, to działali, jak mogli.
Opozycja rzeczywiście przez wiele lat działała nielegalnie czy półlegalnie, ale w latach osiemdziesiątych finansowanie znacznie się zwiększyło. W moich oczach była to po prostu operacja specjalna Amerykanów, Anglików i Francuzów – w głównej mierze, w mniejszym zakresie Szwedów. Moim zadaniem jako oficera wywiadu było ustalanie zakresu tego finansowania. I to robiłem. Mogłem albo to robić, albo się wypisać.

Wypisać? Sam się zapisałeś. To nie było tak, że ktoś cię zmuszał.
Tak, robiłem to, co robiłem, z pełną świadomością.

Ale co zdecydowało, że tam poszedłeś? To było fajne? Kowbojskie? Co myślisz dzisiaj: dobrze zrobiłem, źle zrobiłem?
To, co robiłem w Jedenastce, zaczęło być coraz bardziej wciągające.

Mimo twoich tłumaczeń decyzja o przejściu do Wydziału XI jest niezbyt zrozumiała. Zaciążyła też na twojej karierze. Największym prestiżem w Departamencie I cieszyły się dwa wydziały: NATO i amerykański. Mówiliście o sobie „koneserzy

wina i serów" oraz „whisky i szybkich samochodów". Tymczasem znalazłeś się w wydziale typowo politycznym, który w służbie wywiadu nie cieszył się żadnym poważaniem.
Ja już miałem podpisane kwity o przejściu do kontrwywiadu zagranicznego. Mógłbym godzinami uzasadniać, dlaczego poszedłem do Jedenastki, moglibyśmy sobie o tym dyskutować do rana. Ale prawda jest banalna. Poszedłem tam, bo poprosił mnie o to Sławek Petelicki, który był moim kumplem. I tyle.

A „koneserzy wina i serów"?
To są jakieś wymysły. Nie słyszałem takich określeń. Elitarność? Zawsze zaczynała się, gdy miałeś wyniki, a kończyła, gdy nie miałeś. W wydziale amerykańskim czekało mnie kilka lat nudy. Nie uzasadnię inaczej swojego odejścia stamtąd, bo nie ma innego uzasadnienia.

Nie to, że nie mogłeś odejść, ale nie chciałeś.
Oczywiście, że nie chciałem. Z punktu widzenia profesjonalnego podejmowałem coraz większe wyzwanie. Pieniędzy szło coraz więcej, coraz więcej było kanałów, coraz większe zaangażowanie Amerykanów i Anglików, coraz więcej zadań, pracy. Wydział XI stał się oczkiem w głowie szefów wywiadu. To my ustalaliśmy rzeczy, na których zależało władzom.

Czy jest prawdą, że w latach osiemdziesiątych jeździłeś do Moskwy? Że przekazywałeś informacje dotyczące opozycji ludziom z KGB?
To nieprawda. Nigdy nie przekazywałem żadnych informacji na temat opozycji. Zresztą to było niemożliwe. Jeśli coś takiego się działo, to na szczeblu departamentu, chyba że ktoś uprawiał partyzantkę. Pamiętam tylko jeden wyjazd do Moskwy. Byłem wtedy w wydziale amerykańskim i rozmawialiśmy o USA. Było to spotkanie ich wydziału amerykańskiego z naszym.

Jedenastka miała swoje skrzydło w budynku? Byliście jakoś oddzieleni od reszty?

Nie, Wydział XI był usytuowany, tak jak pozostałe, w tym skrzydle, które zajmował wywiad, czyli zawsze mieliśmy okna od strony kościoła ewangelickiego. Tylko pion nielegałów znajdował się w innym miejscu. Mówimy o wywiadzie w latach osiemdziesiątych. Szkoła funkcjonuje już kawał czasu. Służba się rozrasta. To zupełnie nowa jakość. Jedna trzecia to ludzie młodzi, po Kiejkutach. Jeśli zaś chodzi o Jedenastkę, to było przyzwolenie kierownictwa na rozbudowywanie tego wydziału. Szybko doszliśmy do liczby czterdziestu pięciu pracowników. A więc to była spora jednostka. Z kadrami nie było problemu.

Ludzie zapisywali się do was na ochotnika?
Różnie.

Jedenastka ściągała do siebie najlepszych oficerów z innych wydziałów. To podobno wkurzało naczelników i samych oficerów, którzy nie bardzo chcieli walczyć na froncie ideologicznym.
Nigdy się z czymś takim nie spotkałem.

Byli tacy, co nie chcieli?
Nie, nie przypominam sobie. Szkoła w Kiejkutach wypuszczała rocznie czterdziestu absolwentów. Przychodzili różni ludzie z przydziału.

Podobno pod koniec lat siedemdziesiątych i na początku osiemdziesiątych trafiła do wywiadu znaczna grupa członków rodzin urzędników partyjnych i góry MSW, w tym zięć generała Słowikowskiego. Nie mieli przygotowania, ale mieli plecy. To prawda?
No tak, to się zdarzało. Skala takich przyjęć do wywiadu nie była wielka, stanowiła może z pięć procent. Plecy mogły się liczyć, ale bez przesady. Generalnie jak w życiu. Należy jednak wspomnieć o innym ciekawym zjawisku. Szczególnej odmianie nepotyzmu. Otóż kadr do wywiadu – i to jest praktyka wszystkich liczących się służb – poszukuje się przede wszystkim

wśród rodzin oficerów. Dlaczego? Ludzie mają dobrze rozpoznane biografie, znają języki, znają inne kraje, w jakimś sensie od dziecka oddychają szpiegowską atmosferą. Pozyskiwanie takich ludzi do służby to podstawa.

Wydział XI rozbudował Henryk Bosak.
Bardzo szybko po moim przyjściu został naczelnikiem. Był doświadczonym oficerem. Pod jego kierunkiem robota zaczęła się mocno rozwijać. Skoncentrowaliśmy się – jak łatwo się domyślić – na sprawie podstawowej, czyli na kanałach łączności. Klasyka – jeśli jest podziemie i działa, to musi mieć kanał łączności za granicą. Stamtąd płynie kasa, sprzęt i wszystkie rzeczy, które są potrzebne. Na tym się skupiliśmy i dało to bardzo dobre rezultaty.

Słyszeliśmy, że na jedno spotkanie z wywiadem Kiszczak przyszedł nie w mundurze, ale odstawiony w jakąś kraciastą marynarkę. Chciał, żebyście mieli go za światowca?
Był bardzo zadowolony, gdy w Świnoujściu zatrzymaliśmy tira, cały kontener, dwadzieścia ton sprzętu dla opozycji. Było wesoło, bo kolega Czesiu kazał wystawić to w resorcie, w jakiejś dużej sali. I delegacje przyjeżdżały to oglądać. Jednym słowem, chwalił się przed sojusznikami ze służb bratnich krajów. Ja robiłem wówczas za przewodnika. No i on pewnego dnia zjawił się na wystawie osobiście w tej kraciastej marynarce.

U ciebie w domu jest takie zdjęcie z Kiszczakiem.
Było robione przy tej właśnie okazji. Tłumaczyłem mu dzielnie, co służy do czego, jak zatrzymaliśmy ciężarówkę. Byłem w końcu przewodnikiem. Organizatorem przerzutu był Jacek Merkel. Zresztą były dwa tiry. Pierwszy nam umknął. Merkel ze swoimi przyjaciółmi rozładował go gdzieś pod Gdańskiem. A myśmy zatrzymali drugi.

W Jedenastce zajmowałeś się między innymi Radiem Wolna Europa. Potem w 1983 roku dyrektor rozgłośni, Zdzisław

Najder, został skazany w PRL zaocznie na karę śmierci za współpracę z wywiadem amerykańskim. Myślisz, że zgromadzone przez ciebie materiały mogły odegrać rolę w tym procesie?

Moim zdaniem żadnej roli nie odegrały. Użyto materiałów kontrwywiadu i Służby Bezpieczeństwa. Dla nas RWE było obiektem wywiadu amerykańskiego i niczym poza tym. Rozpracowanie szło pod kątem ustalenia, jak głęboko siedzi tam ten wywiad. Kto dla nich nadaje z Polski, nie interesowało nas aż tak bardzo. Wiedzieliśmy, że ludzie z Biura Politycznego czy z Komitetu Centralnego też wykorzystują RWE, żeby puszczać jeden na drugiego oczerniające kawałki. Nas interesowało finansowanie i prowokowanie. Podrzucaliśmy informacje, które w ich obozie powodowały wzajemne podejrzenia.

Mieliście tam kogoś?

Oczywiście. Zawsze ktoś był. Słynny Andrzej Czechowicz wrócił w 1971 roku do kraju po kilku latach pracy w rozgłośni. A wrócił dlatego, że wywiad mógł sobie na to pozwolić. Oczywiście powrót Czechowicza został wykorzystany propagandowo, ale powtarzam: gdyby wywiad nie miał innych aktywów, Czechowicz działałby w RWE dalej.

Możesz opowiedzieć, na czym polegała praca w Jedenastce?

Jedenastka miała sporo agentury. Jeździłem i ją obsługiwałem. Najczęściej gdzieś w Europie Zachodniej. Czasem w Niemczech, ale najczęściej w Austrii. Austriacy tradycyjnie mieli dosyć łagodny stosunek do pracy wywiadów na swoim terenie. To był dobry teren do spotkań, jeżeli nie przekraczało się określonych granic, o których istnieniu wszyscy wiedzieli.

Wiedeń uchodził za jedną ze stolic międzynarodowego szpiegostwa. Co znaczy „jeśli nie przekraczało się określonych granic"?

Nie można było prowadzić działań, które byłyby obelżywym wyzwaniem dla austriackich służb. Dopóki odbywały się normalne spotkania z agentami, to wszystko grało. Ale jeżeli dochodziło do jakichś ekscesów czy awantur, wtedy Austriacy, którzy byli dosyć sprawni, wkraczali i uspokajali sytuację.

Czyli należało działać kulturalnie i nie robić nic przeciwko interesom Wiednia?
Tak, zresztą nie było specjalnej potrzeby szpiegować Austriaków. To była taka niepisana umowa wszystkich wywiadów ze służbami Austrii. Działamy, ale tak, żeby to nie było widoczne dla społeczeństwa. Służby wiedzą, ludzie nie wiedzą, interes się kręci. Wielkie wywiady – rosyjski, amerykański, brytyjski, niemiecki – miały w Wiedniu olbrzymie rezydentury i zespoły obserwacji. Funkcjonowały prawie jak u siebie. Ale wszyscy, nawet wielcy, starali się zachować umiar. Nie wolno było obrażać inteligencji Austriaków, stawiać ich służb w dwuznacznej sytuacji. Nikomu nie zależało na tym, żeby ich kontrwywiad został posądzony o tolerowanie na swoim terenie obcej działalności wywiadowczej.

Co Austriacy z tego mieli?
Trzymali rękę na pulsie, sporo wiedzieli. Wszystkie spotkania odbywały się po knajpach, hotelach. Najazd szpiegów oznaczał znaczący wkład do budżetu miasta.

Często jeździłeś do Wiednia?
Dosyć często.

Musiałeś wcześniej nauczyć się tego miasta? Studiować plan?
Oczywiście. W wydziale informacyjnym funkcjonował specjalny zespół sytuacji wywiadowczej. Były tam mapy, plany miast, praktycznie z całego świata. Towarzyszyły im opisy: jakie są restauracje, dokąd można pójść, gdzie się spotkać. A także – jaki jest reżim kontrwywiadowczy, jak działa policja. Czyli dość dokładne rozpoznanie, z którym trzeba było przed wyjazdem się zapoznać. To pozwalało w miarę bezpiecznie poruszać się po nowym terenie.

Czyli nie uczyłeś się planu na pamięć?
Bez przesady. Każdy się starał jak najlepiej poznać plan, ale zapamiętywanie wszystkiego na sucho nie miało specjalnego sensu. Zwłaszcza że za chwilę robiło się trasy sprawdzeniowe, więc była szansa, żeby nauczyć się miasta w realu.

Czy w materiałach zespołu sytuacji wywiadowczej były zaznaczone użyteczne miejsca – jednokierunkowa uliczka, podwórko – gdzie można było…
…się urwać obserwacji? Tak, oczywiście. Takie informacje dostarczali zespołowi oficerowie z rezydentury. Jeżeli robisz trasę sprawdzeniową, to musisz mieć co najmniej jeden punkt wyjścia spod ewentualnej obserwacji.

Czyli?
Takie miejsce, w którym obserwacja nie może cię dalej prowadzić, a jeśli już chce, to musi się ujawnić. Czyli albo się urywasz, albo oni się dekonspirują. Oczywiście najlepiej, żeby obserwacja się nie zorientowała, że jest to punkt wyjścia. Jak zaczyna się orientować, to robi się dwa razy bardziej czujna, no i jest kłopot. Ty coś musisz pilnie zrobić, a oni łażą i łażą. Często spotykaliśmy się pod Wiedniem. Miasto otoczone jest niewielkimi wioskami, w których są fajne karczmy chłopskie, winnice. W lecie można było przy sprzyjającej pogodzie funkcjonować w terenie. Kupić sobie butelkę wina, coś do żarcia i pójść na przykład w te winnice.

Jeździłeś tam autem?
Czasami, ale głównie pociągiem, ekspresem z Warszawy. Wyruszał o dwudziestej trzeciej i w Wiedniu był o siódmej. Idealna pora na zrobienie trzygodzinnej trasy po mieście. No i wtedy od razu z marszu szło się na spotkanie.

Nie zjawiałeś się w ambasadzie?
Tylko w wyjątkowych przypadkach i oczywiście po zrealizowaniu wszelkich spotkań. Czasami miało się jakieś materiały i lepiej było je zdeponować, żeby przez granice poszły kurierem.

Długo pracowałeś w sekcji RWE?
Niespełna rok. Petelicki wyjechał do Szwecji, a ja zostałem na jego miejsce zastępcą naczelnika Jedenastki. To był rok 1983.

Miałeś więcej pracy?
Tak, zaczęło się pięć lat ostrej roboty. Pięć, bo w 1985 roku – gdy Bosak pojechał na placówkę do Budapesztu – zostałem naczelnikiem i byłem nim do roku 1988. Nasza działalność się nasilała, bo nasilały się działania naszych przeciwników. Jedenastka, jak wam już wspominałem, powiększyła stan z dwudziestu osób do czterdziestu pięciu. Dorobiliśmy się nawet dwóch własnych samochodów, którymi mogliśmy swobodnie dysponować. Golfa i poloneza z silnikiem mirafiori 2000. Sto osiemdziesiąt na godzinę dało się tym pojechać, zwłaszcza że ruch był inny niż dzisiaj. Jeździliśmy też fiatami 125p. Dojazd do Gdańska zajmował trzy i pół godziny. Byłem w sumie kilkadziesiąt razy zatrzymywany przez drogówkę za przekroczenie prędkości.

Drogówka to wam mogła...
Fakt, ale przystawaliśmy zawsze. Wysiadałem, wyjmowałem legitymację, przedstawiałem się, przepraszałem za nadmierną prędkość, „ale spieszy nam się, prosimy o wybaczenie", i na tym się kończyło. Dwa razy tylko nie było zrozumienia ze strony zatrzymujących. Wtedy na brak uprzejmości reagowaliśmy brakiem uprzejmości.

I?
Do resortu przyszły notatki od patrolu, podpisane dodatkowo przez jakiegoś komendanta wojewódzkiego, które zastępca dyrektora wrzucił do kosza.

Jak zwalczaliście opozycję?
W kraju funkcjonowało podziemie. Zaczęliśmy badać finanse. Wiadomo było, że głównym ośrodkiem, przez który pompuje

się kasę, jest biuro Solidarności w Brukseli. To był nasz główny cel. Poradziliśmy sobie z nim dobrze

Czyli jak?
No, za bardzo nie mogę w to wchodzić. Wiedzieliśmy, co się u nich dzieje, jakie mają plany, jak oceniają sprawy. Jeśli chodzi o kraj, to mieliśmy relacje z przebiegu spotkań Tymczasowej Komisji Koordynacyjnej Solidarności, znaliśmy miejsca tych spotkań i nazwiska uczestników, wiedzieliśmy, jak się ocenia to, a jak tamto.

A ty poznałeś osobiście szefa Biura Koordynacyjnego Solidarności w Brukseli, Jerzego Milewskiego? Werbowałeś go?
Poznałem, przez zupełny przypadek, na początku lat dziewięćdziesiątych. Nie werbowałem go. Nic mi nie wiadomo, jakoby dla nas pracował. Tak samo można by powiedzieć, że pracował dla Amerykanów.

Jak wyglądała praca nad tym biurem brukselskim? Jeździliście tam? Jak podchodziliście pod tych ludzi?
Biuro brukselskie miało masę różnych kontaktów. Ustalaliśmy sobie te kontakty i znaleźliśmy sposób na penetrację tego miejsca. Ale nie będę o tym mówił w szczegółach, z oczywistych względów.

Wiele z tych szczegółów jest już znanych. Jolanta i Andrzej Gontarczykowie to para waszych tajnych współpracowników umieszczonych w Niemczech w otoczeniu twórcy ruchu oazowego, księdza Franciszka Blachnickiego, który zmarł w niewyjaśnionych okolicznościach w 1987 roku. W biurze brukselskim mieliście tajnego współpracownika o pseudonimie „Irmina", czyli Zdzisława Pietkuna. W Polsce w bezpośredniej bliskości najważniejszych opozycjonistów działała Grażyna Trzosowska, pseudonim „Sara Virtanen".
Może tak, może nie. Nie będę ani potwierdzał, ani zaprzeczał. Możecie mnie pytać do jutra, ale i tak nic nie powiem. Ogólnie

było tak: w pewnym momencie Pożoga i Kiszczak dostawali od nas tyle informacji z Brukseli, że nie byli w stanie tego przetrawić. Ta wiedza była dogłębna, mocna. Znaliśmy kanały przerzutów i łączności. Bez naszej pomocy część z nich by nie funkcjonowała.

Jak to?
Po prostu wiedzieliśmy o nich i nie robiliśmy nic, by je likwidować. Wywiad ma zupełnie inne zadanie niż Służba Bezpieczeństwa. Ta ostatnia ma zadanie likwidować, eliminować, realizować. A wywiad ma zbierać informacje. Jeśli zlikwidujemy kanał przerzutu, to będziemy mieli fajny sukces. Tylko że za dwa tygodnie generał Czesław zadzwoni z pytaniem: „Co słychać w Brukseli? Jak to nie wiecie, co tam słychać? To się, kurwa, do roboty zabierzcie!". W twoim interesie jest wiedzieć. Wszystko więc musi funkcjonować, najlepiej pod twoją kontrolą. Na wiele trzeba pozwalać, na wiele się godzić, ale to jest jedyny sposób, żeby pozyskiwać informacje. Akurat i Kiszczak, i Pożoga rozumieli to doskonale, tak że czasami godzili się, by przymykać oko na różne rzeczy, które Służba Bezpieczeństwa skasowałaby w pięć sekund.

Co robiliście w Szwecji?
W Szwecji było biuro Solidarności. Stamtąd przychodziły transporty dla podziemia. Zajmowaliśmy się więc po prostu rozpracowaniami, rozpoznaniem. Częściowo poprzez Sławomira Petelickiego, który tam działał, ale głównie poprzez źródła prowadzone z centrali.

Bogdan Borusewicz mówi, że do tych transportów były podkładane przez SB na przykład celowniki optyczne i inne rzeczy mogące skompromitować opozycję.
Przechwyciliśmy transport w Gdańsku. Był nadany dla Solidarności Walczącej. Związek z przesyłką miał znany radykalny działacz opozycji Andrzej Kołodziej – on był w podziemiu ko-

ordynatorem spraw związanych z tym transportem. Mieliśmy informację, kiedy transport przybędzie. Mogę was zapewnić, że nikt niczego nie podkładał. Celowniki laserowe były poukrywane w dwóch czy trzech lodówkach. Do tego noktowizory oraz co najmniej sześć sztuk broni gazowej: rewolwery i pistolety wraz z nabojami. Żeby było jasne – Kołodziej nie był nasz i to nie była nasza prowokacja. Po prostu te wszystkie rzeczy znajdowały się w transporcie. Jeden z rewolwerów wziął mój oficer, który był zapalonym myśliwym, i dał swojemu przyjacielowi, rusznikarzowi. Tamten szybciutko przerobił ów rewolwer na broń palną dwadzieścia dwa milimetry, czyli działającą z amunicją dostępną w sklepach myśliwskich. Operacja nie jest trudna – do lufy wstawia się wzmocnienie, wymienia się w bębenku komory nabojowe. Z tego można było strzelać. Dodam, że klamka kalibru dwadzieścia dwa milimetry jest ulubioną bronią hitmanów, czyli takich, co wykonują wyroki. Jest bardzo skuteczna z kilku metrów. Przeróbka kosztowała nas niewielkie pieniądze.

Ale po co to zrobiliście?
To był eksperyment. Pokazaliśmy kierownictwu, że broń gazową, którą znaleźliśmy w transporcie, łatwo przerobić na coś, co zabija.

Opozycja nie zajmowała się zabijaniem.
Gdyby się zdecydowali na akty terroru, mieliby czym ich dokonać. My przerobiliśmy pistolet gazowy na normalny, to i oni mogli spokojnie to zrobić. A celowniki laserowe raczej nie służą do oglądania panienek w nocy.

Wszystko to zostało pokazane w telewizji.
Chyba tak, ale nie pamiętam.

Lech Wałęsa był sztandarową postacią Solidarności. Co SB miała na niego?

Pytacie, czy Wałęsa był agentem? Nie potrafię powiedzieć, bo nie znam jego teczki, nigdy jej nie oglądałem. Natomiast wiem, że w latach osiemdziesiątych kierownictwo resortu bardzo chciało go skompromitować. Szczególnie gdy przyznano mu Pokojową Nagrodę Nobla. Wówczas to podejmowano działania, które miały wykazać, że był współpracownikiem. Z czysto logicznego punktu widzenia świadczyły one o tym, że albo nigdy nie był agentem, albo się nam urwał.

Jakie prowadzono działania?
Między innymi pisano listy do komitetu noblowskiego. Przedstawiano w nich Wałęsę jako współpracownika SB, osobę niewiarygodną.

Wasz wydział to robił?
Nie, to robiło biuro studiów. To ono zajmowało się Solidarnością w ramach resortu. Koordynowało akcje przeciw głównym działaczom opozycji. Natomiast ja miałem w tym swój osobisty udział.

Jaki?
Jeden z takich listów tłumaczyłem na angielski, ale dlatego, że znałem ten język wyjątkowo dobrze.

Pamiętasz, co było w liście?
Zawoalowane sugestie, że był tajnym współpracownikiem.

Czy próbowaliście skompromitować Wałęsę przy użyciu materiałów obyczajowych?
Kierownictwo resortu zwracało się do mnie w tej sprawie. To nie były polecenia, ale prośby, sugestie. Ja byłem do nich dość sceptycznie nastawiony. Uważałem, że nie da się Wałęsy skompromitować. Powiedziałem o tym w dość obrazowy sposób wiceministrowi Pożodze: „Nawet gdyby Wałęsa przed kamerami telewizyjnymi zrzygał się po pijaku na stół, to większość społeczeństwa by mu współczuła w przekonaniu, że go czymś

podtruliśmy". Po 1990 roku różni ludzie stawiali tezę, że Wałęsa był współpracownikiem. Może coś kiedyś podpisał. Tak samo Bin Laden kiedyś był współpracownikiem wywiadu saudyjskiego, utrzymywał stosunki robocze z wywiadem pakistańskim i prawdopodobnie z CIA. No i co z tego? W końcu wysadził World Trade Center. Ja nie rozgrzeszam Wałęsy. Nawet gdyby był współpracownikiem w latach siedemdziesiątych, to jakie by to miało znaczenie? W latach osiemdziesiątych myśmy go ostro zwalczali. To wiem na pewno.

12
Merkel – przeciwnik i znajomy

Tajny szyfr Solidarności – Nieudany werbunek Merkla – Prze-
szukanie u JKB – Może spojrzy pan na Kaczyńskich

Opowiedz o relacjach z Jackiem Merklem w latach osiemdzie-
siątych.
Jacek Merkel był, jeśli można użyć takiego sformułowania,
głównym rezydentem w Polsce brukselskiego biura Solidarności. Biuro prowadził Jerzy Milewski. Obaj dobrze się znali
z okresu pierwszej Solidarności. Kiedy ogłoszono stan wojenny, Milewski przebywał za granicą. W Stanach Zjednoczonych
albo w Europie. I już nie wrócił, po prostu. Koniec końców został szefem biura brukselskiego. I Jacek Merkel był w Polsce
jego głównym łącznikiem. Biuro brukselskie było najbardziej
aktywne, miało najwięcej amerykańskiej kasy. Pamiętacie zapewne, że w pewnym momencie Kongres amerykański przyznał Solidarności milion dolarów i te pieniądze w większości
dostawało biuro brukselskie. Kasę Milewski przekazywał do
Polski. Z czego część oczywiście dostawał Merkel i otoczenie
Wałęsy. I oni rozdysponowywali pieniądze po kraju. Pamiętajcie o jeszcze jednym: wówczas sto dolarów to była kupa forsy.

Gdzie się mieściło to biuro Solidarności w Brukseli? Ile osób
tam pracowało?
Oczywiście w tej chwili nie pamiętam adresu, ale wtedy znaliśmy go dokładnie. Rozkład pomieszczeń, ile pięter, ile pokoi,

nawet ile stopni liczyła klatka schodowa. Tam szefem był Milewski, jego prawą ręką była pani Pilarska...

...Joanna.
Tak. I to było główne biuro Solidarności za granicą. Oczywiście były też biura w Sztokholmie, Londynie, Paryżu. Ale o powodzeniu takich struktur za granicą decyduje kasa. Z czegoś trzeba żyć, za coś trzeba funkcjonować. I osobą, która dostawała najwięcej pieniędzy, zwłaszcza od Amerykanów, był Milewski w Brukseli.

Obserwowaliście to biuro?
Tak, obserwowaliśmy, byliśmy w środku, penetrowaliśmy, wchodziliśmy, wychodziliśmy.

Mieliście tam ludzi?
Mieliśmy tam, nazwijmy to w ten sposób, swoją obecność. I przyglądając się działalności tego biura, trafiliśmy na Merkla. Jego pracę cechował wysoki poziom. Merkel, z wykształcenia inżynier, w łączności z biurem brukselskim stosował komputery. Wiadomości były przekazywane na dyskietkach, zakodowane szyfrem losowym. Tego szyfru przez półtora roku nie byli w stanie rozkuć specjaliści z biura szyfrów MSW. Bezradnie rozkładali ręce. W końcu udało się go odkodować.

Jak?
Merkel dostawał korespondencję z Brukseli i rozsyłał ją do swoich współpracowników w Toruniu, Bydgoszczy, Krakowie, w różnych miejscach. Rozsyłał na dyskietkach, a wiadomości były zaszyfrowane. Pewnego razu esbecy zatrzymali we Wrocławiu działacza współpracującego z Merklem. Przy przeszukaniu znaleźli dokumenty, w których ten szyfr był częściowo rozkodowany. Mieli więc klucz. To tak, jakbyś zdobył książkę szyfrów. Dokumenty trafiły do nas i szyfr Merkla, oczywiście bez jego wiedzy i wiedzy Brukseli, został rozkuty.

I dzięki temu mogliście czytać korespondencję?
Tak. To było po kilkadziesiąt stron raz na cztery, pięć tygodni.
Była tam opisywana działalność, którą Merkel ogarniał w Polsce. Na przykład mieliśmy relacje z TKK. Kto się z kim kłóci,
kto ile dostał pieniędzy. Z kolei Milewski, który też był inżynierem, bardzo dokładnie opisywał w tych zaszyfrowanych
wiadomościach swoją działalność za granicą: wyjazdy, jakie
jest nastawienie do Solidarności w Stanach Zjednoczonych –
w Kongresie, Białym Domu, Departamencie Stanu – kto robi
mu trudności, kto jest życzliwy. To dojście było marzeniem,
jakbyś siedział w głowie u jednego i drugiego.

Skąd mieliście dostęp do tej korespondencji?
Tego nie mogę ujawnić, ale mieliśmy. Kiszczak czy Pożoga dostawali kilkudziesięciostronicowe raporty o wszystkim, co się
działo w Polsce, i o wszystkim, co się działo za granicą. Pozyskiwaliśmy tych informacji tyle, że czasami po prostu trudno
było je przetrawić.

A oni w końcu się zorientowali, że wy to czytacie?
Nie.

**Już w wolnej Polsce pojawiła się opinia, jakoby Milewski był
agentem. Czy to prawda?**
No, moim agentem nie był. Nie zamierzam w tej sprawie czegokolwiek sugerować, przypuszczać czy insynuować. To, że
miał teczkę? Wielu ludzi miało pozakładane teczki. Milewski był bardzo sprawny, cieszył się zaufaniem Amerykanów, co
miało tutaj podstawowe znaczenie. Był mocno hołubiony przez
AFL-CIO, słynną amerykańską centralę związkową. Utrzymywał kontakt z niejakim Irvingiem Brownem, który był jej
legendą i zarazem bliskim współpracownikiem CIA. Dobrze
poukładali działalność. W końcu Merkel wpadł na pomysł, na
który musieliśmy zareagować.

Jaki pomysł?

Wymyślił sobie, że trzeba ten system łączności z Brukselą usprawnić. Z Merklem współpracowało grono młodych naukowców z Politechniki Gdańskiej. Ten szyfr swoją drogą to był ewenement. Według mnie był to najwyższej klasy światowej sposób komunikowania się, użyty w działalności konspiracyjnej. Nie słyszałem o czymś takim nigdzie indziej.

To co Merkel chciał usprawniać?

W pewnym momencie, jak wynikało z tej korespondencji, wpadł na pomysł, żeby skoczyć już nie piętro, ale kilka pięterek wyżej. Mianowicie wymyślił sobie z tymi chłopcami z Politechniki Gdańskiej, że będą prowadzić łączność z Brukselą za pomocą fal radiowych i tą drogą puszczać zaszyfrowaną korespondencję i meldunki. Zamierzali niezwykle wąziutką wiązką na określonej częstotliwości, na której nikt się nie krząta, łączyć się między Gdańskiem a Brukselą. Specjaliści powiedzieli nam, że nie będzie mowy, aby to namierzyć, wychwycić. W związku z tym przedstawiłem raport kierownictwu departamentu wywiadu. Dałem jasno do zrozumienia, że jeśli ten pomysł zostanie wcielony w życie, to znajdziemy się w czarnej dupie. Znów niczego nie będziemy wiedzieć.

I jaki wniosek przedstawiłeś?

Zaproponowałem, żeby spróbować zwerbować Merkla. Oczywiście zakładałem, że ten werbunek będzie 50/50, czyli praktycznie żadna gwarancja, zero gwarancji, bo 50 i 50 nawzajem się wykluczają.

Trochę rosyjska ruletka...

Przedostatnim punktem każdego raportu o werbunek są przedsięwzięcia na wypadek porażki. I tutaj ustalono, że jeżeli rozmowa werbunkowa się nie powiedzie, to Merkel zostanie zatrzymany na czterdzieści osiem godzin. A my wtedy polecimy do Gdańska i wejdziemy do mieszkań wszystkich jego współpracowników. Nie z myślą, że coś tam niezwykłego znajdziemy, ale po to, by dać mocny sygnał – wszystko wiemy, wszystko kontrolujemy. Chodziło o dezintegrację grupy. Innego sposobu, moim zdaniem, nie było.

Kierownictwo kupiło pomysł?
Tak. Przeprowadziłem w Warszawie rozmowę werbunkową z Jackiem Merklem, zaaranżowawszy sytuację, o której nie będę mówił. Oczywiście z werbunku nic nie wyszło, bo Merkel zdecydowanie odmówił jakiejkolwiek współpracy, choć w czasie rozmowy starał się ode mnie wyciągnąć różne informacje. To dowodziło, że jest dosyć opanowanym konspiratorem. Ponieważ zdecydowanie odmówił, trzeba było realizować przedsięwzięcie, jakie zaplanowaliśmy na wypadek nieudanego werbunku. Został więc zatrzymany, trafił na dołek.

Został zatrzymany na końcu tej rozmowy?
Tak. Powiedział, że absolutnie, zdecydowanie odmawia współpracy.

Wyście się spotkali w jakimś cywilnym miejscu?
W takim, gdzie można było swobodnie prowadzić rozmowę. Był zaskoczony, ale jakby nie miał wyboru, no bo co? Miał krzyczeć, próbować ucieczki? Odmówił zdecydowanie, więc przekazałem go innym ludziom i został zapuszkowany na czterdzieści osiem godzin.

I ruszyłeś do Gdańska?
Wsiadłem do samochodu z całą ekipą i ruszyliśmy do Gdańska. To było późne popołudnie. W Gdańsku już z grubsza była przygotowana Służba Bezpieczeństwa, która musiała nam pomagać, bo sami organizacyjnie nie dalibyśmy rady. Byli prokuratorzy. I o szóstej rano weszliśmy do ośmiu czy dziesięciu mieszkań, do wszystkich głównych współpracowników Merkla. Odbyły się takie przeszukania pro forma. Oczywiście nie znaleźliśmy nic poza jakąś tam literaturą, ze wszystkimi odbyto rozmowy ostrzegawcze. No i zostali puszczeni.

A dostali sygnał, że Merkel puścił farbę?
Nie. Takiego komunikatu nie dostali.

Opowiadałeś, że rozmowa werbunkowa jest niezwykle dokładnie przygotowywana. Jak to wyglądało w przypadku Merkla? Jakie były założenia tej rozmowy, jej najważniejsze momenty? Dlaczego on miałby z wami współpracować?
Nie bardzo mogę zdradzać szczegóły, bo to są rzeczy tajne. Ale główna argumentacja była taka, że na terenie Polski jest prowadzona operacja wywiadu amerykańskiego. I że duża część środków, które tutaj płyną i są wykorzystywane do działalności opozycyjnej, to pieniądze CIA. Merkel odpowiadał, że on nic o tym nie wie. Wokół tego cały czas się boksowaliśmy. Odwoływałem się do różnych elementów ich tajnej korespondencji. Naturalnie nie na tyle, żeby się zorientował, że ja to wszystko czytam. Ale chciałem dać mu do zrozumienia, że moja wiedza jest przytłaczająca. Ta argumentacja nie spotkała się jednak z należytym uznaniem.

Ale pomysł był taki, by skłonić Merkla do stwierdzenia, że jako polski patriota nie może brać pieniędzy od CIA?
Nie powinien.

Nic więcej nie było? Żadnej kasy?
Nie. Oczywiście werbownik od razu czuje, czy może zaproponować kasę, czy też zostanie wyśmiany, co spowoduje jeszcze większy opór materii i skutek odwrotny do zamierzonego. W raporcie o werbunek była zapisana sugestia, że jeśli rozmowa pobiegnie w stosownym kierunku, to pojawi się też kwestia kasy. Tyle że do takiego momentu nie doszło, nie było odpowiedniej atmosfery do zaproponowania pieniędzy.

Zwinęli go przy stoliku, przy którym z nim siedziałeś? Przyszło dwóch panów i go wyprowadziło?
Nie, zaprowadziłem Merkla do samochodu, w którym już czekali koledzy, i oni po prostu go zabrali. Nie było sensu się ze

mną przepychać, no bo co? Wszystko odbyło się grzecznie, bez ekscesów.

Wysuwane się sugestie, że Merkel był twoim agentem. Możesz to skomentować?
To nieprawda. Rozmowa werbunkowa odbyła się w połowie lat osiemdziesiątych. Gdyby Merkel został moim agentem, jak niektórzy sugerują, to mógłbym umieścić wskazanego przez niego człowieka w Waszyngtonie, wszędzie. W każdej strukturze, jaką można sobie wymyślić w Solidarności, bo AFL-CIO dałoby mu stypendium. Przecież to ogromny związek z wielką kasą, wtedy wspomaganą jeszcze przez CIA. Możliwości w ogóle byłyby kolosalne. No i oczywiście gdybym go zwerbował, to nie realizowałbym szopki z najazdem na mieszkania jego współpracowników w Gdańsku. To logiczne.

Ten najazd na mieszkania nie miał na celu rzucić podejrzenia na Merkla? Że się złamał i sypie?
Nie, tak nie było. Chcieliśmy pokazać, że nasza wiedza nie wynika z tego, co mógł nam powiedzieć Merkel, tylko jest znacznie większa, szersza, głębsza, a nasze możliwości są po prostu kosmiczne.

Ale z twojego punktu widzenia skompromitowanie Merkla byłoby ciekawe, nie?
Jakoś nie wpadło nam to do głowy. Chcieliśmy pokazać swoją omnipotencję, po prostu.

Merkel wiedział o twoim istnieniu przed tą rozmową werbunkową?
Nie sądzę. Nie odniosłem takiego wrażenia.

W kryteriach zawodowych tamta rozmowa była porażką, prawda?
Tak. Dla wywiadu każdy nieudany werbunek jest porażką, a tym bardziej konieczność działań dezintegracyjnych, jakie

podjęliśmy. To nie jest to, co wywiad lubi robić i robi. Ale tutaj, ze względu na wspomniany zamiar przejścia konspiratorów na znacznie wyższą i bardziej wyszukaną formę łączności, nie było po prostu wyboru.

Do kogo weszliście wtedy w Gdańsku? Do czyich mieszkań? Pamiętasz?
Pamiętam część tych osób.

Kogo?
Na przykład późniejszego premiera Jana Krzysztofa Bieleckiego, który mieszkał w skromnym mieszkaniu w bloku.

A on cię kojarzy?
Nie wiem, czy w tej chwili, ale swego czasu mnie kojarzył.

A ty osobiście brałeś w tym udział?
Tak. Brałem w tym udział, bo jest prosta zasada: kto kieruje grupą, sam musi prowadzić swoich ludzi. Ponieważ nie było to rutynowe, zwyczajowe działanie wywiadu, doszedłem do wniosku, że powinienem swoimi ludźmi dowodzić, a nie puścić ich po prostu na żywioł.

I wchodziłeś do Bieleckiego?
Tak. O szóstej rano, zgodnie z przepisami.

To było jednoczesne wejście do wszystkich?
Do wszystkich. W tym samym czasie. Później po kolei zaszedłem do innych mieszkań. W sumie byłem wtedy w pięciu. One mieściły się w jednej dzielnicy. W każdym byłem po kilkanaście minut.

To chyba nie jest przyjemne zadanie. Dzieci płaczą, kobiety przerażone...
Nie jest przyjemnie wchodzić do czyjegoś mieszkania o szóstej rano, no bo wszyscy jeszcze śpią. Budzą się, są dzieci, dlatego

chcieliśmy to robić z maksymalnym wyczuciem. Rewizje były rutynowe, przejrzenie książek. I później rozmowy ostrzegawcze na komendzie. Nawet nie próbowaliśmy werbować tych ludzi. Celem, jak mówiłem, było pokazanie naszej omnipotencji. Ta wiedza miała z nas kapać. Oczywiście w takim zakresie, aby nie ujawnić kanału, który kontrolowaliśmy.

Miałeś wtedy w ekipie jakichś młodych ludzi?
Tak.

A nie powiedział ci któryś po tej akcji, że trochę inaczej wyobrażał sobie pracę w polskim wywiadzie?
Wywiad musi realizować każde zadanie, jakiego wymaga sytuacja. Mieliśmy do czynienia z grupą sprawnych konspiratorów. Nie widziałem innego wyjścia. Oczywiście mogłem nie robić tego nalotu, ale wtedy cała grupa działałaby dalej i miałaby nas gdzieś. Chodziło o to, żeby im mocno pogrozić paluchem. Aby przez jakieś pół roku nie mogli się odbudować.

Rozumiemy, że musiałeś przy tym wszystkim czuć złość. Po południu w Warszawie rozmowa, która okazuje się porażką. Wracacie do firmy, wsiadacie do dużego fiata...
...do kilku dużych fiatów...

...do kilku dużych fiatów i gnacie do Gdańska, żeby wejść ludziom do mieszkań.
Najpierw odbywamy naradę w gdańskiej SB. Tam już czekała na nas ekipa. Wiedzieli mniej więcej, o co chodzi. Przedstawiliśmy im zarys działań. Dyskutowaliśmy do północy. Trochę snu i nad ranem ad rem. Złości raczej nie było, po prostu działanie. Nie wyszedł plan, no to realizujemy plan B. Zresztą, jak sądzę, nikt z tych, którzy wtedy mieli ze mną do czynienia, nie odczuł z mojej strony żadnej złości.

Przetrzymujecie Merkla czterdzieści osiem godzin, a potem on wychodzi?

Tak. Wsiada do pociągu, jedzie do Gdańska i działa dalej. W inny sposób.

Ta łączność radiowa im wyszła? Zrobili ją?
Nie.

Dlaczego?
Zdezintegrowaliśmy ich w znacznej mierze na jakieś sześć, osiem miesięcy. A ponieważ – w mojej ocenie – była to najbardziej sprawna, najbardziej inteligentna i najbardziej rozbudowana struktura tego typu w Polsce, miało to swoje znaczenie. Poza tym oczywiście poszedł sygnał do kolegów z CIA, że my tutaj trzymamy łapkę na pulsie i kontrolujemy sytuację. To również było celem naszego działania. Ale oczywiście z punktu widzenia działalności wywiadu akcja była porażką.

Miałeś okazję poznać jeszcze kogoś z góry Solidarności oprócz Merkla i Bieleckiego? Któregoś z ważnych działaczy?
Nie.

A księdza Jankowskiego? Braci Kaczyńskich?
Nie. Ksiądz Jankowski nigdy nie znajdował się w kręgu naszego zainteresowania, Kaczyńscy też nie.

Dlaczego?
Nigdzie nam się nie ujawniali jako istotni działacze, mimo że generał Pożoga mówił: „Panie pułkowniku, jeszcze są tacy bracia Kaczyńscy w tym Gdańsku. Jak chcecie, to ja wam tutaj zaraz ściągnę ich teczki". Ja mówiłem Pożodze, że absolutnie z niczego mi nie wynika, jakoby prowadzili jakąkolwiek znaczącą działalność. Mogę oczywiście zapoznać się z ich teczkami, ale nie widzę operacyjnego uzasadnienia.

Pożoga chciał te teczki z Gdańska ściągać?
Tak, bo Kaczyńscy byli rejestrowani przez tamtejszą SB, która się nimi interesowała jako działaczami opozycyjnymi. Pożoga

miał możliwość ściągnąć takie dokumenty do Warszawy w pięć minut. Dużo mógł. Ale moim zdaniem to było zbędne.

A co Pożogę ugryzło, żeby ściągać papiery Kaczyńskich?
Pożoga przez wiele lat był szefem Służby Bezpieczeństwa w Gdańsku. Znał tamte klimaty, a przecież szczególnie Lech Kaczyński tam funkcjonował. Pewnie stąd ten pomysł.

Czy po nieudanym werbunku Merkla jego grupa dalej używała szyfru? Czy może się zorientowali, że coś jest nie w porządku?
Dalej używali. Byli oczywiście bardzo ostrożni, ale używali.

Czy któraś z osób zatrzymanych w czasie waszej akcji w Gdańsku poszła do paki na dłużej?
Nie. Po co? Wiedzieliśmy, że na wolności będą próbowali odbudowywać strukturę. Lepiej obserwować tych, których już znasz, niż odszukiwać nowych. Wiem, że jedna z osób, z którą odbyto wtedy rozmowy ostrzegawcze, mocno to przeżyła i miała potem problemy zdrowotne. To było związane ze stresem, dużym napięciem.

Jak ty funkcjonowałeś w tamtych miesiącach, w tamtych latach? Mieszkałeś w Warszawie? Byłeś często w rozjazdach? Jeździłeś do Brukseli? Miałeś mieszkanie w Gdańsku czy nie?
Byłem wtedy kawalerem z odzysku, po rozwodzie. Nie miałem żony ani dzieci. Mieszkałem u rodziców w alei Przyjaciół. Spałem praktycznie z telefonem w łóżku. Byłem bardzo dyspozycyjny.

W Gdańsku mieliście mieszkanie, z którego mogliście korzystać?
Nie, biwakowaliśmy w hotelu marynarki wojennej w Gdyni. Nie mieliśmy kontaktów ze Służbą Bezpieczeństwa w Gdańsku, ponieważ wiedzieliśmy, że jest spenetrowana przez opozycję

i infiltrowana, między innymi przez dżentelmena od Aleksandra Halla…

…Adama Hodysza
Właśnie. Tak że opieraliśmy się na strukturach wojska w Trójmieście.

Co to znaczy „opieraliśmy się na strukturach wojska w Trójmieście"?
Musieliśmy mieć na przykład dostęp do łączności różnego typu, możliwość korzystania z obserwacji – i to wszystko nam zapewniały struktury wojska w Trójmieście. Ich sprawność po prostu nas zaskoczyła. Wtedy cały czas był nabór. Mieli teczki, podstawowe dane na temat prawie wszystkich.

Ciekawe.
To oczywiście załatwił pan minister Kiszczak.

Potem jeszcze widywałeś się z Merklem?
Po 1990 roku.

Ale za komuny „robiłeś" go dalej?
Tak, bo on dalej robił swoje.

Ale chyba nie odnosiłeś sukcesów, bo się podnieśli i zaczęli organizować strajki?
No tak, ale my nie byliśmy od strajków. Byliśmy od informacji, głównie związanej z działalnością na Zachodzie. Rozpracowywaliśmy tę grupę, bo była związana z biurem brukselskim. Infiltracja w kraju miała prowadzić do infiltracji zagranicy. A przynajmniej do pozyskiwania informacji, które by to ułatwiały albo umożliwiały dezintegrację ośrodków zagranicznych. Czyli na przykład ustalanie, ile kasy płynie, jak działa CIA, jak głęboko jest w to zaangażowana.

Powiedz o spotkaniu z Merklem po latach. Jak ono wyglądało? W jaki sposób mieliście okazję poznać się na innej stopie?

W pewnym momencie on się spiknął z Rudolfem Skowrońskim, który nas sobie na nowo przedstawił. W restauracji. Nie wiem, jak oni na siebie trafili.

Chyba w Korporacji Handlowej na początku lat dziewięćdziesiątych.
Bardzo możliwe.

Jaka była ta pierwsza rozmowa?
Spokojna. Jak rozmowa starych kombatantów, którzy stali po różnych stronach barykady. Mieliśmy dla siebie szacunek. W mojej ocenie był najsprawniejszym i jednym z najbardziej skutecznych działaczy podziemia. Byłem – podobnie zresztą jak wszyscy, cały wydział, ale też Pożoga, Kiszczak – pełen uznania dla systemu łączności komputerowej, który zbudował. W tym czasie to było osiągnięcie unikatowe na skalę globalną. Merkel bardzo sprawnie funkcjonował w trudnych warunkach. Wydaje mi się, że on również trochę mnie szanował. Jego strona wygrała, dlatego nigdy nie miałem pretensji o negatywną weryfikację. To znaczy uważałem, że robią to niepotrzebnie i popełniają błąd, ale nigdy nie miałem im tego za złe, ponieważ każda rewolucja ma swoje prawa, zwycięzcy dyktują warunki – i koniec.

A on do ciebie nie miał pretensji?
Nie wyznawał takiej filozofii. Nie miał do mnie pretensji ani o zatrzymanie, ani o werbunek, ani o dezintegrację, ani o to, co robiłem. Jako działacz konspiracji przeciwstawiający się państwu zdawał sobie sprawę z możliwych konsekwencji takiej postawy i w pełni je akceptował. Nie było z jego strony ani złości, ani wymówek. Zachował się po prostu jak prawdziwy mężczyzna.

A pamiętasz, gdzie odbyła się ta pierwsza rozmowa po 1990 roku? W jakim lokalu?

Chyba w restauracji Ambasador w pobliżu Sejmu, naprzeciwko ambasady USA.

A skąd twoim zdaniem się wzięły te historie, jakoby Merkel był agentem?
Myślę, że z zawiści. Były częścią rozgrywek, do jakich doszło po 1990 roku, zwłaszcza gdy Merkel funkcjonował w kancelarii prezydenta Wałęsy. Był tam, o ile pamiętam, szefem Biura Bezpieczeństwa Narodowego, bo oni to wzorowali trochę na amerykańskim National Security Council. Pracowało tam jeszcze paru innych działaczy z Gdańska. Po prostu chłopcy próbowali się nawzajem wycinać i pomówienie Merkla o zdradę wyszło z tej rywalizacji. Jestem o tym głęboko przekonany, a nawet myślę, że to prawda historyczna. No i tak przylgnęło. Merkel to facet trudny we współżyciu, ponieważ jest wybitnie inteligentny. To taki typ inteligencji, jaki spotykałem na Harvardzie. Połączony z brakiem cierpliwości do durniów. I czasami odnosiłem wrażenie, że ta kombinacja sprawiała, że wielu ludzi do siebie zrażał. A ponieważ 99 procent ludzi, z którymi miał do czynienia, było znacznie mniej inteligentnych niż on, to mógł nie być lubiany.

Okej, niemniej jednak to jest dziwne. Postaw się w jego sytuacji. Uważasz, że jesteś czysty, że nigdy nie dałeś się złamać i nie zrobiłeś nic złego, tak? Dlaczego nie walczysz, tylko po cichu się wycofujesz?
No tak, ale walka z plotką jest bardzo trudna. Bo to była przecież plotka. Nikt nie stanął i nie powiedział mu w twarz: „Jesteś agentem". Nikt nie miał na tyle odwagi i każdy wiedział, że są to dęte zarzuty. To wszystko krążyło za jego plecami. Nie było sytuacji, w której Merkel mógłby takiego pomawiającego pozwać do sądu.

A te plotki nie brały się też z waszych dobrych relacji po 1990 roku?

Nie, bo ta plotka zaczęła krążyć bardzo wcześnie, w czasach jego pracy w Kancelarii Prezydenta, kiedy jeszcze nie mieliśmy ze sobą kontaktu. Merkel był na pewno zagrożeniem dla różnych osób, którym marzyły się stanowiska, bo był to facet niezwykle inteligentny. W pewnym momencie Wałęsa nawet się zastanawiał, kogo mianować premierem, Jana Krzysztofa Bieleckiego czy Jacka Merkla.

Wspomniałeś, że po tej waszej akcji w mieszkaniach działaczy opozycji ktoś miał problemy zdrowotne. Jakiego rodzaju?
Załamanie nerwowe, ale ja to znam z relacji Jacka Merkla. Nie chcę was wprowadzać w błąd, nie pamiętam tego dokładnie, ale wiem, że coś takiego było.

Robiłeś w latach dziewięćdziesiątych jakieś interesy z Merklem?
Nie.

A on nie obwiniał cię o to, że tak potoczyła się jego droga? Że w jakiś sposób ta plotka jest jednak związana z twoją aktywnością?
Nie, nigdy mnie nie obwiniał, nigdy nie dawał mi tego odczuć. Ale ja sam mam wyrzuty sumienia, gdy myślę, że moje działanie i cała ta akcja w Gdańsku mogły komuś posłużyć jako wygodny pretekst, żeby po prostu go pomówić.

A kiedy przeszedłeś do innych zadań, ktoś mógł wytworzyć dokumenty rzucające na niego cień?
Ktoś z wywiadu?

Ze Służby Bezpieczeństwa.
Wszystko jest możliwe, bo część Służby Bezpieczeństwa przeszła do nowych struktur i mogła różne rzeczy opowiadać. W końcu były po 1990 roku takie przypadki, że byli pracownicy SB pletli dyrdymały.

Jeszcze jedna rzecz, dotycząca znanego opozycjonisty Wiesława Chrzanowskiego. Mógłbyś odnieść się do informacji, że był on waszym kontaktem operacyjnym w latach osiemdziesiątych?

Sprawa jest ciekawa i wymaga wyjaśnienia. Otóż w połowie lat osiemdziesiątych SB w mieszkaniu Chrzanowskiego zainstalowała bardzo profesjonalnie podsłuch, który zbierał niemal każdy szmer. Prowadzone tam rozmowy były spisywane i trafiały do Wydziału XI. Zebrano kilka segregatorów po kilkaset stron spisanych rozmów. Kontaktem operacyjnym nie był więc Chrzanowski, lecz de facto jego mieszkanie.

Zapamiętałeś, kto tam bywał?

Pamiętam, że między innymi Andrzej Wielowieyski.

A skąd wiesz, że to był Wielowieyski?

Jeśli głos na nagraniach się powtarzał i dana osoba opowiadała ciekawe rzeczy, to zakładano zakryty punkt obserwacji w pobliżu domu. Stąd wiem, że był to Wielowieyski.

Mówisz, że podsłuch u Chrzanowskiego był profesjonalnie zainstalowany. W jaki sposób?

W tym konkretnym przypadku nie wiem, ale mogę opowiedzieć o metodzie. Podsłuch zakładało się przez sufit z mieszkania na górze. Albo przez ścianę, z lokalu obok. Rozwiercało się podłogę w mieszkaniu na górze lub ścianę w mieszkaniu sąsiednim. Tamtędy wpuszczało się podsłuch. Mikrofon był umieszczony w szklanej obudowie. Na ścianie albo na suficie to było niedostrzegalne. Mikrofon w mieszkaniu podsłuchiwanej osoby wyglądał jak łepek od szpilki.

Zaraz, zaraz. Jak to było robione? Przecież do mieszkania nie wchodzili panowie i nie mówili: „Dzień dobry, my tu sobie powiercimy, bo zakładamy sąsiadowi podsłuch".

Oczywiście, że nie. Na przykład urządzano sfingowaną ewakuację całego bloku pod pretekstem awarii instalacji gazowej.

Albo delikwenci z obu mieszkań byli wzywani jednego dnia o tej samej porze do dwóch różnych urzędów pod pretekstem załatwienia jakichś spraw. I wtedy ekipa miała godzinę na zainstalowanie podsłuchu.

Wchodzili do jednego i drugiego mieszkania?
Tak, tak. Podrobione klucze. Mieli nawet zestawy kilkunastu rodzajów tynków, farb, żeby zatrzeć ślady. Po to, by lokatorzy nie zorientowali się, że ktoś majstrował przy ścianach.

13
„Żelazo", czyli rozprawa z Milewskim

Jak wywiad współpracował z bandytami – Pożoga rozlicza Milewskiego – Komisja w sprawie dezercji – Śmierć księdza Jerzego Popiełuszki

W pierwszej połowie lat osiemdziesiątych atmosfera w wywiadzie była dość paskudna. Były szef wywiadu Jan Słowikowski został zesłany na ambasadora do Teheranu. Nowy szef Fabian Dmowski, jak już wspominaliśmy, także człowiek sprowadzony przez Mirosława Milewskiego z kontrwywiadu, nie chciał za bardzo podporządkować się wojskowym.

Ja jakoś nie zauważyłem tej paskudnej atmosfery. Tak jak mówiliśmy, wojskowi obsadzali swoimi ludźmi kluczowe stanowiska, i tyle. Natomiast z tym zesłaniem do Teheranu to bym nie przesadzał. To była bardzo ciekawa politycznie placówka – usunięto szacha, zaczęły się rządy ajatollahów. W dodatku była niesamowicie dobrze płatna – oprócz normalnej kasy dostawało się dodatek za pracę w warunkach ekstremalnych.

Podobno Dmowski jawnie krytykował generała Władysława Pożogę, wiceministra odpowiedzialnego za wywiad, a nawet kazał mu zwrócić pieniądze wydane na zakupy w Berlinie i chciał to rozliczyć z funduszu operacyjnego.

Dmowski to był bardzo inteligentny człowiek, ze świetnym poczuciem humoru, ale też z bardzo mocnym ego.

Było już chyba jasne dla wszystkich, że dni Dmowskiego są policzone. Wyleciał we wrześniu 1983 roku. Zarzucono mu, że użył wojskowego transportu do budowy domku letniskowego, do tego dołożono odpowiedzialność za skandale obyczajowe i trzy dezercje z wywiadu.

Plotki o domku krążyły, a skandale i dezercje...? No cóż, Dmowski był – jak już wspomnieliśmy – przejściowym szefem wywiadu. Chodziło o to, że generał Pożoga walczył wówczas o wpływy w resorcie. Wygrał i dostał od Kiszczaka nominację na pierwszego zastępcę szefa MSW. Wzmocniony Pożoga wstawił „swojego" szefa wywiadu.

To był Zdzisław Sarewicz, pochodził z kontrwywiadu. Poznałeś go?

Oczywiście, całkiem nieźle. Sarewicz przyprowadził własnego zastępcę, pułkownika Zbigniewa Twerda, który w kontrwywiadzie był szefem wydziału amerykańskiego. Rozpracował całą rezydenturę amerykańską, jej system łączności. Wygarniał ich jednego po drugim. To robiło wrażenie. Bardzo inteligentny, błyskotliwy, niezwykle sprawny facet. Z Sarewiczem blisko współpracował też pułkownik Bronisław Zych, także jego zastępca. Miał gabinet vis-à-vis szefa. Nadzorował mój wydział. Tymi szybkimi ruchami Pożoga podporządkował sobie cały wywiad.

Wszystko szło w kierunku ostatecznego odstrzelenia Mirosława Milewskiego. Był coraz słabszy, nie mógł obronić ani Słowikowskiego, ani Dmowskiego.

Wracamy do Milewskiego. Jak już mówiłem, nowi ludzie się go obawiali, miał doskonałe układy w Moskwie. Oprócz tego w oczach wojskowych reprezentował wszystkie najgorsze nawyki MSW: państwo w państwie, układy, olewanie wszelkiej kontroli. Doskonałym przykładem była afera „Żelazo". Takie numery wojakom nie mieściły się w głowie. U nich są rozkazy, jest dyscyplina. Zresztą ja się nie dziwię – wywiady robią różne rzeczy: handlują narkotykami, przemycają, ale zawsze jest w tym sporo finezji. A tu koledzy zatrudnili bandziorów, którzy napadali na sklepy z biżuterią. Przyznacie, metoda kojarząca się z łomem. Wierzę zresztą, że oburzenie wojskowych było szczere. Miałem później okazję uczestniczyć w nieformalnych spotkaniach w wąskim gronie z Kiszczakiem. On miewał czasem wstawki na temat honoru oficera. To nie była oficjalna akademia, tylko takie luźne rozmowy, więc nie musiał udawać. Widać było, że mówi, co myśli, i że jest to dla niego ważne.

W kwietniu 1984 roku Kiszczak powołuje komisję do wyjaśnienia afery „Żelazo", co ma ostatecznie zniszczyć Milewskiego.

Akcja była prowadzona w latach siedemdziesiątych. Ludzie pracujący dla wywiadu dokonywali przestępstw na Zachodzie. Strzelali, rabowali, grabili. Z tych pieniędzy miał być finansowany wywiad. „Żelazem" nazywano zrabowane przez współpracujących z wywiadem braci Janoszów precjoza, biżuterię. Ja żadnego z nich nie poznałem. To się działo, zanim przyszedłem do resortu.

Janoszowie byli bandytami?

Wszystko na to wskazuje. Każdy wywiad ma swoich bandytów. W latach sześćdziesiątych CIA negocjowała z trzema głównymi amerykańskimi mafiosami odstrzelenie Castro. Prowadzono rozmowy z Samem Giancaną z Chicago, Johnnym Rosellim z Nowego Jorku i Santem Trafficante. Jako że wszyscy oni przed rewolucją mieli interesy na Kubie – burdele, kasyna – CIA wpadła na pomysł, że właśnie ci trzej najlepiej się nadadzą do tej misji. Płaciła im kasę, namawiała, żeby intensywnie myśleli, jak zabić Fidela. W tym samym czasie Robert Kennedy jako prokurator generalny rozpracowywał ich i usiłował wsadzić do więzienia.

Piękna historia, a czy Janoszowie strzelali dla polskiego wywiadu?

To znaczy czy robili eliminacje? Nie, na pewno nie. Jeśli ktoś zginął, to podczas napadu. Jednak Janoszowie nie zabijali na zlecenie wywiadu. Jedyną eliminacją, do jakiej rzeczywiście doszło, było zastrzelenie Władysława Mroza w Paryżu.

Jednak Jerzy Morawski, autor książki *Złota afera*, dotarł do informacji na temat operacji specjalnej dotyczącej porwania „Trutnia" w 1977 roku. Chodziło o uniemożliwienie powrotu do kraju Adama Michnika. Zadanie miał wykonać Jan Janosz. Pytał oficera wywiadu, czy Michnik ma być po operacji „żywy czy martwy", i negocjował cenę.

W 1977 roku zabicie Michnika nie wchodziło w grę. On był już bardzo znany, więc skandal byłby niesamowity. Gierek dostałby szału. Nie wierzę więc w taką wersję. Po latach Janosz mógł wymyślać różne rzeczy – bo ta narracja pochodzi przecież od niego. Nagle mówi to generałowi Pożodze. Gość jest inteligentny, wie, że Pożoga nie nabrał nagle ochoty na poznawanie historii wywiadu i postanowił go przesłuchać, tylko szuka haków na Milewskiego. Janosz mówi więc to, co Pożoga chce usłyszeć, i to, co podnosi jego własną wartość jako superagenta, kilera, mocnego człowieka. Tak to sobie tłumaczę.

Czy Janoszowie rzeczywiście zostali oszukani przez ludzi Milewskiego? Skarżyli się, że wywiad ich wykiwał przy podziale zysków, że tłumy oficerów jeździły do nich na Śląsk po jakieś pokwitowanie za pieniądze, których Janoszowie nigdy na oczy nie widzieli. Zresztą sam podział łupów podobno wyglądał tak, że precjoza rzucano na kilka kupek: „Dla nas, dla was". W stylu średniowiecznych rozbójników.

A, to wszystko jest całkiem możliwe. Janoszowie, jak już obrobili jubilera, mieli dużo zegarków. Obie strony występowały tu jako członkowie jednego gangu: i wywiad, i oni. Jak złodzieje mają dzielić między sobą łupy? Jeżeli wywiad decyduje się na współpracę z bandytami, to idzie na duże ryzyko, wchodzi na grząskie błotko. Pytanie, czy taki układ się opłaca. Faceci, którzy potrafią obrobić jubilera, są nastawieni na jedno: wyrwać jak najwięcej dla siebie. Będą więc kłamać, oszukiwać – ile się da i dopóki się da.

„Czy się opłaca"? Wywiad sobie pożył trochę z tego „żelaza".
Ba, oczywiście. Zaczynają krążyć olbrzymie pieniądze, a człowiek jest tylko człowiekiem. Byli ludzie, którym się te zegarki i pierścionki przyklejały do łap, i żyli, nie mówię, że nie.

Jerzy Morawski ustalił, że rozpłynęło się siedemdziesiąt pięć kilogramów złota, mnóstwo kamieni szlachetnych i biżuterii, Milewski sam chodził po KC i rozdawał prezenty. Z kasy korzystali także dygnitarze partyjni, którzy wyjeżdżali na Zachód.
Każdy ma swoją operację „Iran-Contras", oczywiście na własną miarę. Zresztą przeliczmy to teraz. Siedemdziesiąt pięć kilogramów, czyli siedemdziesiąt pięć tysięcy gramów. Dzielimy przez trzydzieści jeden, bo przeliczamy na uncje. Daje nam to dwa tysiące czterysta dwadzieścia uncji. Złoto chodziło wówczas po czterdzieści dolarów za uncję. To nam daje dziewięćdziesiąt siedem tysięcy dolarów. Dziewięć milionów siedemset tysięcy złotych. Nieźle, bo milion się w totka wygrywało.

Dobry jesteś.
Pamiętam, że do 1972 roku dolar był wymienialny na złoto po stałej cenie – do trzydziestu pięciu dolarów za uncję. Nixon uwolnił cenę złota właśnie w tym roku. Zaczęła się powoli piąć – zakładam, że dociągnęła do czterdziestu. Cały sekret *(śmiech)*.

Mercedes Janoszów woził potem Gierka.
Sami widzicie, jak to wyglądało. „Żelazo" przygotowywali „starsi koledzy", ludzie, którzy jeszcze pamiętali wojnę. W jakimś sensie wychowali się na bezprawiu. I rzeczy, które nam już nie mieściły się w głowach, uważali za całkiem normalne. To było takie myślenie: jasne, że w Polsce musimy przestrzegać prawa, ale poza Polską... to już niekoniecznie.

Komisją powołaną do zbadania afery „Żelazo" kierował generał Pożoga.

Zabrał się ostro do dzieła, ponieważ sprawa kompromitowała generała Mirosława Milewskiego, który w okresie, gdy afera rozwijała się w najlepsze, był szefem wywiadu i wiceministrem. Milewski bruździł ekipie Jaruzelskiego, więc Pożoga dostał polecenie, żeby odgrzebać sprawę. Co też uczynił. Umoczyli Milewskiego, a przy okazji kawał historii wywiadu wyszedł na światło dzienne.

Ciekawe, że za tę aferę nikt nie poniósł odpowiedzialności karnej.
Bo nie o nią przecież chodziło. Chodziło o skompromitowanie paru ludzi.

Żeby wbić gwóźdź do trumny Milewskiego, powrócono do sprawy trzech głośnych dezercji: sierżanta Bogulaka, podpułkownika Jerzego Korycińskiego oraz twojego znajomego, szyfranta, podpułkownika Waldemara Mazurkiewicza. W listopadzie zajmowało się tym Biuro Polityczne KC PZPR. Przebieg obrad znany jest z *Dzienników politycznych* Mieczysława Rakowskiego. Kiszczak grzmiał, że żaden z tej trójki nie miał prawa wyjechać na Zachód. Jeden był pijakiem, drugi był rodzinnie powiązany z prostytutką, a trzeci obijał się przez cztery lata w Ankarze, nie odnosząc żadnych sukcesów. Milewski został pogrzebany, co zresztą zasmuciło KGB. Miał niesamowite układy z towarzyszami. Kiedy wpadał do Moskwy, przyjmowała go, ku przerażeniu Jaruzelskiego i Kiszczaka, cała wierchuszka.

Właśnie poprzez te układy z Moskwą Milewski był tak niebezpieczny. Jest przecież słynna historia, jak za późnego Breżniewa polska delegacja oficjalna pojechała do Moskwy. Breżniew, który już wtedy słabo kojarzył, zaczął podobno głośno się dopytywać, gdzie jest Mirek Milewski, chciał się z nim witać. To musiał być dla pozostałych towarzyszy ciężki szok. Zrozumieli, jakie Mirek ma plecy na Kremlu.

W 1984 roku zostaje zamordowany przez SB ksiądz Jerzy Popiełuszko. Jakie nastroje były w związku z tą sprawą w resorcie? Ja o jego śmierci przeczytałem w „Życiu Warszawy". Zamieszczono tam wzmiankę, że znaleziono zwłoki księdza. Było jasne, że będzie z tego gruba afera. Nasz wydział nigdy nie zajmował się duchownymi, więc księdza Popiełuszkę ledwie kojarzyłem. Duchownymi zajmował się Departament IV.

Mówiło się, że morderstwo było prowokacją Mirosława Milewskiego, mającą na celu wysadzenie Jaruzelskiego i Kiszczaka – obroną przed oskarżeniami o udział w aferze „Żelazo" albo zwykłą zemstą.
Nie bardzo chce mi się w to wierzyć. To byłoby zbyt grubymi nićmi szyte. Za dużo świadków, za mało możliwości kontroli. Takie rzeczy musiałyby wyjść na jaw.

Jak więc interpretujesz całe to wydarzenie? O co tu chodziło?
Teorii spiskowych może być wiele. Ale według mnie sprawa była prosta. Grzegorz Piotrowski z podwładnymi rozpracowywali księdza. Uważali, że ma on jakąś cenną informację. Taką, która absolutnie pomoże im w karierze. Na przykład gdzie ukrywa się Zbigniew Bujak albo coś w tym stylu. Doszli do wniosku, że sobie z księdzem porozmawiają.

Co dalej?
Chcieli Popiełuszkę zastraszyć, licząc na to, że pęknie. No i wszystko wyrwało im się spod kontroli. Zaczęli z nim rozmawiać, używając, nazwijmy to delikatnie, wzmocnionych technik przesłuchania. Ale nie każdy potrafi to robić. Tego jednak trzeba się nauczyć. Oni nie bardzo wiedzieli co i jak. Próbowali go straszyć, a on powtarzał: „Nic nie powiem". Więc zaczęli go szturchać, popychać, w końcu bić. Zagrały emocje i zwyczajnie go zabili. Kiedy stracił przytomność, wpadli w panikę i dokończyli dzieła. Po prostu go zamordowali. Moim zdaniem to najbardziej logiczna interpretacja. Jeżeli ktoś nie potrafi w ten

sposób przesłuchiwać, nie ma o tym bladego pojęcia, bardzo łatwo może zabić. W zapamiętaniu, emocjach nie docenia własnej siły.

Znałeś Piotrowskiego?
Nie, żadnego z nich nie znałem. Z Departamentem IV nie mieliśmy żadnych kontaktów.

Mieliście przyzwolenie na to, żeby kogoś docisnąć, zastraszyć, wywieźć do lasu?
Nie było przyzwolenia na łamanie kodeksu karnego. Zresztą co znaczy przyzwolenie? Na zasadzie mrugnięcia okiem? To jest możliwe. Myślę natomiast, że nikt nie wydawał rozkazu: „Przyciśnijcie go w lesie". Jeżeli ktoś kogoś wywiózł do lasu, przywiązał do drzewa i chciał w ten sposób zastraszyć, to czuł widocznie, że jak to wyjdzie na jaw, nie będzie miał problemów ze strony przełożonych.

Klasycznym przykładem była historia opozycjonisty Antoniego Mężydło. Jego wywieźli do lasu.
No tak.

Nie powiedziałeś, jaka była reakcja w resorcie na śmierć księdza Popiełuszki.
No, spieprzenie sprawy, krótko mówiąc, spieprzenie sprawy. Nikomu niepotrzebne zabójstwo. Po prostu szkodnictwo totalne. To przecież rzutowało na cały resort, na władzę w ogóle. Taka była ocena.

Zdaje się, że to, co działo się w MSW, dość mocno przekraczało granice rozsądku.
Tego typu przypadki zdarzają się we wszystkich służbach. MSW to było tysiące ludzi. Ja zawsze pracowałem w wywiadzie i zawsze z bardzo fajnymi ludźmi. Zgadzaliśmy się ze sobą, że zabicie księdza było fatalnym błędem, że to gruba, szkodliwa dla nas afera. Jeśli o to pytacie, to na pewno nie słyszałem uwag

w rodzaju: „Dobrze, że się skurwysynowi klesze wreszcie dostało". Nam nawet nie przychodziło do głowy, żeby robić takie rzeczy. Wywiad jest od pozyskiwania informacji.

No, oni chyba też chcieli pozyskać informacje od księdza.

Bo to debile. Nic nie uzyskali, zabili, i to księdza, który już wkrótce miał jechać do Watykanu. To znaczyło, że za chwilę przestałby stanowić jakiekolwiek zagrożenie.

14
Naczelnik

Na safari z generałem Kiszczakiem – Awans na naczelnika – Za-
ufany generała Pożogi – Początek końca Jedenastki – Generało-
wie chcą się dzielić władzą

W 1985 roku zostałeś naczelnikiem Jedenastki.
Tak. Zanosiło się na to, bo wiadomo było, że Henryk Bosak pojedzie do Budapesztu. Wcześniej – jak sądzę, w związku z tymi
planami – udałem się z Czesławem Kiszczakiem do Etiopii.
Formalnie jako tłumacz, bo dobrze znałem angielski. Przypuszczam jednak, że chodziło o to, by generał minister mógł
mi się przypatrzyć, lepiej mnie poznać.

Nie znałeś go?
Oczywiście, że znałem. Ale to były sporadyczne kontakty. Kilka
razy referowałem mu sprawy operacyjne. Były tak istotne, że
szczegóły musiał znać minister. Wyjazd do Etiopii, rządzonej
wówczas przez Mengystu Hajle Marjama, dał nam okazję do
lepszego kontaktu. Łaziłem za nim jak pies – taki los tłumacza.
Nawet na safari byłem. Kiszczak pojechał tam jako szef MSZ
i członek Biura Politycznego.

Niezłych mieliście kolegów. Mengystu Hajle Marjam to krwa-
wy dyktator. Odpowiada za śmierć setek tysięcy ludzi.
Był dość ekscentryczny. Trzymał żywe lwy w klatkach, które
umieścił przy wejściu do pałacu. Mijało się je, gdy szło się na
audiencję. Sam był bardzo niski i chodził w butach wojskowych

na grubej podeszwie. Mówił dobrze po angielsku, był bowiem jednym z ulubieńców cesarza Hajle Sellasje, który kształcił swoich oficerów w amerykańskich uczelniach wojskowych. A oni w pewnym momencie zrobili pucz i krwawo sobie władali piękną ojczyzną. Za sprawą ich skutecznych rządów trwała tam akurat kolejna klęska głodu. Polska posłała im całą eskadrę helikopterów, które woziły żywność. Spotkaliśmy się z naszymi pilotami, rozmawialiśmy z nimi, a nawet lataliśmy po kraju.

Długo to trwało?
Całe jedenaście dni. Polecieliśmy jakiem-40. Tworzyliśmy delegację ministra spraw wewnętrznych. Był szef policji, szef wywiadu Zdzisław Sarewicz itd.

A safari?
Safari było specjalnie dla Kiszczaka. Chłopcy Mengystu wiedzieli, że jest on zapalonym myśliwym, tak że biegaliśmy po sawannie. Ja za nimi, bo generał musiał się jakoś komunikować z lokalnymi naganiaczami

I co ustrzeliliście?
Antylopy czy coś takiego. Był pomysł, żeby urządzić też polowanie na lwy gdzieś dalej na południu, ale nie starczyło czasu.

A poza polowaniem?
Rozmowy, przyjęcia. Odpowiednikiem Kiszczaka był tamtejszy minister spraw wewnętrznych. Facet mógł mieć... nie wiem... pod czterdziestkę. Jeździliśmy czarnym przedłużonym mercedesem. Ja z przodu, oni z tyłu. Etiopczyk widać lubił whisky, bo nie rozstawał się ze szklanką. W ogóle panowie oficerowie po tym pobycie w Stanach nabrali zamiłowania do alkoholu, bo ciągnęli gorzałę strasznie. Ja musiałem się obejść smakiem, bo tłumacz nie ma prawa się nawalić. Mieszkaliśmy w willi nieopodal pałacu cesarskiego. Wcześniej należała, zdaje się, do małżonki cesarza. W stylu włoskim, na tyłach był otwarty garaż. Tam parkowały samochody z kolekcji cesarza. Stary

cadillac, stary rolls-royce, stare bentleye. W wolnych chwilach z przyjemnością je sobie oglądałem. Myślę, że mechanik po połowie dnia pracy odpaliłby to wszystko. Gospodarze chcieli być mili, więc co wieczór przyjeżdżali do tej willi i było picie. Kuchnia etiopska to mieszanka elementów lokalnych z kuchnią włoską, więc ciekawe to i dobre. Zwyczaj etiopski jest taki, że oni jedzą surowe mięso – wołowinę i baraninę. Jak ktoś miał ochotę, to oprócz normalnego żarcia mógł dostać kawałek polędwicy na surowo. Pewnego razu zjadłem z etiopskim ministrem takie mięsko, zapijając whisky, bo wieczorem już mogłem pozwolić sobie na kielicha.

Generał musiał być ciągle na kacu.
On pił jedynie tyle, żeby ich nie obrazić. Moczył usta. Doszedłem do wniosku, że Kiszczak jest niepijący. Serio.

Czy po tym wyjeździe złapałeś z Kiszczakiem jakiś lepszy kontakt?
Relacje były jak najbardziej zawodowe. Nic szczególnego się nie zmieniło. Ale naczelnikiem zostałem. Być może ten wyjazd był jakimś sprawdzeniem.

W wywiadzie byliście ludźmi funkcjonującymi na Zachodzie, obytymi. Czy Kiszczak nie robił na was wrażenia buraka w kiepskim garniturku?
Rzadko który wojskowy potrafi się dobrze ubrać. Oni chodzą w mundurze, a po cywilnemu nie potrafią. Wyjątek to oczywiście generał Marek Dukaczewski. Ale poza tym Kiszczak był absolutnie inteligentnym człowiekiem. I operacyjnie, i w obyciu. W cywilu wyglądał niespecjalnie, ale w sprawach wiedzy, bystrości umysłu, doświadczenia, kultury nie można było mieć do niego najmniejszych zastrzeżeń. W Nowym Jorku, jak wspomniałem, znałem dwa typy Rosjan – „wschodni" i „zachodni". Rosjanin, który chodził najgorzej ubrany, najczęściej okazywał się najbardziej inteligentny.

Kiszczak miał sznyt oficera wywiadu?

Tak, przecież całe życie funkcjonował w służbach. Wiedział bez dwóch zdań, na czym polega praca operacyjna. Rozumiał wszystko, niczego nie trzeba było mu powtarzać dwa razy. Zresztą jakiś czas spędził za granicą, bo w czasie wojny pracował w Wiedniu, tak że miał pewne obycie.

Panuje powszechna opinia, że byłeś jednym z najbardziej zaufanych ludzi wiceministra spraw wewnętrznych, generała Pożogi. To prawda?

To pytanie do Pożogi, ja tego nie wiem.

Czy było tak, że omijałeś szefa wywiadu, dyrektora kierunkowego i wszystkie sprawy załatwiałeś u wiceministra?

Wydaje mi się, że byłem wówczas najmłodszym naczelnikiem, a u Pożogi bywałem czasami dwa razy w miesiącu. No więc budziło to – delikatnie mówiąc – zdziwienie kolegów naczelników. Jednak to, że właziłem do Pożogi, kiedy chciałem, że omijałem przełożonych, jest bzdurą. Działało to tak: sekretariat Pożogi dzwonił do sekretariatu Sarewicza albo Zycha. Dopiero stamtąd dostawałem polecenie, że mam się zameldować u Pożogi. Nigdy nie omijano drogi służbowej. Pożoga interesował się zazwyczaj kilkoma sprawami, które prowadziła Jedenastka. Przepytywał mnie z nich dokładnie, robił sobie notatki. Czasami trwało to nawet do dwóch godzin. Potem generał mi dziękował i wysyłał do Sarewicza albo Zycha, żebym w krótkich słowach poinformował o treści naszej rozmowy. To zresztą bardzo wojskowy system. Generał może wezwać nawet szeregowca, ale nie zrobi tego bez wiedzy przełożonego, żeby nie podrywać autorytetu, nie rozwalać hierarchii.

Czy nie czułeś niechęci ze strony innych kolegów z wywiadu? Byłeś w końcu naczelnikiem wydziału do walki z opozycją.

Nie, w żadnym razie. Nie spotkałem się z niechęcią. Wszyscy widzieli, że jestem naczelnikiem od ustalania tego, jak zachodnie wywiady finansują opozycję.

W drugiej połowie lat osiemdziesiątych, kiedy zostałeś naczelnikiem, widać było, że system obrzydliwie gnije: kartki, nowomowa, ludzie w więzieniach, drugi etap reformy i ogólny syf.
To był bardzo ciekawy okres. W 1986 roku władze ogłosiły wielką amnestię dla osób zaangażowanych w działalność podziemnych struktur Solidarności i uczestniczących w manifestacjach i strajkach. Wyszli wtedy wszyscy więźniowie polityczni, także ci z czołówki, jak Zbigniew Bujak. Był to popis siły władzy. Kontrolujemy już sytuację, wychodźcie sobie. Zrobiło to wrażenie na Amerykanach. Wiem to, bo dokładnie śledziliśmy te sprawy. W Waszyngtonie zaczęła się dyskusja na temat likwidacji biura brukselskiego, bo w Polsce jest już wszystko poukładane. Nie ma więc sensu dalej pakować pieniędzy, skoro władza sobie poradziła. Ale jednocześnie Kiszczak i Jaruzelski – to również wiem – byli przekonani, że jest to najlepszy moment na rozpoczęcie dialogu. Wiedzieli, że nie dadzą rady długo utrzymać tego stanu rzeczy, że rozwiązania siłowe już nie zadziałają. Panujemy w tej chwili nad przeciwnikiem, ale zwycięstwo jest przejściowe. To raczej moment, żeby zacząć rozmawiać, bo ciągle jesteśmy silni i możemy stawiać warunki. Amnestia była sygnałem, że jesteśmy gotowi do rozmów. Wiedzieliśmy, co się święci, bo dostawaliśmy określone zadania, które miały pomóc w nawiązaniu dialogu. Było dla nas mniej więcej oczywiste, jak sytuacja się rozwinie.

Chodziłeś negocjować z opozycjonistami?
Nie. No, byłem kilka razy w więzieniu, jak jeszcze siedzieli. Ale nigdy nic to nie dawało. Cała wierchuszka Solidarności była w gestii biura studiów. Może ktoś od nich chodził do Kuronia czy Onyszkiewicza. Może ktoś z sekretariatu Kiszczaka, ale na pewno nie my. Myśmy tylko zbierali informacje.

Władza zaczęła pojmować, że należy dogadywać się z opozycją. Zmieniały się oczekiwania wobec wywiadu. Ekipa Jaruzelskiego coraz bardziej potrzebowała analiz ekonomicznych i politycznych z zagranicy, szpiegostwa przemysłowego – czyli wywiadu naukowo-technicznego, którym od 1986 roku kierował Henryk Jasik. Tymczasem ty tkwiłeś w Jedenastce. Czułeś, że za chwilę przestaniesz być potrzebny?
Nie w 1986 roku. Pracowaliśmy pełną parą.

Podobno w latach 1986–1987 Kiszczak w ogóle przestał się interesować Wydziałem XI, chciał tylko sukcesów wywiadu gospodarczego.
Nie odnosiłem takiego wrażenia, wręcz odwrotnie. Z tego, co wiem, Wydział XI pracował do ostatnich dni władzy ludowej.

W resorcie działał Zespół Analiz MSW, który pod kierownictwem majora Wojciecha Garstki przygotowywał analizy dotyczące ewolucyjnej zmiany systemu.
Był taki zespół, ale nie współpracowałem z nim bliżej.

Generał Pożoga od końca 1986 roku spotykał się z sekretarzem KC Stanisławem Cioskiem i rzecznikiem rządu Jerzym Urbanem. „Zespół trzech" dostarczał Jaruzelskiemu propozycje reform i zmian systemowych. Czy wiedziałeś wówczas o działalności Pożogi, czy też byłeś już odsunięty?
Raz czy dwa razy brałem udział w spotkaniach Pożoga–Urban. To były ich narady robocze. Był na przykład taki pomysł, że Urban pojedzie do RWE i weźmie udział w debacie ze Zdzisławem Najderem. Rozpatrywano to bardzo serio. Właśnie wtedy mnie zaproszono. Pytano o moją opinię i o szczegóły dotyczące rozgłośni.

Jaką miałeś opinię w sprawie występu Urbana w RWE?
Uważałem, że to świetny pomysł, ale Najder i Amerykanie nigdy się na to nie zgodzą.

Zapytamy wprost: kiedy zrozumiałeś, że wojskowi wystawią ciebie i Wydział XI do wiatru? To znaczy, że oni będą reformatorami, a ty z załogą zostaniecie wyczyszczeni jako źli ubecy?

Pod koniec 1987 roku dostałem dwie propozycje: albo wicedyrektor wywiadu, albo jakaś placówka. Logika była taka, że powinienem chcieć placówki – długo byłem w kraju, siedem lat, a oficer wywiadu jest od tego, żeby działać za granicą. Poza tym na placówkach zarabia się lepiej. Jednak ja wybrałem stanowisko wicedyrektora. Generał Sarewicz mocno się zdziwił. Na dwa miesiące zaległa cisza. W lutym 1988 roku wezwał mnie Pożoga i zaczął tłumaczyć, że długo siedziałem w kraju, należy mi się odmiana, że zwalnia się rezydentura w Rzymie, a Włochy to piękny kraj i będzie mi tam dobrze.

I co to znaczyło?
Zrozumiałem, że to propozycja nie do odrzucenia.

Bo?
Oni już rozmawiają z opozycją i moja osoba na stanowisku wicedyrektora może być bardzo niewygodna. Odczułem to jako początek czyszczenia przedpola. Kiedy przyjechałem do Rzymu, byłem przekonany, że to robota na najwyżej dwa lata.

15
Rzym i weryfikacja

Urban wieszczy klęskę – Watykan nas nie interesuje – Podejście
CIA – Wyrzucony z wywiadu

Szefowie byli z ciebie zadowoleni? Z tej twojej roboty w Wydziale XI?
Byli, bo w grudniu czy listopadzie 1987 roku padła propozycja, czy nie chciałbym zostać wicedyrektorem wywiadu. Na ten genialny pomysł wpadł chyba minister Pożoga. Przedstawił mi tę ideę dyrektor Sarewicz czy wicedyrektor Zych, który był moim kierunkowym. Byłem już siódmy rok w kraju – jak na oficera wywiadu to dosyć długo. Zapytali, co wolę: zostać wicedyrektorem wywiadu czy wyjechać za granicę? Ku ich zdziwieniu powiedziałem, że wolę zostać wicedyrektorem. I tak zameldował Sarewicz Pożodze. Rozmawiałem wtedy krótko na ten temat z samym Pożogą. Powiedziałem, że potwierdzam i że nie interesują mnie apanaże, placówka, chcę skromnej pensji wicedyrektora wywiadu. Myśleli, myśleli, aż w końcu przyszedł rok 1988 i moja kandydatura, ze względu na działalność w Wydziale XI, stała się niewygodna.

Nadchodził czas dogadywania się z opozycją.
Wiadomo było, że to zmierza w takim kierunku. Zresztą o tym, że nie da się rządzić bez jakiegoś udziału opozycji, to my już w zasadzie wiedzieliśmy w 1985 roku. Nawet rozmawiałem kiedyś na ten temat z Henrykiem Bosakiem. Ja byłem wtedy

jego zastępcą, a on szykował się już do wyjazdu do Budapesztu, gdzie miał objąć biuro łącznikowe. Rozmowa była taka, że prędzej czy później z opozycją trzeba będzie się dogadać i dopuścić ją do władzy. Od tamtego czasu wszystkie nasze działania koncentrowały się na maksymalnym pozyskiwaniu informacji, żeby Kiszczak i Jaruzelski mogli negocjować z pozycji siły. W 1988 roku było wiadomo, że te rozmowy zaraz się zaczną. I pewnego dnia Pożoga poprosił mnie do siebie i powiedział, że jednak doszedł do wniosku, że będzie lepiej, jak pojadę sobie do Rzymu i odpocznę. Fajne miejsce, będę tam radcą prasowym, za dużo nie będzie się działo. No i na tym skończył się mój awans na wicedyrektora wywiadu. We wrześniu 1988 pojechałem do Rzymu.

A Wydział XI oddałeś swemu koledze.
Tak, Wieśkowi Bednarzowi.

No ale jak to zrozumiałeś? Bo to jest jakaś dziwna alternatywa. Z jednej strony wiceszef wywiadu, z drugiej radca prasowy w Rzymie.
Rezydent, rezydent. Zrozumiałem to, zwłaszcza później, gdy się zaczął Okrągły Stół.

Woleli zabrać z widoku takich ludzi jak ty.
Tak. Zresztą Bednarza też wysłali do Nowego Jorku szybko. Jeszcze przed 1990 rokiem. Rozumiem, że byłoby krępujące, gdyby przyszli Kozłowski, Milczanowski z ekipą i na stanowisku wiceszefa wywiadu zastaliby Makowskiego. Koledzy z kierownictwa MSW woleliby nie mieć takiej niezręcznej sytuacji. W chwili gdy Bednarz i ja zostaliśmy negatywnie zweryfikowani, Pożoga odszedł. To było naturalne. Natomiast jego zastępca Sarewicz został, Henio Jasik został, mój bezpośredni wicedyrektor kierunkowy, pułkownik Zych, został – wszyscy moi przełożeni zostali. Poczułem się jak ręka, która dzierży miecz. Głowa zostaje, a rękę z mieczem odcinamy. Ale, tak jak

mówię, nigdy nie miałem pretensji ani do Kozłowskiego, ani do Milczanowskiego. Takie są reguły. Zwycięzcy dyktują warunki.

O weryfikacji zaraz pomówimy. Powiedz, jak było w Rzymie.
W Rzymie było super! Rzeczywiście roboty nie było już żadnej, bo wszystko się rozsypywało. Kiedy tam przyjechałem, ambasadorem był stary pracownik MSZ – Józef Wiejacz. Bardzo twardy, ostry, ale jakoś się dogadywaliśmy. W 1989 roku został odwołany czy zjechał, bo już minął jego termin. Zanim przyjechał nowy ambasador, upłynął rok, tak że nie było szefa. Był chargé d'affaires, kolejny stary pracownik MSZ, który całe życie zajmował się Bliskim Wschodem. Zresztą dobrze się znał z moim ojcem, chyba z placówki w Egipcie. Praktycznie nie miałem więc przełożonego. Zresztą rezydent zawsze robi, co chce. Luz był totalny. Miałem bardzo dobre, wręcz przyjacielskie układy z rezydentem wojskowym.

Romanem Oziębałą.
Tak. Na placówkach było normą, że wywiad wojskowy i wywiad cywilny się naparzały, kwestia jak mocno, tymczasem tu stosunki między nimi były bardzo sympatyczne.

Wyjeżdżasz w 1988 roku. Czy jeszcze jako pracownik centrali bierzesz udział w przygotowaniach do rozmów z opozycją?
Nie. Wyjechałem do Rzymu we wrześniu, ale w kwietniu, czyli kilka miesięcy wcześniej, odszedłem do MSZ. Zasada jest taka, że trzeba tam przejść na jakiś czas. Musisz poznać tematy, nie jedziesz prosto ze stołka naczelnika.

Czyli wszystkie te sytuacje związane z Magdalenką, z przygotowaniami do Okrągłego Stołu, ze strajkami jesienią 1988 roku cię omijają, tak?
Tak.

Ale czułeś wtedy, że to tak się dla ciebie źle skończy?
W 1988 roku to jeszcze nie było tak do końca wiadomo, prawda? Natomiast kiedy zbliżały się wybory do Sejmu czwartego

czerwca 1989 roku, to już wiedziałem, co się świeci. Niejaki sekretarz Czarzasty twierdził, że Solidarność dostanie łomot. Ja, siedząc na placówce, byłem głęboko przekonany, że Solidarność wygra te wybory z palcem w dupie. Upewniła mnie w tym wizyta w Rzymie Jerzego Urbana, do której doszło przed wyborami. Ja go znałem. Jako radca prasowy pojechałem po niego na lotnisko, odwiedziłem w hotelu i trochę pogadaliśmy. Po rozmowie z Urbanem nie miałem najmniejszych wątpliwości – on zresztą też – jakie będą wyniki tych wyborów. Wiedziałem, co się stanie, kto przejmie władzę i jak to potencjalnie się skończy.

A ty skąd znałeś Urbana?
Urban dosyć często spotykał się z Pożogą, jakoś przypadli sobie do gustu. Pożoga miał ogromną wiedzę, Urban znakomite pomysły, więc dyskutowali sobie o różnych sprawach. I ze dwa razy zaprosili mnie na taką rozmowę, żebym im, zwłaszcza Urbanowi, pewne rzeczy przybliżył. To było mu potrzebne, bo on wtedy polemizował z Wolną Europą. Urban zresztą wpadł na pomysł, że pojedzie do rozgłośni i będzie tam debatował z Najderem.

Zdzisławem, skazanym w Polsce na karę śmierci…
Tak, i ja ze dwa razy przychodziłem na spotkania Pożogi z Urbanem, wyjaśniałem, kto jest kim w Wolnej Europie, bo mieliśmy to wszystko rozłożone na czynniki pierwsze. Przy tej okazji poznałem Urbana.

A Urban był przerażony perspektywą utraty władzy, gdy w 1989 roku przyjechał do Rzymu?
W ogóle, zero. To jest pragmatyk i realista. Poza tym był blisko Jaruzelskiego i orientował się mniej więcej, jakie będą etapy tego przekazywania władzy. On po prostu wiedział lepiej od innych, że te wybory zostaną przegrane i jakie będą tego konsekwencje. Nie wyczułem żadnych obaw ani u niego, ani u jego małżonki, bo przyjechali razem.

Wypełniałeś w Rzymie obowiązki radcy prasowego?
Tak.

Spotykałeś się z dziennikarzami?
Spotykałem się. Przez dwa czy trzy miesiące nauczyłem się w miarę dobrze włoskiego. Wziąłem sobie przed wyjazdem prywatne korepetycje, tak że gdy przyjechałem do Rzymu, to już znałem język na podstawowym poziomie. Przez pół roku pobytu nauczyłem się tyle, że mogłem się swobodnie porozumiewać. Spotykałem się z dziennikarzami, chodziłem na różne sympozja, czyli wszystko to, co robi radca prasowy. No i realizowałem swoje zadanie rezydenta.

Czyli zajmowałeś się Watykanem.
Wbrew pozorom placówka w Rzymie nie zajmowała się tylko Watykanem i Janem Pawłem II. Akurat w tym okresie to nimi najmniej się interesowała, bo już było po obiedzie. W tej rezydenturze główny wysiłek skupiał się na wywiadzie naukowo-technicznym, zwłaszcza dotyczącym farmaceutyki. We Włoszech stała ona na wysokim poziomie i jej poświęcaliśmy najwięcej pracy.

Miałeś poczucie, że w kraju trwa rewolucja, a ty jesteś na uboczu? Że za chwilę wygra opozycja i wypadniesz za burtę?
Miałem tego świadomość. Założyłem, że będę w Rzymie nie dłużej niż do 1990 roku. Oceniałem, że jak nowa ekipa obejmie władzę, to mnie odwołają z Rzymu i wyrzucą z roboty ze względu na działalność w Wydziale XI. I ku swojemu zdziwieniu dostałem w lipcu 1990 roku polecenie przyjazdu do Warszawy. Spotkałem się z Heniem Jasikiem, który był wtedy szefem wywiadu.

Ścięcie?
No właśnie niekoniecznie. Henio powiedział mi, że ściągnął mnie do kraju niejaki Bartłomiej Sienkiewicz. Powiedział, że to właśnie na jego polecenie zostałem wezwany i zaraz mam

do niego iść, bo on chce ze mną mówić. Poszedłem zatem po-rozmawiać z Sienkiewiczem, który był wtedy dyrektorem ga-binetu ministra Krzysztofa Kozłowskiego. Siedzieli dokładnie w tych samych pokojach, w których urzędował Pożoga, tak że łatwo trafiłem. Przyjął mnie naprzeciwko starego gabinetu Po-żogi. Jak usiedliśmy, to spytał: „Czy widzi pan siebie tutaj, panie pułkowniku, w nowej rzeczywistości, pracującego dla nas?". Ja mówię, jak ów ślepy koń na Wielkiej Pardubickiej, że nie widzę przeszkód. I pytam, czy on sobie zdaje sprawę, czym był Wy-dział XI i kim jestem ja, Aleksander Makowski, naczelnik tego wydziału. „No tak – odpowiedział – my to z grubsza ogarnia-my, obejmujemy, ale ja nie widzę żadnego problemu, żebyśmy ze sobą współpracowali. Jeśli pan nie ma nic przeciwko temu, poradzimy sobie". I umówiliśmy się za dwa, trzy dni na dalsze rozmowy, na jakiś przydział.

I co się stało, że cię wylali?
Chyba tego samego dnia zadzwoniła z Rzymu moja żona. Szy-frant ją poinformował, że przyszła wiadomość z Warszawy: zo-stałem negatywnie zweryfikowany i mam zacząć się pakować. Po tych dwóch, trzech dniach poszedłem znów do Sienkiewi-cza na umówioną rozmowę. Powiedziałem mu o wiadomości, którą dostałem, i dorzuciłem, że w tej sytuacji z naszej współ-pracy chyba będą nici. Sienkiewicz odrzekł, że to nie jest do końca zdecydowane. Wróciłem do Rzymu, tam się spakowa-łem i pod koniec września 1990 roku zjechałem do Warszawy.

Czy jeszcze się z tobą kontaktowali?
Przyjął mnie Andrzej Milczanowski. Wtedy się poznaliśmy. To była kurtuazyjna wizyta, bo kwestia negatywnej weryfikacji w moim przypadku się potwierdziła. Powiedziałem Milcza-nowskiemu, że gdybym miał robić to jeszcze raz, to robiłbym dokładnie tak samo. Chodziło o służbę w Wydziale XI. „Wiem, że pan tak musi powiedzieć" – odparł. No i się rozstaliśmy.

Ale chyba nie na zawsze?

Milczanowski w pewnym momencie chciał to odkręcić i przyjąć mnie z powrotem do służby, ale ustawa o weryfikacji była tak skonstruowana, że z prawnego punktu widzenia okazało się to niemożliwe.

A jak zapamiętałeś Sienkiewicza?

Młody człowiek, inteligentny. Tak musieli wyglądać rewolucjoniści w 1789 roku, w dobrym tego słowa znaczeniu. Pełen zapału, czujący za sobą powiew i siłę rewolucji. To była ciekawa rozmowa. Przede wszystkim wyróżniał się inteligencją, to uderzało od razu.

Myśleliśmy, że ta weryfikacja wyglądała jak w *Psach* i nie była zaoczna.

Była zaoczna, przed żadną komisją nie stawałem. Z tego, co wiem, Wiesiek Bednarz też.

A przez kogo zostaliście zweryfikowani? Znasz osoby, które cię negatywnie zweryfikowały?

Nie mam bladego pojęcia. Oczywiście całą odpowiedzialność wziął na siebie Milczanowski. Dwadzieścia lat później w pewnym artykule przepraszał za to, twierdząc, że negatywna weryfikacja Bednarza i moja była błędem. Zadzwoniłem do niego jakiś czas później, żeby mu podziękować. Nie miał takiego obowiązku ani nikt go do tego nie zmuszał, widocznie gdzieś mu to ciążyło. Ładny gest. Jeżeli chodzi o sam wywiad we Włoszech, to, jak wam wspominałem, w latach 1988–1989 było już wiadomo, że zaczyna się dogadywanie z opozycją i żadnych wielkich akcji, zwłaszcza skierowanych na Watykan, już nie będzie. Nikt z Warszawy nie miał zamiaru popychać takich tematów.

Otrzymaliście zakaz zajmowania się Watykanem?

Nie, ale nie było też żadnej zachęty, zapotrzebowania zgłaszanego z Warszawy. Rezydentura działa wtedy, gdy dostaje zlecenia od konkretnych wydziałów. Wydział informacyjny przekazuje, co chce wiedzieć, i na tej podstawie realizuje się zadania. Jeżeli nie ma zadań, to nie ma czego realizować.

Poczekaj. Z tego, co pamiętamy, rola Kościoła w tych rozmowach z opozycją była spora. To nie interesowało władzy?
Były oczywiście zlecenia informacyjne. W sensie jak Kościół widzi to albo tamto, ale to już nie był wywiad sensu stricto nastawiony na Watykan czy na Kościół. To było zbieranie opinii lub informacji. Na przykład czy Watykan reprezentuje w jakiejś sprawie podobne stanowisko jak Episkopat Polski? Czy są różnice, czy w tej sprawie Watykan popycha działania polskiego Kościoła, a w innej hamuje?

A czy ta część zadań związanych z Kościołem nie była realizowana poza rezydenturą przez nielegałów?
To już zupełnie inna bajka, z którą nie miałem nic wspólnego. Oczywiście wydział nielegalny, jak pokazała historia, miał tam swoich ludzi i myślę, że spełniał przede wszystkim właśnie tę funkcję informacyjną. W normalnym wywiadzie, czy chodziłoby o Watykan, czy o cokolwiek innego, typowałoby się ludzi do werbunku. Wtedy, w 1988 czy 1989 roku, takiej sytuacji już absolutnie nie było. Wszystko zostało podporządkowane idei Okrągłego Stołu.

Opowiedz, jak CIA próbowała podejść do ciebie w Rzymie.
Chodziło im o rozpoczęcie dialogu z polskim wywiadem. Zostałem wytypowany przez CIA, bo najlepiej znałem angielski i miałem, w ich odczuciu, amerykańską mentalność. Krótko mówiąc, ze mną miało im być najłatwiej się dogadać. Wyznaczyli do tej akcji człowieka po Harvardzie i planowali podejście, lecz doszli do wniosku, że kontrwywiad włoski za mocno mnie obstawia, i zrezygnowali. Uderzyli do naszego człowieka w Portugalii, ale on się przestraszył. Wrócili więc z koncepcją, żeby podejść jednak do mnie, i znowu nie mogli się zdecydować. Był w tym zabawny smaczek. Tę akcję na zlecenie centrali

CIA realizował ich wydział wschodni. Gdy oni tak wokół mnie krążyli, to ja już byłem od co najmniej roku w bieżącym kontakcie z pracownikiem CIA z ambasady w Rzymie. Prowadziliśmy sobie taki półotwarty dialog. Ja go trochę prowokowałem: a skąd on jest, czy z CIA, czy z wywiadu wojskowego? I wymienialiśmy różne uwagi na temat Watykanu, Polski i Ameryki. To było ciekawe, bo on przedtem był w Hamburgu i obsługiwał biuro Solidarności w Brukseli, o czym mi powiedział. Opowiadał na przykład, ile pieniędzy przekazywali dla tego biura.

Czyli ci ze wschodniego nie zorientowali się, że jesteś w kontakcie z gościem z innej komórki CIA?
CIA jest wielką instytucją, a w żadnym wywiadzie żaden wydział nie pokazuje swoich kart. W sumie się nie dziwię, że jedni nie wiedzieli o tym, że drudzy są w kontakcie ze mną. Przez tego faceta można było całe to podejście załatwić w pięć sekund.

A oni w końcu do ciebie podeszli?
W ogóle nie podeszli. Wrócili do tego gościa w Portugalii.

Ale on się przecież przestraszył, tak?
Za drugim razem już nie. Posłał depeszę do centrali, centrala oczywiście się na to rzuciła. Dosłali kogoś do tej Portugalii i zaczęli dialog z CIA.

A o co tym Amerykanom chodziło? Jaka była ich agenda?
Agenda była taka, żeby wybadać, czy można już z Polakami gadać i przeciągać ich na swoją stronę, to znaczy cały wywiad. Czy jeśli w Polsce zajdą zmiany, a wiadomo było, że to nastąpi, nasz wywiad będzie gotów współpracować z Amerykanami. Oni oczywiście mieli swoje rozeznanie wywiadowcze. I to rozeznanie im mówiło, że z Polakami warto taki dialog podjąć, bo przecież tak z czapy by nie podchodzili. Widocznie ustalili wcześniej, że nastroje w polskim wywiadzie są dla nich

korzystne: gdy przyjdzie nowy Wielki Brat, będziemy z nim współpracować.

To było przed Okrągłym Stołem?
W trakcie, w 1989 roku.

I przeniosło się potem jakoś wyżej?
Tak, ta inicjatywa portugalska rozpoczęła już dialog wywiadowczy pomiędzy CIA a wywiadem polskim. Jak tylko nastała nowa władza, Amerykanie zaczęli rozmawiać z ludźmi, którzy stanęli na czele służb.

A jak wyglądały twoje relacje z Romanem Oziębałą w Rzymie?
Super. On był wtedy attaché wojskowym, a w tamtym układzie attaché wojskowy był jednocześnie rezydentem wywiadu wojskowego. Akurat tak się składało, że sąsiadowaliśmy ze sobą przez ścianę. I naprawdę się przyjaźniliśmy. Dyskutowaliśmy. Czasami wódeczkę wypiliśmy. Tak więc były to wręcz modelowe stosunki, co się rzadko trafiało, bo na ogół rezydent wojskowy i rezydent cywilny żyli ze sobą jak pies z kotem. Czasami bywało tak źle, że centrale musiały to załatwiać między sobą.

A co się stało, że tam wyglądało to lepiej?
Widocznie trafili się dwaj w miarę rozsądni ludzie. Nie miałem z nim żadnej kłótni. To był sympatyczny, mądry człowiek i nie było pola konfliktu.

Kiedy odbyło się to spotkanie z Sienkiewiczem w MSW?
W lipcu 1990 roku. Kiedy Kozłowski zainstalował się jako minister, resort praktycznie przeszedł pod zarząd nowej władzy i trwała weryfikacja.

A ty głosowałeś w wyborach 1989 roku?
No pewnie, w ambasadzie.

Pamiętasz, jaki był tam wynik?
To były tajne wybory.

Ale wynik nie był tajny
Nie mam pojęcia, jaki był wynik.

Ale pamiętasz, że głosowałeś na Solidarność!
Absolutnie *(śmiech)*.

Kiedy się okazało, że zostałeś negatywnie zweryfikowany, to ktoś się za tobą wstawił?
Nie, wracam do Rzymu, pakuję się, bo razem z negatywną weryfikacją przyszło odwołanie, i pod koniec września 1990 roku przybywam do Polski. Tyle.

A zajrzałeś jeszcze do resortu?
Tak, żeby się rozliczyć. Do kadr.

Jak to wyglądało?
Przyszedłem do działu kadr, gdzie akurat rządziła taka sympatyczna dziewczyna, którą znałem. Ona była wcześniej przez wiele lat w sekretariacie dyrektorów. Pogadaliśmy sobie, załatwiliśmy sprawy papierkowe i adieu. Wyszedłem z budynku, oddałem legitymację.

Przy bramie?
Nie, odprowadzono mnie do bramy i adieu.

Czyli prostą drogą do kadr i z kadr do bramy, tak? Nie zrobiłeś sobie obchodu po kolegach?
Nie.

A w budynku rządzili już nowi panowie.
Tak. Desant krakowski, jak to nazywałem. Z ministrem Kozłowskim przyszli wszyscy ludzie, którzy później tymi służbami zawiadywali, czyli Konstanty Miodowicz, Wojciech Brochwicz, właśnie Sienkiewicz, nie pamiętam, czy Maciej Hunia też był w pierwszym rzucie. Ale oni praktycznie wszyscy poszli do kontrwywiadu. Do wywiadu chyba nikt nie trafił.

A dlaczego poszli do kontrwywiadu, a nie do wywiadu?
Mogę tylko spekulować, że nie znali języków i mieli jedynie doświadczenie konspiracyjne, które łatwiej można było spożytkować w kontrwywiadzie. Tak to mogę tłumaczyć. Wywiad jest bardzo specyficzną strukturą. Jeżeli chcesz realizować zadania, to przede wszystkim musisz znać język, znać zagranicę.

Czyli na początku wywiad został nieruszony, tak?
Nie do końca. Były dwie negatywne weryfikacje – moja i Bednarza. Ale było też kilkaset takich sytuacji, że ludzie pozytywnie przechodzili weryfikację, a nie przyjmowano ich do pracy. W zasadzie ustalono taki podział, że ci, co są w kraju, zostaną pozytywnie zweryfikowani i przyjęci. A ci, co są za granicą, zostaną pozytywnie zweryfikowani i nieprzyjęci. Potem część z nich złożyła raport o przyjęcie i dostała robotę. Ale wiele osób zrezygnowało z dalszych starań i poszło sobie żyć innym życiem.

A jak to wyglądało procentowo? Ile osób odeszło wtedy z wywiadu?
Nie chcę strzelać. Nie mam pojęcia.

A ty blisko kolegowałeś się z Bednarzem?
Powołałem go na swojego zastępcę w Wydziale XI. Znaliśmy się towarzysko. Byliśmy przyjaciółmi.

Żaden z waszych kumpli, z którymi pracowaliście lub których znaliście ze szkoły, nie próbował się wstawiać za wami u Kozłowskiego czy Milczanowskiego?
Była w czasie weryfikacji grupa, która lobbowała za mną. W wyniku tego życzliwego lobbingu kolegów zostałem ściągnięty w lipcu do Polski i doszło do mojej rozmowy z Sienkiewiczem. Tak zakładam. Ale z chwilą negatywnej weryfikacji nie było już o czym mówić. To przecież organizacja paramilitarna, stopnie wojskowe. Co mieli robić? Taka decyzja i koniec. Żadne lobbingi nic tu nie pomogą.

A mieliście jakieś pożegnanie?
Nie.

Nie zrobiłeś imprezy?
No, gdzie?

Nie wiemy, może na działkach, tam, gdzie paliliście dokumenty?
Nie. Jako negatywnie zweryfikowany nie byłem wtedy osobą najbardziej popularną.

Czyli mogłeś zrobić imprezę i bylibyście na niej we dwóch z Bednarzem.
Bednarz był wtedy w Stanach Zjednoczonych. Został negatywnie zweryfikowany i był na placówce jeszcze przez rok.

Jak to?
Nie odwołali go.

Przez bałagan?
Nie. Zdarzają się takie przypadki. Trudno jest mi tutaj spekulować, dlaczego tak się stało.

A Bednarz wiedział, że go negatywnie zweryfikowano?
Wiedział, bo kwit dostał.

Może ty w Rzymie też nie musiałeś się pakować?!
Nie dlatego się spakowałem, że się obraziłem za negatywną weryfikację, tylko dlatego, że MSZ było łaskawe mnie odwołać.

16
Biznes

Sprzedawca kas – Marzenia o telewizji – Operacja „Kontener" – Handel bronią

I co? Zostałeś młodym emerytem.
Otrzymałem odprawę i zostałem młodym emerytem. I spiknąłem się ze swoim przyjacielem Rudolfem Skowrońskim, który zjawił się dosłownie następnego dnia i zaproponował mi pracę w Inter Commerce. Za całe tysiąc dolarów. To była całkiem niezła stawka na tamte czasy.

A kim był Rudolf Skowroński? To było twoje źródło? Informator?
Znaliśmy się towarzysko.

Co Rudolf miał ci do zaproponowania? Sprzedaż kas sklepowych? Czym ty miałeś się u niego zajmować?
Patrząc z perspektywy lat, myślę, że w dużej mierze był to piękny gest z jego strony. Umówmy się, że w 1990 roku byłem mu w firmie potrzebny jak zającowi dzwonek. Nie byłem żadnym biznesowym guru. Biznesu to się nauczyłem u Skowrońskiego przez pierwsze dwa lata.

To była samowolka, a ty miałeś mnóstwo znajomości. To był twój atut.
Wtedy krążyły różne układy, znałem różne osoby. Byłem takim jego doradcą od spraw rozmaitych. Poza tym uważam, że mnie lubił, i tyle.

235 -

A miałeś jakąś działkę u niego w firmie?
Byłem doradcą zarządu. Zadania? Pozyskiwanie nieruchomości, organizowanie hipermarketów, bo w to weszliśmy. Nabywanie budynków, głównie po Społem, które się rozpadało. Co jeszcze? Pilnowanie ludzi, których on rekrutował. I ich ocena, bo zatrudniał dużo pracowników, między innymi ze Społem. Trzeba więc było im się przyjrzeć, wystawić oceny. Stworzyć sieć zaufanych, którzy będą ci mówić, kto ile kradnie.

Byliśmy tam wtedy u niego, zdaje się w 1994 roku.
Przy Marsa w Warszawie?

Nie, to była taka wielka hala na kompletnym odludziu...
...to już we Włoszech. Wynajęliśmy ją w 1992 roku. To była ogromna hala – dwadzieścia tysięcy metrów kwadratowych. Dzierżawiona od jakiejś spółdzielni ogrodniczej. Na środku była góra na wpół zgniłych ziemniaków, na wysokość siedmiu metrów. Ale z czasem to wszystko zostało zagospodarowane i w 1995 roku Inter Commerce miał już kilkaset milionów obrotów, tak że była to spora firma. Zbudowaliśmy sieć filii na Wschodzie. W Moskwie, Sankt Petersburgu, Kijowie funkcjonowały filie Inter Commerce i wyposażenie sklepowe szło tam jak woda. Były kontrakty, które realizowaliśmy na Syberii, w wielkich spółkach wydobywczych ropy, aluminium, niklu, gazu. Bywały kontrakty na milion deutsche marek.

A czego dotyczyły?
Na przykład spółka wydobywająca nikiel zażyczyła sobie, żeby zorganizować jej sieć dziesięciu hipermarketów i wyposażyć je.

Jeździłeś do Rosji?
Regularnie. Głównie do Moskwy i Petersburga.

To były ciekawe czasy na robienie interesów w Rosji. Trochę bandyckie.
Bandyckie, dlatego trzeba się było przed bandytami pilnować. Różne typki przychodziły do Inter Commerce po działkę,

więc w końcu najęliśmy firmę ochroniarską złożoną z byłych kagebowców i milicjantów i zrobił się porządek. Oni oczywiście brali swoją opłatę, ale bandyci nagle przestali do nas przychodzić.

Ty się dogadywałeś z tymi ochroniarzami?
Między innymi ja.

Co to za ludzie byli? Pamiętasz nazwy tej firmy?
Nie, nie pamiętam.

W Polsce na początku lat dziewięćdziesiątych Inter Commerce kojarzył się głównie z kasami i wagami. Była taka prаśna reklama z górnikiem w sklepie, pamiętasz?
Pamiętam. Kasy i wagi elektroniczne to był przewodni towar firmy. Oczywiście sklepy broniły się przed nimi rękami i nogami, bo ten nowy sprzęt nie pozwalał im oszukiwać. Wcześniej ekspedientka nie doważyła kilku gramów szynki, kilku deka sera. A teraz klient widział, ile jest towaru. Branża spożywcza sabotowała więc te elektroniczne kasy i wagi, tak jak w czasach rewolucji przemysłowej brytyjscy robotnicy protestowali przeciw maszynom.

Skowroński w połowie lat dziewięćdziesiątych chciał wejść w biznes telewizyjny. Wtedy rozdzielano koncesje. Opowiedz o tym epizodzie.
To nie była telewizja, którą chciał robić Rudolf, to była telewizja, którą chciał robić Nicola Grauso. Otóż kolega Grauso wszedł do Polski, wykupując „Życie Warszawy". Przede wszystkim jednak chciał stworzyć prywatną stację telewizyjną. Na początku był na audiencji u premiera Mazowieckiego i z tego, co rozumiem, postawiono mu warunek: proszę wykupić „Życie Warszawy", zrobić z niego gazetę z prawdziwego zdarzenia, zacząć sobie budować sieć telewizyjną w Polsce, a w odpowiednim momencie zostanie panu przydzielany kanał ogólnokrajowy. I on wszedł w to „Życie Warszawy".

Ale proces koncesyjny wygrał Solorz i jego Polsat, a nie Grauso i Polonia 1. Grauso się wkurzył i wycofał z Polski.
Tak właśnie się stało.

A kim był Grauso?
Przyjacielem Berlusconiego. Z tej samej grupy.

Był więc taką wypustką Berlusconiego?
Nie, myślę, że raczej jego partnerem, może pomniejszym, ale partnerem. Grauso uważał, że Rudolf, Inter Commerce i jeszcze paru polskich biznesmenów jest w stanie mu pomóc w zdobyciu tej koncesji. Warunek przetargowy był bowiem taki, że w 33 procentach muszą to być polscy udziałowcy. Dlatego była cała akcja Grauso ze Skowrońskim i innymi dużymi nazwiskami, zmierzająca do stworzenia takiego akcjonariatu.

Ten polski akcjonariat był ciekawy – od Mieczysława Rakowskiego do Beaty Tyszkiewicz...
No, różne nazwiska tam się pojawiały.

Janina Chim i Grzegorz Żemek znani z FOZZ...
Jeszcze nie siedzieli, chyba. No, różni ludzie.

Jacek Merkel.
Bo znali się ze Skowrońskim.

A ty byłeś udziałowcem?
Były sprzedawane udziały za jakąś niewielką kwotę.

Kupiłeś?
Tak. Ale to wszystko nie wypaliło. Grauso miał gotowe instrumentarium, ta telewizja przecież chodziła. I nieoficjalne przyrzeczenie, że dostanie koncesję. Tymczasem dostał ją kolega Solorz, który miał różne biznesy, ale jeśli idzie o telewizję, to był mocno początkujący. Oczywiście z Grauso lataliśmy jego prywatnym samolotem na Sardynię. On miał tam willę, odbywaliśmy różne spotkania. Było to miłe, sympatyczne.

Tomasz Wołek, który był wtedy naczelnym „Życia Warszawy", latał z wami?

Nie. Wołka nie poznałem przy tej okazji. Mogę sobie wyobrazić, że dla redaktora Wołka to było tak samo wkurzające rozstrzygnięcie jak dla nas. Gdyby Grauso wygrał koncesję, Wołek zostałby pewnie szefem czy jednym z szefów telewizji ogólnokrajowej.

Dlaczego twoim zdaniem Grauso przegrał?

Bo Solorz wygrał! Myślę, że Solorz był znacznie lepiej wprowadzony w tajniki przetargowe i dyskontował to, że Polsat jest firmą polską w 100 procentach.

Pomagaliście Nicoli Grauso lobbować wśród polskich władz?

No tak, obskoczyliśmy to, co się dało obskoczyć.

I co? Miałeś wrażenie, że i tak jest pozamiatane, bo Solorz ma wygrać?

Miałem wrażenie, że Solorz był znacznie bardziej efektywny.

Że lepiej lobbował?

Tak jest. Myślę, że bezpieczniej było dać koncesję polskiej firmie niż Włochowi z Sardynii.

W czasie procesu koncesyjnego pojawiały się bardzo dziwne informacje na temat Solorza, jego przeszłości.

Na temat Grauso też. Sardynia, Włochy, domniemania: skąd kasa?

Była jeszcze polityka. Solorza nie chciał obóz prezydencki, czyli Wałęsa i jego otoczenie. Czy mieliście jakieś wejścia u Wałęsy?

Myślę, że obóz Wałęsy do tego przetargu nie przykładał specjalnej wagi.

A kto przykładał?

Solorz! Pamiętajcie, że wtedy o przetargu decydowała…

…Krajowa Rada Radiofonii i Telewizji. Markiewicz, Iłowiecki…
I kilku członków tej rady zatrudniono potem w Polsacie. Oczywiście o niczym to nie świadczy, ale tak było. To fakt.

Wspomniałeś przed chwilą, że Rudolf i Merkel się znali. Skąd?
Nie wiem, gdzie się poznali.

A dlaczego Grauso postawił na Rudolfa Skowrońskiego?
Wydaje mi się, że to Rudolf dotarł przez jakiś łańcuszek ludzi do Grauso. A że był złotousty, zaproponował mu, by na budowanej przezeń strukturze oparł polską część akcjonariatu Polonii 1. Rudolf doskonale wiedział, że w tym przetargu Grauso musi mieć polską nóżkę.

Dobieranie takich ludzi jak Żemek było wizerunkowym samobójstwem!
No dobra, ale na tamtym etapie nie było pełnej oceny tych osób. Każdy popełnia błędy. Ta akcja była dosyć szybka, bo zbliżał się termin przetargu, a tu trzeba było mieć polski akcjonariat.

Opowiedz o tych pierwszych latach praśnego kapitalizmu. Masz jakieś obrazy w głowie? Buty z frędzlami, goście w białych skarpetkach, nesesery, pierwsze samochody sprowadzane z Niemiec. Rudolf chyba miał trochę takiego sznytu, nie?
Rudolf na początku jeździł volvo. Dużym kombi. Siedzieliśmy na ulicy Marsa w Warszawie, bo tam były biura Inter Commerce.

On robił interesy już w latach osiemdziesiątych.
Jeszcze w PRL. Miał firmę Helios, która zajmowała się drukowaniem różnych rzeczy. Pod koniec dekady uruchomił duży interes z telewizorami Samsunga.

Ludzie się zapisywali na te telewizory!
Sprowadzał dziesiątki tysięcy telewizorów i sprzedawał w Polsce. Na zapisy, bo zainteresowanie było gigantyczne. Nie bra-

łem w tym udziału, ale to była duża operacja. Żeby ściągać ten sprzęt, otworzył biuro w Berlinie, a w pewnym momencie także w Londynie. Tak zdobył kasę na rozruch. Zawsze zaprzątało mu myśli wyposażenie sklepowe, bo uważał, że to jest dobry biznes. Słusznie przewidywał, że wraz z kapitalizmem przyjdą sklepy, butiki, hipermarkety, czyli normalny handel. Potem były kasy sklepowe, na które w 1991 i 1992 roku były zapisy jak w PRL.

Jak Skowroński to finansował? Skąd brał pieniądze, żeby kupować tyle sprzętu?
Oczywiście na pewnym etapie nie dało się uniknąć pożyczek. Niemcy na przykład na początku współpracy domagali się 100-procentowych przedpłat. Trzeba było wyłożyć, dajmy na to, milion deutsche marek. Na tyle mocni jeszcze nie byliśmy, żeby wyjąć to z kieszeni. I Inter Commerce zaciągał kredyty w polskich bankach. Przy czym Rudolf był na tyle przewidujący, że nie brał pożyczek w złotówkach, tylko w dolarach. Ci, którzy brali w złotówkach…

…przez inflację wpadali w spiralę zadłużenia.
No właśnie, a dolar wciąż trzymał się mocno, więc Rudolf uniknął tego problemu.

Szybko zacząłeś zarabiać u Rudolfa więcej niż te tysiąc dolarów?
Nie. Przez długi okres zarabiałem tyle samo.

Ale wszedłeś do zarządów paru spółek?
Byłem w kilku zarządach. Oczywiście w pewnym momencie to uposażenie zaczęło rosnąć, ale nie do jakichś bajońskich sum. Rudolf miał taką strategię, że zarobione pieniądze pakował w rozwój, w inwestycje na terenie Polski i Rosji. Z miesiąca na miesiąc przybywało towaru. Zwiększały się kredyty i zakupy. To był czas gwałtownego wzrostu. Przy czym Rudolf nie przepłacał podwładnych.

A sam jak żył?

Też nie brylował, w sensie jakiegoś ekstrawaganckiego życia. Na początku lat dziewięćdziesiątych korzystał z wynajmowanego mieszkania. Dopiero po kilku latach kupił sobie dom na Saskiej Kępie. Jeździł zachodnimi samochodami, ale to nie były jakieś niezwykłe bryki. Pierwszą luksusową marką, na jaką sobie pozwolił, był Jaguar, ale to się stało dopiero w 1993 czy 1994 roku. Generalnie pchał pieniądze w rozwój firmy.

A tym łącznikiem między Grauso a Skowrońskim nie był przypadkiem mecenas Robert Smoktunowicz?

Absolutnie tak. Macie rację. Robert znał włoski, reprezentował kilka włoskich firm, a jednocześnie Inter Commerce korzystał z obsługi jego kancelarii. To był ten styk.

W późniejszym okresie, pod koniec lat dziewięćdziesiątych, Skowroński załatwiał dużym sieciom handlowym atrakcyjne lokalizacje pod supermarkety, często w centrach miast.

Tak było.

Tego rodzaju działalność musiała się wiązać z korupcją. Czy on tak działał na początku lat dziewięćdziesiątych, czy nie? Czy to się łączyło z jakąś półlegalnością?

I tak, i nie. W biznesie lat dziewięćdziesiątych wszyscy wystawiali łapy, jak w PRL, choć nieco inaczej. Tych łap było znacznie więcej, bo też znacznie więcej krążyło pieniędzy. Część urzędników po prostu uważała, że biznesmeni sami je sobie drukują. Na pewno nie brakowało sytuacji, gdy trzeba było posmarować.

Ten pierwszy okres dzikiego kapitalizmu to także mafia, strzelaniny, bomby, porachunki, haracze. Zetknęliście się z tym?

Do nas nie przychodzili. Rudolf w różnych miejscach upowszechniał informację, że mnie zatrudnia. Miało to, jak sądzę, służyć jakiejś, nazwijmy to, prewencji. Z mafią nigdy nie mieliśmy problemu. Poza tym pracowało u nas kilka osób z byłej grupy milicyjnej Edwarda Misztala.

Antyterror milicyjny, okryty złą sławą w PRL.

Przyprowadziłem ich do Rudolfa, bo Rudolf chciał mieć takich ludzi. I dwóch, trzech pracowało u nas. Mafię znali doskonale, i vice versa, tak że stanowili zabezpieczenie. Mieli broń, wiedzieli, jak jej używać, znali półświatek i służyli za ochronę. Jak już Rudolf miał tego jaguara, to jeździł z kierowcą. Nie dlatego, że go to rajcowało, tylko dlatego, że...

...lubił wypić.

No, fakt, ale chodziło też o parkowanie i różne tam takie. To oszczędzało kupę czasu. Jego kierowcą i ochroniarzem był człowiek od Misztala.

A ty znałeś Edwarda Misztala?

Nie, ja go nigdy nie poznałem, natomiast jego ludzi – owszem.

Działasz sobie w tym biznesie, ale wywiad o tobie nie zapomina. Kiedy się do ciebie zgłaszają?

Centrala zgłosiła się w 1992 roku.

Jak to wyglądało?

Pozostawałem w przyjacielskich kontaktach z Czempińskim, który wtedy był chyba wiceszefem Zarządu Wywiadu UOP, a może nawet szefem. I pewnego dnia do UOP zgłosił się wywiad brytyjski. Chodziło o zorganizowanie akcji wymierzonej w terrorystów irlandzkich. I chcieli mieć z wywiadu polskiego jakiegoś faceta, który by dla nich odegrał wyznaczoną rolę.

I co? Wskazali na ciebie?

Nie wiem, czy mnie wskazali, czy podpowiedzieli moją kandydaturę. Niewykluczone, że dali jakąś charakterystykę i Gromkowi zapewne podpasowało, że to mogę być ja. Zapytał, czy mam ochotę to robić. Oczywiście, że miałem. Poznałem ludzi z naszego wywiadu, którzy prowadzili sprawę. Oni zaprosili Anglików, stworzyliśmy grupę roboczą i zaczęliśmy akcję realizować.

To byli nowi ludzie, ci z naszego wywiadu?
Szefem tej grupy ze strony polskiej był człowiek, którego znałem, mój niegdysiejszy podwładny. Natomiast nową osobą była dziewczyna, która przyszła po 1990 roku. Dopiero się uczyła, była młodym pracownikiem. Potem wyrosła na jedną z ważniejszych osób w Zarządzie Wywiadu UOP i teraz w Agencji Wywiadu.

Dlaczego Czempiński sięgnął po ciebie? Przecież w wywiadzie były pewnie zastępy ludzi?
To miała być robota pod przykryciem, nie wiadomo było, jak długo będzie trwała. Widocznie i Anglicy, i Gromek chcieli mieć kogoś z doświadczeniem i znajomością języka. Kogoś, kto w tego typu akcjach – nazwijmy to: na ulicy – brał udział.

Podpisałeś jakiś kwit?
Nigdy, współpracując z wywiadem, nie podpisałem kwitu. Na pewno.

Po co to robiłeś?
Bo to lubię.

A gdyby cię na przykład postrzelili albo porwali?
Nie brałem tego pod uwagę. Jeżeli jesteście rasowymi dziennikarzami i macie propozycję zrobienia świetnego reportażu, który może się wiązać z jakimś niebezpieczeństwem, to co mówicie? Mówicie: tak.

Umówiłeś się na kasę?
Nie chciałem brać pieniędzy od wywiadu. O kasie nie było mowy. To było dla mnie ciekawe zawodowo.

A Rudolf wiedział?
Nie. To nie była jego brocha.

No tak, ale pracowałeś dla niego.

Tu nie było potrzeby niczego Rudolfowi tłumaczyć, więc nie tłumaczyłem.

Udawałeś w tej operacji handlarza bronią, który ma do zaoferowania towar terrorystom z Ulsteru.

Tak. I ci Irlandczycy przekazali mi w Genewie dwieście tysięcy dolarów jako przedpłatę za kontener z bronią.

Ale tak od razu ci tej kasy nie dali!

No pewnie, że nie. Najpierw byli w Polsce. Dokonali inspekcji tego kontenera. Moją „bandycką" obstawę stanowili wtedy żołnierze GROM-u. Namówiłem Gromka Czempińskiego, żeby to realizowali ludzie Sławka Petelickiego, bo to byłaby ich pierwsza akcja z prawdziwymi terrorystami. Zostali więc moimi kierowcami, wykładali towar, ochraniali to miejsce za Warszawą, gdzie towar był prezentowany Irlandczykom. Robili, powiedzmy, za bandę.

GROM przebrany za bandę. Dobre.

Jeden z zastępców Sławka Petelickiego był moim kierowcą. Zabraliśmy dwóch Irlandczyków za miasto w odludne miejsce, żeby pokazać im towar. Tam już wszystko było przygotowane. Na samochodzie ciężarowym, zakryte plandeką.

Co pod plandeką?

Pistolety, granaty, pistolety maszynowe, wszystko, czego sobie zażyczyli. Dokonali inspekcji. Powiedziałem im, że jeżeli chcą, by kontener wypłynął z Polski na Wyspy Brytyjskie, to muszą dokonać przedpłaty w wysokości dwustu tysięcy dolarów. Umówiliśmy się na przekazanie pieniędzy w Genewie. Oczywiście do Szwajcarii pojechałem to realizować z Anglikami.

Miałeś lewe papiery?

Jasne. Z Irlandczykami utrzymywałem łączność telefoniczną. No i spotkaliśmy się, przejąłem pieniądze, przejrzałem, czy z grubsza się zgadza… wypłata była w funtach brytyjskich…

wypiliśmy piwo i wyszedłem. Posprawdzałem, czy nie mam jakiegoś ogona, bo byłem umówiony gdzieś w Genewie z angielskim oficerem, który to prowadził. Jak mnie zobaczył z teczką w ręku, już wiedział, że wszystko jest okej. Dla nich to była duża sprawa, cała rezydentura brytyjska w niej uczestniczyła. Moja trasa sprawdzeniowa po spotkaniu z Irlandczykami była z grubsza ustalona, tak że oni wiedzieli, jak będę szedł. Założyli punkty zakryte kontrobserwacji, żeby dodatkowo ustalić, czy nie jestem śledzony. Anglicy wzięli ode mnie neseser z kasą i jeszcze tego samego wieczoru, we Francji, zaprosili mnie na superobiad w jakiejś obłędnej knajpie. Wszyscy mi dziękowali, byli zadowoleni.

Brytole zabrali kasę?
Te dwieście tysięcy dolarów dali polskiemu wywiadowi. Potem przyjechali do Warszawy większą ekipą. Wynajęli najlepszy apartament w Marriotcie i dla wszystkich uczestników operacji urządzili popijawę. To była spora operacja. Trwała w sumie dwa lata.

Ile?
Dwa lata. Najpierw zarzucono przynętę, ktoś ją musiał złowić. Złowili ci, z którymi zacząłem się spotykać. To trochę trwało. Trwało też uwiarygodnianie mnie jako handlarza bronią z Europy Wschodniej. O części działań, które wywiad brytyjski realizował wokół tej operacji, w ogóle nie miałem pojęcia.

Nasi ci podziękowali?
Andrzej Milczanowski, bo on był wtedy szefem UOP, zrobił po tej akcji odprawę i wszystkim podziękował.

W resorcie?
Tak, mnie oczywiście też zaprosił.

Musiałeś pokazać dowód na bramce?
Nie, wprowadzili mnie bez konieczności pokazywania dowodu.

Ilu Irlandczyków zatrzymano podczas tej operacji?
Nikogo nie zatrzymano.

Jak to?
Sytuacja była taka, że oni wpłacili pieniądze. Ja im powiedziałem, kiedy mniej więcej kontener wyjdzie z Polski. Oni podali mi adres, na jaki towar ma przybyć. Był to port kontenerowy, jeśli dobrze pamiętam, w Belfaście. No i oni się rozpłynęli.

Chyba Brytole się przestraszyli, że stracą kontrolę nad kontenerem z bronią, i przerwali grę?
Kontener wypłynął z Polski na statku „Inowrocław". I Anglicy doszli do wniosku, że nie poradzą sobie w porcie, gdzie są dziesiątki tysięcy kontenerów. Ocenili, że tam po prostu rządzi grupa portowa, która jest zinfiltrowana przez terrorystów. Dlatego dokonali zatrzymania broni w taki sposób, aby było głośno, pewnie i bezpiecznie.

To, co udało się zebrać w Polsce i w Genewie, nie stanowiło wystarczających dowodów przeciw konkretnym ludziom?
Dalsze działania służb brytyjskich to już nie był temat dla mnie.

Powiedz, czy przy okazji tej sprawy stanęła kwestia twojego ewentualnego powrotu do wywiadu?
Sprawa powrotu do czynnej służby pojawiła się już wcześniej, ale, jak już mówiłem, w świetle ustawy nie było możliwości przywrócenia do pracy negatywnie zweryfikowanego. Rozmawiałem z Milczanowskim ze dwa czy trzy razy. Chciał, bym wrócił, ale nie było na to szansy.

Nie mogłeś wrócić, ale też nie zagrzałeś miejsca przy Skowrońskim. Chyba w połowie lat dziewięćdziesiątych przeszedłeś do branży handlu bronią.
Odszedłem z Inter Commerce w 1995 roku. Pożegnałem się z Rudolfem, bo handlowanie rakietami wydawało mi się ciekawsze niż…

...kasami.

Kasami fiskalnymi i wyposażeniem sklepów. I tak trafiłem do spółki Impart, która istnieje do dzisiaj. Jest oficjalnym przedstawicielem w Polsce izraelskiej firmy Rafael.

Koncernu państwowego, który specjalizuje się w produkcji rakiet. Kto grał pierwsze skrzypce w Imparcie?
Michael Bull, dosyć znany człowiek w branży. Polski Żyd, który wyjechał stąd w latach pięćdziesiątych i osiedlił się najpierw w Izraelu, a później w Londynie, gdzie mieszka na stałe. On się dogadał z Rafaelem i został ich reprezentantem w Polsce.

Jak trafiłeś na Bulla?
Po 1990 roku poznałem się z nim w Londynie przez wspólnego znajomego.

Petelicki chyba z nim pracował.
Nie.

Nie?
Nigdy. Oni się znali, ale nigdy nie pracowali razem.

Jaki temat był na tapecie, gdy szedłeś do Impartu? Pewnie śmigłowiec Huzar?
Tak, rzecz dotyczyła tego śmigłowca i uzbrojenia go w rakiety przeciwpancerne. Było dwóch dużych graczy – Lockheed Martin ze strony amerykańskiej i Rafael z izraelskiej. Ten ostatni proponował rakietę NT-D. To była rakieta przeciwpancerna o zasięgu sześciu kilometrów, odpalana z helikoptera i sterowana światłowodem. Byłem w zakładach Rafaela i widziałem, jak to działa. Jest szpula, na którą ten światłowód jest nawleczony. Gdy rakieta odpala, zaczyna go za sobą ciągnąć niczym żyłkę wędkarską. To wszystko jest oczywiście sprzężone z komputerem. W głowicy rakiety jest kamera i wszystko widzisz na monitorze. Im bliżej celu, tym wyraźniej.

I możesz sterować tą rakietą, tak?

Tak, za pomocą joysticka. Jak już rakieta „widzi" cel, to kamera go uwiecznia. Możesz odciąć światłowód i rakieta pójdzie za tym celem. Oczywiście można nią sterować za pomocą światłowodu aż do uderzenia. Wyobraźmy sobie na przykład, że na polu walki wybraliśmy jako cel czołg, ale na trzy sekundy przed uderzeniem nagle widzimy, że pojawił się wóz dowódcy. Wtedy możemy przekierować tę rakietę. Kiedy przyjechali do nas goście z Rafaela i tłumaczyli tę technologię, to nasi wojskowi dyskretnie pukali się w czoło. Komentowali, że to jakieś bajki.

Ale rozumiemy, że potem obejrzeli to wraz z tobą na poligonie?
Tak, byliśmy na poligonie na pustyni Negew. Cała nasza delegacja siedziała na stanowisku dowodzenia przed wielkim monitorem. Widzieliśmy dokładnie to, co miał na swoim ekranie pilot śmigłowca. Lot tej rakiety i uderzenie w cel. Czołg wobec takiej broni jest praktycznie bez szans. Tym bardziej że to nie była rakieta na podczerwień. Z taką łatwiej jest sobie poradzić. Załoga w czołgu ma urządzenia, które pokazują: uwaga, maszyna jest namierzona rakietą na podczerwień.

I wtedy są wyrzucane flary.
Tak, i rakieta sunie za flarą, bo ta jest cieplejsza niż silnik czołgu. Taką rakietę na podczerwień, Hellfire, proponowali właśnie Amerykanie z koncernu Lockheed Martin.

Kto był w tej delegacji, która poleciała do Izraela?
Pracownicy MON tudzież wojskowi i osoby wytypowane przez MON z różnych okołowojskowych instytutów naukowych.

Ale projekt skończył się klapą.
Huzar to był projekt, którego podstawą był polski śmigłowiec Sokół. Miał on być opancerzony i wyposażony w izraelskie rakiety. Problem polegał na tym, że ten Huzar byłby o połowę tańszy od amerykańskiej Cobry. I Amerykanie, bojąc się konkurencji, storpedowali ten pomysł. W 1997 roku, rzutem

na taśmę, odchodzący już rząd SLD klepnął ten przetarg, ale przyszedł rząd AWS i sprawę zatrzymał.

Minister Wiesław Kaczmarek podpisywał to, gdy rząd SLD był już w stanie dymisji.
Tak, ale gdyby ten projekt został zrealizowany, mielibyśmy świetny polski produkt zbrojeniowy – zmilitaryzowanego Sokoła z rakietami NT-D.

A co miał do tego Lockheed Martin?
Był konkurentem. Oni oferowali rakietę Hellfire, sterowaną na podczerwień. Ale to była stara rakieta. Technologia nie była tak skuteczna jak ta izraelska.

Dzięki tej robocie zobaczyłeś, jak się robi interesy z instytucjami państwowymi.
I doszedłem do wniosku, że już nigdy więcej nie chcę brać udziału w przetargach zbrojeniowych. Bez przerwy zmieniały się specyfikacje zamawiającego. Wtedy ci nasi urzędnicy z MON i wojskowi byli niedouczeni. Nie znali angielskiego, nie mogli czytać literatury fachowej, która jest głównie w tym języku. Na dodatek przedstawiciele nowego Wielkiego Brata, czyli Amerykanie, mieli w Warszawie bardzo mocne przełożenia. Twierdzili oczywiście, że izraelska rakieta jest do kitu, choć sami wtedy negocjowali jej kupno.

Z tego, co pamiętamy, główny argument przeciw izraelskiej rakiecie był taki, że nie została sprawdzona w warunkach bojowych i że była dopiero w fazie testów.
Dużo sprzętu nie miało okazji sprawdzić się w warunkach bojowych, ale sprawdziło się na poligonie i nie ma z tym problemu. Opowiadano na przykład, że ta rakieta zawiedzie w warunkach polskiej zimy. Tyle że w tym samym czasie kupili ją od Rafaela Holendrzy i Finowie. Jakoś u Finów nie zawiodła, choć zimę mają bardziej srogą niż my. Udział w takich przetargach jest frustrujący. Zwłaszcza dla Izraela, bo oni mają naprawdę

najnowszą broń na bardzo wysokim poziomie technicznym. Rafael specjalizuje się w produkcji rakiet wszelkiego typu. Jest to instytucja państwowa, tam nie ma ściemy, oni nie kłamią, są dość prostolinijni, obowiązują ich standardy. Nie mogą oszukiwać, nie mogą kluczyć, bo to rzutuje na państwo.

A mają fundusz łapówkowy?
Oni nie mogą dawać łapówek. Jeśli jednak ktoś to robi, to wyłącznie gdzieś po drodze.

Czyli jakiś pośrednik.
Cały przemysł zbrojeniowy na świecie opiera się na pośrednikach. Z bardzo prozaicznych i prostych powodów.

No i Impart, w którym pracowałeś, właśnie był takim pośrednikiem...
Nigdy nie dawał łapówek, ja nic o tym nie wiem. W każdym razie ten przetarg wtedy padł, a cały projekt Huzara poszedł w odstawkę i już nigdy nie wrócił na tapetę. Natomiast w późniejszym czasie, za rządów AWS, Impart i Rafael zaoferowały polskiej armii rakietę działającą na identycznej zasadzie, kierowaną światłowodem. Z tym, że była ona odpalana już z pojazdu, na cztery kilometry. I ta rakieta znajduje się obecnie na stanie naszej armii. Nazywa się Spike i jest produkowana w kooperacji z polskim Meskiem.

A ta rakieta odpalana ze śmigłowca weszła do użytku w Izraelu?
Tak. Jeżeli czytamy w doniesieniach prasowych, że nad Strefą Gazy kręcił się helikopter i nagle coś trafiło w samochód, to możemy być pewni, że to właśnie NT-D. Szkoda tego projektu, bo był dobry. Ta rakieta może też służyć za szpiega. Przelatując nad pozycjami wroga, wszystko rejestruje. Potem wiesz, do czego strzelać. Jeśli chodzi o naszego przeciwnika, czyli nawałę rosyjskich czołgów, to taka broń jest idealna. Rakieta NT-D nie ma prawa nie trafić w czołg.

Kiedy jeździłeś do Izraela, to twoi gospodarze wiedzieli, kim jesteś?
Tak, w relacjach z nimi to tylko pomagało. W tym środowisku taka przeszłość jak moja wręcz nobilituje. Poza tym oni mogli to sobie sprawdzić w dwie minuty, więc co miałbym ukrywać?

Na czym polegały twoje zadania w sprawie tej rakiety? Co musiałeś robić?
Spotykać się z ludźmi, którzy mieli podjąć decyzję. Chodziło o przekonanie ich, że to dobry produkt.

Lobbing...
Ci Izraelczycy tu przyjeżdżali. Mówili głównie po angielsku, trzeba było ich tłumaczyć podczas prezentacji sprzętu wojskowego.

To był rok 1995?
Tak, i byłem w Imparcie do 1997.

Mówisz o lobbingu. Widziałeś się wtedy na przykład z Wiesławem Kaczmarkiem, Januszem Zemke, Jerzym Szmajdzińskim?
Lobbingiem to zajmował się przede wszystkim Bull. Ja raczej dbałem o stronę techniczną, tłumaczeniową, przygotowywałem prezentację, bo tu język grał podstawową rolę. Najpierw musiałem poznać dość skomplikowany język techniczno-wojskowy. A to wymagało pewnego nakładu pracy.

Ale prowadzałeś naszych generałów, pułkowników na jakieś wystawne kolacje, upijałeś ich? To też była część zadania?
Nie, w fazie wstępnej coś takiego nie wchodziło w rachubę. Zresztą ci wojskowi byli czujni i utrzymywali dystans.

Dlaczego?
Uważali tych Izraelczyków za fantastów!

Nie wierzyli w ich technologię?

Absolutnie! Dopiero wyjazd do siedziby Rafaela otworzył niektórym oczy. Tam nas wpuszczono do laboratoriów, pokazano te szpule, światłowody. Polscy naukowcy, którzy oczywiście byli znacznie bardziej do przodu niż pułkownicy, zaczęli zdawać sobie sprawę, że wszystko jest na poważnie. Kiedy Izraelczycy o tym mówili, to nasi wojskowi z początku nie chcieli im wierzyć. Jak to możliwe, że rakieta ciągnie za sobą żyłkę? Przecież z rakiety wychodzi ogień i powinien przepalić żyłkę! A jednak to wszystko było możliwe.

A kto pracował dla konkurencji? Dla Lockheeda?
Lobbysta Marek Matraszek.

I Lockheed robił wszystko, żeby podkopać pozycję Rafaela?
Wszystko, ponieważ Hellfire to już była rakieta ze stażem prawie dwudziestopięcioletnim, oczywiście unowocześniana, ale technicznie nieporównywalnie słabsza od izraelskiej.

Gdy działałeś w tym biznesie, pracując na rzecz Rafaela, miałeś kontakt z centralą wywiadu? Pisałeś notatki na temat tego, co obserwujesz w biznesie zbrojeniowym?
Nie. Nie byłem już wtedy oficerem, byłem współpracownikiem wywiadu. Myślę, że wywiad, kontrwywiad lub WSI zajmowały się Impartem. Badały to, co działo się na styku między MON a tą spółką, pod różnymi kątami – korupcji czy szpiegostwa. Czyli robiły to, co zwykle robi kontrwywiad w takich sytuacjach. Cały przetarg oczywiście był otoczony ochroną kontrwywiadowczą, ale głównie wojska. Wtedy WSI były dobrze zorganizowane, u szczytu swoich możliwości, więc dla nich to był żaden problem.

Chodzili za tobą „zieloni" z WSI?
Ja tego nie odczułem, ale zakładam, że jakieś działania wokół przetargu prowadzili.

Mówiłeś przed chwilą, że nie pisałeś żadnych notatek do swojej starej firmy na temat tego, co widzisz w biznesie zbrojeniowym. Jak to się ma do słynnego stwierdzenia, że ze służb nigdy się nie wychodzi?

No tak, ale przecież ja sam nie będę chodził i opowiadał. Ktoś musi przyjść i wyrazić jakieś zainteresowanie, bo przecież na własną rękę nie będę dokładał sobie pracy!

Twój dawny kolega z roku i z jednego gabinetu, Gromosław Czempiński, nie wysyłał do ciebie umyślnych, żeby spytać, jak się sprawy mają?

Spotkałem się z Gromkiem, kiedy był szefem UOP. Przedstawiłem mu oficjalnie naszą ofertę przetargową, żeby po prostu miał o niej pojęcie, bo Lockheed Martin też go odwiedził. Umówiłem się z nim w jego biurze w UOP. Omówiłem ofertę Rafaela. Wyjaśniłem, na czym to polega, zapewniłem, że ja to widziałem i że jest to realne. I oświadczyłem, że uważam tę ofertę za lepszą od amerykańskiej. Abstrahując od tego, że pracując dla Rafaela, mogę mieć kasę na koniec dnia. Chciałem, żeby wziął materiały i dał swoim ludziom do oceny. Wykorzystywałem więc w nowej robocie stare kontakty.

Lockheed grał nie fair?

Oczywiście. Amerykanie utrzymywali, że Rafael ma tylko prototyp, a nie rakietę. Tymczasem doskonale wiedzieli, że ta rakieta istnieje i jest w fazie dopuszczania do izraelskich sił zbrojnych. Co więcej, sami w tamtym czasie negocjowali jej zakup! Ale w rozmowach z Polakami kłamali. To zresztą normalka w tym biznesie. Efekt był taki, że przetarg unieważniono.

Czyli kasy nie dostałeś, bo nie było efektu.

Nie dostałem, byłem na pensji. Zarobiłbym prawdziwe pieniądze, gdyby przetarg został wygrany i doszło do podpisania kontraktu.

Kto najmocniej lobbował przeciw temu projektowi?

Podstawową rolę odegrał tutaj Nicholas Rey, ówczesny ambasador amerykański w Warszawie. Facet wspierał Lockheed Martin, czyli firmę ze swojego kraju. Nacisk, żebyśmy absolutnie nie podpisywali kontraktu z Izraelczykami, był bardzo mocny. Zbójeckie prawo, a szkoda, bo ten Huzar z izraelskimi rakietami byłby świetnym produktem.

I co, zacząłeś z Impartem jakiś nowy projekt zbrojeniowy?
Nie. W 1997 roku siedzieliśmy sobie z kolegami z Impartu w hotelu Victoria i piliśmy kawę. Zadzwonił do mnie Rudolf Skowroński: „Cześć, Oleczku, jak tam żyjesz? Słuchaj, może byśmy polecieli do Afganistanu, bo jest taka możliwość. Wpadnij do mnie, to pogadamy, czy się na to piszesz". Wpadłem i mówię, żeby dał się zastanowić. Zastanowiłem się w pięć minut. I powiedziałem, że się piszę.

17
Masud – Lew Pandższeru

Podróż przez Hindukusz – Hummer wodza – Masud chce bank-
notów i broni – Szmaragdowy interes

**Zabawne. Projekt rakiet upada i dokładnie wtedy dzwoni Ru-
dolf i proponuje: „Dawaj, Olek, ruszamy do Afganistanu!".**
Przypadek zupełny. Mogłem w tym Imparcie spokojnie siedzieć i robić z Bullem kontrakt na Spike'a, ale ten Afganistan
był po prostu zbyt kuszący.

**Na czym polegał pomysł Rudolfa? Czego on chciał od ciebie?
Na co byłeś mu potrzebny?**
Przede wszystkim nie chciał do tego Afganistanu lecieć sam
i przypuszczalnie doszedł do wniosku, że moja obecność doda
mu pewności siebie. Rudolf mówił, że zgłosili się do niego ludzie od Ahmada Szaha Masuda, którzy krążyli w poszukiwaniu możliwości zakupu broni. Chcieli kupić dla Sojuszu Północnego sprzęt za sto pięćdziesiąt milionów dolarów. Oczywiście nie naraz, tylko w ciągu iluś tam lat, ale taka suma padła.
Przewidywana prowizja miała wynieść od 3 do 5 procent.

Ładna okazja!
Tak, tym bardziej że to wszystko była prosta broń strzelec-
ka, która u nas zalegała w magazynach. Kałasznikowy, lekkie
i ciężkie karabiny maszynowe, miliony sztuk amunicji, pojazdy opancerzone, ewentualnie starsze modele czołgów. Krótko
mówiąc, wszystko to, co Polska produkowała, więc w znacznej

mierze byłaby to wyprzedaż. Z biznesowego punktu widzenia bajka! Rudolf mnie potrzebował, żebym zajął się tym potencjalnym projektem kupna broni. Wiadomo, że każda sprzedaż broni jest pod kontrolą służb. Zakładał, że mnie będzie łatwiej niż jemu przebijać się, rozmawiać z ludźmi. Głównie o to chodziło.

Jak faceci od Masuda trafili na Skowrońskiego, który handlował wyposażeniem sklepów i wagami? I na dodatek zaczęli mówić z nim o broni?
Przypominam wam, że Rudolf działał biznesowo w Rosji. Ludzie Masuda też działali w Moskwie. Kupowali broń od Rosjan i pewnie zaczęli się rozglądać, kto jeszcze w tym regionie Europy ma sprzęt wojskowy do sprzedania. I zawiesili oko na Polsce. Zaczęli ustalać, jakie polskie spółki funkcjonują w Moskwie, i uderzyli do Inter Commerce Rudolfa, bo to była jedna z większych firm w stolicy Rosji.

Dlaczego Masud i jego ludzie nagle zapragnęli sprzętu wojskowego z Polski? Mieli przecież Rosjan, u których wszystko mogli kupić.
Masudowi zależało na dywersyfikacji dostaw. Kupował w Rosji broń i drukował pieniądze. Ale chciał mieć w obu dziedzinach drugiego dostawcę. To logiczne rozwiązanie, bo zabezpiecza przed szantażem. Jeśli uzależniłby się wyłącznie od Rosjan, ci mogliby bezkarnie wywierać na niego presję. Jeśli nie poddawałby się ich naciskom, mógłby usłyszeć od Rosjan: właśnie nam się skończyła broń w asortymencie, na którym ci zależy, albo: zabrakło nam tej specjalnej farby do twoich banknotów i na kolejną dostawę musisz poczekać rok.

Opowiadałeś nam kiedyś, że do Polski przyjeżdżał brat Masuda. Poznałeś go?
Tak, tu go poznałem. W tamtych czasach Wali Masud był konsulem generalnym Afganistanu w Londynie. Przyjechał do

Warszawy. Uwiarygodniał i potwierdzał to wszystko, co nam mówili przedstawiciele Masuda.

Jak ci Afgańczycy wyglądali?
Normalnie, to byli faceci, którzy wiele lat krążyli po całym świecie, załatwiając interesy Masuda.

Po kiego diabła lecicie więc do tego Afganistanu, skoro przedstawiciele Masuda są tutaj?
Z przedstawicielami to możesz sobie pogadać. Natomiast wschodnim zwyczajem trzeba spotkać się z szefem, który podejmie decyzję. Wysłannicy przekazali Masudowi, że jest taka firma i goście, którzy gotowi są wejść w biznes. A on zapewne wydał dyspozycję: dawać mi ich tutaj, muszę ich poznać i z nimi porozmawiać.

I kto jest w tej pierwszej ekipie, która leci do Afganistanu?
Rudolf, ja i przyjaciel Rudolfa, którego on chciał tam z jakichś powodów zaciągnąć. I oczywiście Afgańczycy, którzy nas pilotują.

Dlaczego nie wymieniasz nazwiska tej trzeciej osoby?
Jacek, nie pamiętam nazwiska. To był jakiś kumpel Rudolfa. Poleciał z nami pierwszy i ostatni raz.

Zanim wyjeżdżasz z Warszawy, odzywasz się do chłopaków z wywiadu, że jest taka akcja?
Nie. Nie widziałem takiej potrzeby. Polecieliśmy do Moskwy, gdzie Inter Commerce miało biuro. Następnego dnia z moskiewskiego lotniska Domodiedowo wyruszyliśmy do Tadżykistanu, do Duszanbe. Lecieliśmy Tajik Air. Porządne linie, porządny Tu-154, klasa biznes, wóda lała się strumieniami. W Duszanbe pojechaliśmy do hotelu…

…Tajikistan
Dokładnie. Był pusty, bo tam dopiero co skończyła się wojna domowa. Praktycznie cały hotel mieliśmy dla siebie. Za Sowieckiego Sojuza nie mogłeś tam szpilki wetknąć, tyle było wy-

cieczek ze wszystkich demoludów, a teraz w knajpie wielkości boiska do koszykówki siedzieliśmy sami. I kelnerzy opowiadali nam o świetności tego hotelu.

Panienki w barze były?
Nie tylko w barze. Cała obsługa hotelu proponowała wszelkie możliwe usługi.

Masud miał wtedy w Tadżykistanie duże wpływy?
Ogromne, bo połowa Tadżyków mieszka w Afganistanie, a on był ich wodzem. W Tadżykistanie miał swoje bazy, do których przychodziło zaopatrzenie dla niego.

Czyli raczej nikt się was nie czepiał.
Nie, jedynie na lotnisku w Duszanbe każdy wyciągał łapę.

I co, z Duszanbe polecieliście helikopterem do granicy z Afganistanem?
Inaczej. Jak tylko dostaliśmy sygnał, pojechaliśmy samochodami do bazy Kulab przy granicy. Masud dzierżawił tę bazę od rządu Tadżykistanu. Tam przylatywało z całego świata zaopatrzenie, które ludzie Masuda przerzucali następnie helikopterami do różnych baz w Afganistanie. Z Kulabu mieliśmy lecieć śmigłowcem do Doliny Pandższeru, gdzie urzędował Masud. W tym Kulabie przyszedł do nas ruski pułkownik. W hotelu, w którym biwakowali ludzie Masuda, napił się z nami wódki. Pytał, czy jesteśmy *bizniesmeny*, czy może *rozwiedczyki*. Pośmialiśmy się, popiliśmy. Daliśmy mu kasiorę, a on nam glejt w obie strony. I kolejnego dnia był zaplanowany wylot. Nasz nowy kolega – rosyjski pułkownik – już był na lądowisku. Poczęstował nas piwem i powiedział, żebyśmy nie przywozili z Afganistanu narkotyków, bo on i tak je znajdzie. No i odlecieliśmy.

A co to był za śmigłowiec?
Mi-17 Masuda. Transportowy, ale przerobiony na salonkę.

Pilot rosyjski?

Afgańczyk, pewnie szkolony przez Rosjan. Nic mu nie można było zarzucić. Latał na tych trasach wielokrotnie, dobrze je znał. Problem z tym lotem jest taki, że droga wiedzie przez Hindukusz, a tam są bardzo wysokie góry, po pięć tysięcy metrów.

Helikopter słabo leci w takich warunkach.

Tak, powietrze jest rozrzedzone. Możesz startować tylko przy dobrej pogodzie. Inaczej żaden normalny pilot nie podejmie się ruszyć w podróż. Nie daj Boże, żeby helikopter musiał usiąść w Hindukuszu. Ciężka maszyna nie zdoła się tam wzbić z powrotem w powietrze. Żadna ekipa po ciebie nie przyleci, a jak zaczniesz schodzić w dolinę, to po drodze umrzesz z zimna i wyczerpania, bo przecież na takiej wysokości zima jest na okrągło.

A wam jak poszło?

W dzień wylotu nie udało nam się przeskoczyć przez góry. Pogoda zmieniła się błyskawicznie i pilot zawrócił znad Hindukuszu.

Z powrotem do bazy?

Nie, wylądowaliśmy na noc w mieście Talokan. Usiedliśmy na boisku piłki nożnej, bo tam było lądowisko. Już czekały na nas dwa land cruisery. Podjął nas burmistrz. Było to ciekawe doświadczenie, bo miasto praktycznie funkcjonowało bez prądu.

Mieszkańcy korzystali z generatorów?

Ci, którzy je mieli. Kilkusettysięczne miasto, całe w zieleni, uliczki pod kątem prostym, wszystkie posesje otoczone murem. Wjechaliśmy w jedną z żelaznych bram. Za nią była siedziba burmistrza. Dom z dużym ogrodem, w którym ustawiono wszelkie możliwe karabiny maszynowe, ciężkie, lekkie, moździerze. Taki pokaz i przegląd tego, co jest w użyciu w Afganistanie.

Sympatycznie!
Było sympatycznie. Wtedy po raz pierwszy zjedliśmy prawdziwą afgańską kolację. Superżarcie: zupy, różne rodzaje ryżu. Z rodzynkami, z baraniną, z wołowiną, z bakaliami. Najrozmaitsze mięso mielone, w sosie, bez sosu. Baranina, wołowina, no superżarcie! I do tego wszystkiego pepsi, bo Coca Cola nie prowadzi działalności w Afganistanie. Pepsi opanowała rynek.

I to cię zdenerwowało.
Nie, absolutnie!

Ale Rudolfa to już na pewno!
No, zero alkoholu oczywiście. Mieliśmy ze sobą jakąś flaszkę, ale nikogo nie częstowaliśmy, bo oni mocno przestrzegali tego zakazu.

A burmistrz? Interesujący człowiek?
Na bardzo wysokim poziomie. Światowy facet. Po wyzwoleniu Kabulu z rąk talibów był burmistrzem stolicy. Poznaliśmy tam jeszcze jednego ciekawego Afgańczyka. Miał na imię Daud. Młody, przystojny. Jeden z głównych wojskowych, którzy funkcjonowali w otoczeniu Masuda. Potem był gubernatorem miasta albo szefem którejś z prowincji na północy Afganistanu. Zginął kilka lat temu w zamachu zorganizowanym przez talibów.

Rozumiemy, że u burmistrza był generator.
Była nawet ciepła woda. Następnego dnia, po śniadaniu, ruszyliśmy w podróż. Tym razem przeskoczyliśmy Hindukusz bez problemu. Robi to wrażenie, bo przez piętnaście minut bez przerwy leci się nad górami. Nad masywem, gdzie wszystko jest pokryte śniegiem. Było piękne słońce. Superwidoki. Bajeczne.

I potem zmiana krajobrazu.
Zaczęliśmy schodzić w dół i po raz pierwszy zobaczyłem Afganistan. Brunatne góry, brunatna ziemia, z początku zero zieleni. Potem wlecieliśmy od północy do Doliny Pandższeru, która

ciągnie się ponad sto kilometrów. Środkiem płynie rzeka Pandż-szer zasilana przez górskie strumienie. Co parę kilometrów od-chodzące w bok dolinki, z obu stron wysokie góry. W pewnym momencie na brzegach rzeki zaczynają się pasy zieleni dwuki-lometrowej szerokości. Praktycznie samowystarczalny rejon, bo rośnie tam wszystko co trzeba. Dolecieliśmy do wsi, w której Masud miał swój dom rodzinny. Wylądowaliśmy oczywiście na boisku piłki nożnej. Już czekały na nas land cruisery.

Ale chyba nie zawieźli was do domu Masuda?
Zawieźli nas do domu jednego z szefów służb afgańskich. I tam się zainstalowaliśmy. To był kwiecień, było już ciepło, ale we wszystkich komnatach stały kozy na drewno. Można było podgrzać sobie na nich wodę. Tyle że tam klimat jest bardzo suchy i człowiek praktycznie się nie poci. Nie ma takiej potrze-by, żeby bez przerwy się kąpać.

Rudolf mówił po rosyjsku?
Tak na średnim poziomie. Ja też nie znałem rosyjskiego per-fekt czy nawet średnio, bo się go nigdy nie uczyłem. Raptem trzy lata w podstawówce. Porozumiewaliśmy się łamanym ro-syjskim i po angielsku. Dlatego na pierwsze spotkanie z Masu-dem przyprowadzono tłumacza świetnie znającego angielski. Był nim doktor Abdullah Abdullah.

Pan minister.
Obecny minister i kandydat na prezydenta.

Zanim opowiesz nam o samym spotkaniu, powiedz o wraże-niach z tego miejsca.
Przez dolinę płynęła rzeka, a wzdłuż niej biegła żwirówka. W niektórych miejscach ledwo mogły się wyminąć samochody. Zainstalowaliśmy się w domu, poznaliśmy gospodarza. Powie-dzieli nam, że jeśli chcemy pójść na spacer, to nie ma problemu, i tak się nie zgubimy. Tłumaczyli, że w okolicy jest bezpiecznie, bo są sami swoi. Kręciło się sporo mudżahedinów Masuda. We

wsi były różne sklepiki, gdzie można było kupić pepsi-colę i jakieś miejscowe specjały. Co trzeci sklepik to była apteka. Leki głównie hinduskie, bo to największy producent farmaceutyków na świecie. Pokręciliśmy się po dolinie i następnego dnia, chyba około południa, zjawił się Masud.

Bez zapowiedzi?
Powiedziano nam, że przybędzie w ciągu dwóch, trzech godzin. On podróżował na ogół hummerem, którego podarowali mu Amerykanie czy też sam sobie kupił. W każdym razie porządny wózek.

Wojskowy hummer?
Nie, w wersji cywilnej, luksusowej. Ciemnozielony, z jasną tapicerką w środku. Po nas Masud niczego złego się nie spodziewał, tak więc do domu, w którym mieszkaliśmy, wszedł żołnierz i oznajmił przybycie dowódcy. Pierwszy wkroczył do pokoju doktor Abdullah, a za nim po chwili Masud. Rewerencja i czołobitność, jakie go otaczały, mocno rzucały się w oczy.

W jaki sposób on do was zajechał? To była kawalkada samochodów?
Jego hummer plus obstawa, czyli dwa land cruisery. Zawsze było czterech czy pięciu przybocznych plus jego kierowca, bardzo specyficzny typ. Po prostu ciekawa gęba, unikatowa. Oczywiście wszyscy uzbrojeni – w kałachy i broń krótką – ale bez przesady. W końcu on tam się czuł w miarę komfortowo. Tym bardziej że jego dom rodzinny był jakieś dwa kilometry od miejsca, w którym mieszkaliśmy. Masud okazał się przystojnym mężczyzną o mocnych rękach i twardym uścisku dłoni. Był w bojówkach i oliwkowym wojskowym swetrze. Rudolf przedstawił się jako biznesmen, ja jako były oficer wywiadu. Przekazałem Masudowi pozdrowienia od premiera Włodzimierza Cimoszewicza. Ponieważ znałem go ze studiów, zakładałem, że nie nadużyję jego zaufania, jeżeli w jego imieniu pozdrowię Masuda.

Ha, ha!

I zaczęła się rozmowa. Najpierw Rudolf przedstawił Inter Commerce, kim jesteśmy, co robimy, dokąd zmierzamy. Jakieś propozycje wspólnych interesów. Masud od razu powiedział, że Dolina Pandższeru to jedno z najbardziej liczących się na świecie zagłębi szmaragdów. Mówił, że te kopalnie funkcjonują i wydobywają, my natomiast moglibyśmy się zająć globalnym marketingiem, bo z tym zawsze jest problem. No i drugie pytanie: czy on może w Polsce zakupić broń, bo ma przeznaczone na ten cel sto pięćdziesiąt milionów dolarów. I rzecz trzecia: czy możemy drukować dla niego pieniądze w Polsce.

A wy co? Oczka się zaświeciły. Broń, szmaragdy, drukowanie kasy...

Dla nas to była rozmowa jak z głową państwa, nieformalną oczywiście. Ale to był szef Sojuszu Północnego, do niedawna minister obrony. Facet, który na tym terenie decydował o wszystkim, no, faktycznie głowa państwa. Generał, minister obrony i komendant wojenny – wszystko w jednym.

I jakie były wasze odpowiedzi na pytania, które zadał?

Co do drukowania pieniędzy, to powiedzieliśmy, że przypuszczalnie jest to w Polsce możliwe. Co do broni, to nie wiemy, bo musimy zapytać w kraju. Zapewniłem Masuda, że natychmiast jak tylko wrócę, przedstawię tę kwestię odpowiednim osobom w Warszawie. Już wtedy miałem zaplanowane spotkanie ze Zbigniewem Siemiątkowskim, który był koordynatorem do spraw służb.

Powiedz troszeczkę o atmosferze. Czy na przykład mieliście dla niego jakieś prezenty? Jedliście coś?

Gdy się z nim spotkaliśmy, to była tylko herbata i jakieś orzeszki i cukierki, które w Afganistanie zwyczajowo podaje się do herbaty. Rudolf przywiózł Masudowi w prezencie taką superlornetkę. Kupiliśmy ją na Kruczej w Warszawie, w sklepie myśliwskim. Najdroższa, jaka mogła być, praktycznie z wodotryskiem.

Skończyliście o biznesie i o czym mówiliście dalej?
Później zaczęliśmy gadać o polityce. Masud dokonał bezbłędnej oceny sytuacji politycznej w Afganistanie i w całym regionie. Tłumaczył, że głównym jego przeciwnikiem są talibowie i Al--Kaida, sterowani przez Pakistan. Objaśniał, że Pakistan chce go wykurzyć i osadzić w Afganistanie swoich sprzymierzeńców, których sam stworzył, czyli talibów. Diagnoza Masuda z 1997 roku pokrywała się z tą, którą w 2012 roku przedstawił na swoim pożegnalnym spotkaniu z kongresową Komisją Sił Zbrojnych admirał Michael Mullen, szef połączonych sztabów armii amerykańskiej, który oświadczył wówczas, że Pakistańczycy oszukiwali i oszukują Amerykanów we wszystkich sprawach dotyczących Afganistanu. Powołali talibów, wspierają ich, prowadzą tam własną politykę, która w niewielkim tylko procencie jest zbieżna z interesami Stanów Zjednoczonych. „My ich finansujemy, ale oni nas po prostu oszukują" – podsumował. Wypisz, wymaluj to, co mówił Masud w mojej obecności kilkanaście lat wcześniej.

Masud miał pretensję do Amerykanów?
Mówił, że nie rozumie ich postępowania, bo talibowie i Al-Kaida są również wrogami Stanów Zjednoczonych. Pytał, czy mogę jakoś przedstawić jego punkt widzenia, ponieważ my, jako Polska, jesteśmy w dobrych układach z Amerykanami. Masud miał właściwe rozeznanie i oczywiście wiedział, że współdziałamy ze służbami zachodnimi. Wyjaśnił, że stara się wykorzystać każdy kanał, by wskazać, że Pakistańczycy oszukują wszystkich dookoła. To nasze spotkanie trwało ze dwie godziny. W sumie byliśmy tam jakieś pięć dni. Spotkaliśmy się z nim raz jeszcze, a potem wylecieliśmy.

Od razu w drogę do Polski?

Na specjalne polecenie Masuda nie polecieliśmy prosto do Duszanbe, tylko helikopterem znowu do Talokanu. Masud chciał, żebyśmy koniecznie spotkali się z Rabbanim, który był prezydentem państwa. Rabbani, powszechnie znany, uznawany na świecie profesor islamistyki, mianowany przez prezydenta Karzaja głównym szefem komitetu pojednania, został zamordowany dwa lata temu. Zabito go dokładnie tak samo jak Masuda. Przyszedł facet, w turbanie miał bombę. Wysadził się przy Rabbanim. Obaj zginęli. Tamta nasza rozmowa z Rabbanim, na której zależało Masudowi, była czysto kurtuazyjna. Mówił, że zna Polskę. Pogadaliśmy pół godziny i ruszyliśmy do kraju przez Moskwę.

18
Talibowie w Klewkach

Dwadzieścia ton pieniędzy – Szmaragdy w pieczarach – Dlacze-
go Masud nie zabił Bin Ladena – Afgańczycy na Mazurach

Pewnie od razu po powrocie z Afganistanu zadzwoniłeś do Siemiątkowskiego?
Następnego dnia. Powiedziałem mu, że właśnie wróciłem z Afganistanu, co wywołało takie wrażenie, jakie powinno wywołać. Wyjaśniłem, że widziałem się z Masudem, szefem Sojuszu Północnego. To także zrobiło na Siemiątkowskim właściwe wrażenie. Nakreśliłem mu sytuację polityczną wokół Afganistanu. I przedstawiłem prośby Masuda o druk pieniędzy i możliwość kupna broni za sto pięćdziesiąt milionów dolarów w ciągu pięciu, sześciu lat. Spytałem, czy może pomóc, bo przecież nie idzie się do Państwowej Wytwórni Papierów Warto-ściowych i nie mówi: "Wydrukujcie mi kasę". Akurat dobrze się składało, bo szefem PWPW był wtedy Maciej Flemming, którego Siemiątkowski znał z Biura Bezpieczeństwa Narodo-wego. Dał mi do niego kontakt. Powiedział też, że jeśli idzie o druk pieniędzy, to wyda polecenie Zarządowi Wywiadu, aby ktoś się ze mną skontaktował i w razie potrzeby postawił mi jakieś zadania mające związek z Afganistanem.

A broń?
Tu był bardziej zachowawczy. Powiedział, że za dwa dni leci do Langley na spotkanie z George'em Tenetem, szefem CIA.

Tłumaczył, że sam nie może podejmować takich decyzji, ponieważ Afganistan to amerykańska strefa wpływów, a Pakistan jest głównym sojusznikiem Amerykanów w regionie. Na wysyłanie broni Masudowi musielibyśmy mieć przyzwolenie Amerykanów.

I co powiedział Siemiątkowski po przylocie z Langley?
Wrócił po tygodniu i poprosił mnie do siebie. Powiedział, że Amerykanie nie wyrażają zgody na sprzedaż broni.

Bo?
Postawili na talibów i to oni w ich imieniu rozgrywają różne rzeczy w Afganistanie. Próbowałem mu oczywiście tłumaczyć, że to jest w interesie Amerykanów. Odpowiedział, że on też chciałby zrobić taki deal, bo byłby to również jego sukces jako ministra, ale Amerykanie się temu sprzeciwiają. Druk pieniędzy absolutnie tak, broń absolutnie nie. Potem zgłosił się ktoś z Zarządu Wywiadu i zaczęliśmy ciągnąć temat pieniędzy. Wywiad załatwił potrzebne zezwolenia i pilotował projekt. Ale jak zwykle nie wszystko było takie proste.

Co się znowu stało?
Umowa z Masudem była taka, że drukujemy banknoty o nominale dziesięciu tysięcy afgani. No i Masud, czy może doktor Abdullah, wyjął z kieszeni taki banknot i nam go dał. Przygotowanie takiego druku to od cholery roboty. Na mniej więcej pół roku. Tak się składa, że poligrafia nie miała dla Rudolfa tajemnic. Był właścicielem firmy Helios, która drukowała nalepki. Nalepki czy banknoty – nieważne, reguły są podobne. I tak się złożyło, że PWPW zaproponowała swój papier, ale był on trzy razy droższy, niżby nam to pasowało do ceny, którą w jakichś zarysach mieliśmy uzgodnioną z Masudem! Ale papier też nie miał dla Rudolfa tajemnic, ponieważ on sprowadzał i papier…

Do kas sklepowych?

Tak. Sprowadzaliśmy ogromne ilości papieru, na przykład z Finlandii. Bele wielkości dużego stołu i wzrostu człowieka. Oczywiście oferta PWPW była nie do przyjęcia, w związku z czym Inter Commerce zaczął polować na papier w całej Europie. I w końcu znaleźliśmy w Słowenii taki, którego cena i jakość nam odpowiadały. Po pół roku wykonali w PWPW pierwszy banknot. Poszliśmy na prezentację. Oni byli z siebie bardzo dumni. Ale pewien Afgańczyk, który był z nami, włożył ten banknot do szklanki z wodą sodową i cała farba z niego spłynęła. Wyjął z powrotem jedynie rozmazany, brudny kawałek papieru.

Ale wstyd!
Oczywiście PWPW wzięła się ostro do roboty i już za miesiąc wypuściła dobry banknocik. Zaczęliśmy go trzaskać.

Jeden nominał, tak?
Dziesięć tysięcy afgani.

Rozumiemy, że wywiad przysłał kogoś, kto porozmawiał z tobą o innych kwestiach afgańskich.
Te rozmowy zaczęły się krótko po moim powrocie z Afganistanu w kwietniu 1997 roku. Spotkałem się wtedy z Bogdanem Liberą, który był szefem wywiadu. I wywiad powoli zaczął stawiać mi zadania, choć nie były one zbyt wielkie. W tamtym czasie Afganistan nie był priorytetem dla Amerykanów, a co dopiero dla wywiadu polskiego! Amerykanie olewali tamten region, interesowało ich tylko jedno. Mieli program odzyskiwania stingerów, w które w latach osiemdziesiątych wyposażali mudżahedinów walczących przeciw Sowietom. Kilkaset tych stingerów nadal walało się po Afganistanie. Oczywiście Masud o tym wiedział. Już wcześniej, gdy on i jego ludzie rządzili Kabulem, odzyskiwali te rakiety dla Amerykanów. Pod koniec wojny z Sowietami Amerykanie płacili Masudowi dwieście tysięcy dolarów miesięcznie. Był dla nich znaną postacią, operacyjni utrzymywali z nim kontakt. Ludzie z CIA bywali u niego,

rozmawiali, knuli wspólne działania przeciwko Rosjanom. Jeszcze na tydzień przed upadkiem Kabulu, w 1996 roku, był u Masuda pracownik CIA z Islamabadu i rozmawiał na temat odzyskiwania stingerów. Oczywiście sprawa się rypła po zajęciu Kabulu przez talibów.

Temat tych stingerów pojawił się podczas waszej drugiej wizyty w Afganistanie?
Tak. Polecieliśmy tam w listopadzie 1997 roku. I wtedy Masud dał nam numery czterech stingerów. Powiedział, że to pewnie Amerykanów zainteresuje, bo te rakiety są do odzyskania. Po powrocie do Warszawy umówiłem się za pośrednictwem wywiadu z pracownikiem CIA. Dałem mu te numery, żeby je sobie sprawdzili. Oczywiście zdarzało się, że Afgańczycy próbowali im wciskać wszelkiego rodzaju atrapy stingerów. Procedura była więc taka, że Amerykanie najpierw dostawali numery, sprawdzali, czy takie rakiety poszły do Afganistanu, i dopiero potem mogły się zacząć rozmowy o cenie. Zweryfikowali podane przez Masuda numery i uzgodniliśmy, że zapłacą po sto pięćdziesiąt tysięcy dolarów za sztukę. Masud wydał dyspozycję, że Inter Commerce może sobie te sześćset tysięcy dolarów zatrzymać na koszty podróży.

Hojnie! Przywieźliście te rakiety?
Dogadaliśmy sprawę z Amerykanami i już zastanawialiśmy się, jak wyjąć te stingery z Afganistanu, kiedy się okazało, że na początku 1998 roku centrala CIA zleciła swojej grupie wyjazd do Masuda. Pojechali. Powiedzieli, że wywiad polski upoważnił ich do wykupienia tych stingerów, i przeprowadzili transakcję.

Ominęli was...
Oczywiście zapłacili Masudowi sześćset tysięcy dolarów za cztery rakiety. Wykorzystując tę sytuację, Amerykanie znów nawiązali relacje z Masudem. Można powiedzieć, że odegraliśmy rolę katalizatora.

Dlaczego Masud odnajdywał dla nich te rakiety? Chciał się uwiarygodnić przed Amerykanami?
Wiedział, że bez ich pomocy nie poradzi sobie w Afganistanie z talibami. Wiedział o nieczystej grze Pakistanu, który wspierał talibów. Wiedział, że na Pakistańczyków mogą mieć wpływ wyłącznie Amerykanie. W związku z tym, żeby cokolwiek zdziałać, musiał znowu zwrócić na siebie ich uwagę.

Zatrzymajmy się na listopadzie 1997 roku i na waszym drugim wyjeździe. Rozumiemy, że macie wydrukowaną kasę. Wieziecie ją do Doliny Pandższeru?
Nie, nie tak prędko. To trwało jeszcze wiele miesięcy. W PWPW gotowe banknoty odbierało się na paletach. Jedna paleta – tona pieniędzy. Trzeba było natłuc tego straszne ilości. Kurs był taki, że czterdzieści tysięcy afgani odpowiadało jednemu dolarowi. Wydrukowano więc tony pieniędzy. Miliardy afgani.

Jak te transporty były zorganizowane?
To łączyło się z drugą nitką naszej współpracy z Masudem, czyli wydobyciem szmaragdów. Stworzyliśmy z nim nawet spółkę joint venture. Założenie było takie, że on pilnuje wydobycia, a my będziemy prowadzić marketing towaru na całym świecie. Ale do wydobywania Masud potrzebował jakiegoś sensownego sprzętu. I Rudolf dogadywał się z rzeczoznawcami z Akademii Górniczo-Hutniczej i podobnych instytucji. I w 1999 roku wynajęliśmy na Ukrainie wielkiego iła. Zapakowaliśmy dwadzieścia ton sprzętu górniczego, dwadzieścia ton pieniędzy i polecieliśmy do Duszanbe. Trochę przygód było jeszcze w Polsce. Transport pieniędzy z PWPW odbieraliśmy tirem Inter Commerce, z ochroną oczywiście. Wszystko było uzgodnione z Urzędem Celnym, ale jeszcze na lotnisku celnik nam wmawiał, że możemy wywieźć z Polski równowartość... pięciu tysięcy złotych.

Mieliście troszkę więcej.

Udało się to załatwić i poleciałem z tym transportem do Duszanbe. Spędziłem wtedy w Afganistanie ze dwa miesiące. Rozprowadzaliśmy sprzęt, siedzieliśmy w kopalniach, przyglądaliśmy się, jak oni wydobywają te kamienie. Oczywiście robili to w sposób urągający wszelkim zasadom. Nawet nie za pomocą dynamitu, bo go nie mieli. Brali materiał wybuchowy z radzieckich niewypałów, tłukli to młotkami na proszek i napychali do skarpet czy jakichś woreczków. Potem podkładali je w niewielkich sztolniach i wysadzali. Oczywiście przy okazji wiele szmaragdów się kruszyło. W tych sztolniach było jak w piekle. Dym i siarka z takiego wybuchu snuły się po pieczarach przez pół dnia. Obłęd.

Ten biznes nie wyszedł. Dlaczego? Mogłoby się wydawać, że to samograj.
To jest trudny rynek. Na świecie funkcjonuje pewnie kilkadziesiąt firm, które na poważnie zajmują się szmaragdami. To są zawodowcy, od wielu lat osadzeni w tej branży, a Rudolf popełnił błąd. Umowa była taka: górnicy Masuda dostarczają partię szmaragdów i wtedy nasi ludzie oraz jego ludzie wspólnie wyceniają, ile to jest warte. Człowiek, na którym oparł się Rudolf, po prostu się na tym nie znał. Masud dyktował swoje ceny, na ogół przewyższające te, które potem udawało się nam uzyskać. On znał się na tym, zajmował się szmaragdami od zawsze, bo Dolina Pandższeru jest szmaragdowym zagłębiem. Myśmy oczywiście to sprzedawali i brali kasiorę. Z tym że zarobił na tym głównie Masud, a nie Inter Commerce.

A widziałeś jakieś piękne duże szmaragdy?
Wielkości paznokcia. Mimo wszystko ten biznes miał szansę. Rudolf założył w Warszawie szlifiernię, współpracowaliśmy na bieżąco z firmą izraelską. Przyjeżdżał do nas bardzo doświadczony Izraelczyk starej daty. Oglądał, bardzo się podniecał. Proponował, że on albo jego ludzie mogą nam pomagać wyceniać to na miejscu.

Żydzi u muzułmanów w Afganistanie?
Mogli tam przecież pojechać na innych paszportach. Akurat Masud nie był w najmniejszym stopniu antysemitą i mu to nie przeszkadzało. Ceny też można było renegocjować. Z czasem byłby z tego niezły biznes, bo wszystko pewnie by się dotarło. Gdyby nie śmierć Masuda w 2001 roku.

Kiedy służby zachodnie na serio potraktowały to, co się działo w Afganistanie?
Amerykanie zaczęli z nami ostro współpracować w 1998 roku, gdy wybuchły dwie bomby przed ich ambasadami w Tanzanii i Kenii. Wiadomo było, że stoi za tym Bin Laden. Myśmy już wtedy dostarczali informacji o miejscach jego pobytu, w zasadzie codziennie, bo wywiad Masuda wiedział, gdzie on jest. I mógł śledzić jego ruchy. Tyle że Amerykanie zupełnie nie mieli pomysłu, co z nim zrobić.

Wokół waszych interesów w Afganistanie narosło mnóstwo plotek. Jednym z elementów tej sytuacji była akcja „Talibowie w Klewkach". Afgańczycy przyjeżdżali do was w gościnę?
Tak, mnóstwo ludzi stamtąd do nas przylatywało. Gościliśmy na przykład Arifa Sarwariego, późniejszego szefa MSW, jednego z głównych doradców Masuda. Przez pół roku mieszkał w Polsce, w lokalu Inter Commerce, bo z jakichś powodów chciał funkcjonować na Zachodzie. Na koszt naszej firmy ściągnęliśmy co najmniej dwóch rannych żołnierzy z oddziałów Masuda. Afgańczycy bywali w gospodarstwie Rudolfa w Klewkach, ale też w jego posiadłości koło Mrągowa. Duży strumień tych Afgańczyków przepłynął przez Polskę. To wszystko było uzgadniane z wywiadem.

Rudolf miał dom koło Mrągowa?
Miał tam chyba siedem czy osiem tysięcy hektarów dzierżawionych od różnych spółek. On lubił dłubać w ziemi. Hodował krowy, owce, byki, no, najróżniejsze rzeczy tam miał. Do

Klewek należał między innymi jeden z byłych PGR-ów, który funkcjonował w ramach gospodarstwa rolnego Rudolfa.

Ośmieszanie tej historii, akcja „Talibowie w Klewkach", wąglik itd. – to była robota służb?
Nie, to się zaczęło od Bogdana Gasińskiego, który był zarządcą gospodarstwa w Klewkach. On tam siedział z kolegami, pili morze wódy i przychodziły im do głowy najróżniejsze pomysły. Potem podchwycił to Lepper i powstała książka Marii Wiernikowskiej *Zwariowałam*. Tytuł dobrze oddaje charakter tej publikacji.

Ci Afgańczycy latali po Polsce śmigłowcami?
Rudolf czasami jakiś wynajmował.

Czyli wszystko się zgadzało. Tylko nie talibowie, ale ludzie od Masuda.
Tylko nie talibowie. Wielu Afgańczyków przy udziale Inter Commerce przewinęło się wtedy przez Polskę. Dla nich to była bardzo dobra meta, bo jedno z największych skupisk Afgańczyków, często wpływowych, było w Niemczech. Mieli więc niedaleko do swoich ziomków.

Ile razy byłeś w Afganistanie od kwietnia 1997 roku?
Z dziesięć, jedenaście. Różnie to trwało, tydzień, dwa miesiące, dziesięć dni.

Po co latał z wami do Afganistanu mecenas Robert Smoktunowicz? Po to, żeby się przelecieć?
Rudolf zamierzał przygotować z Masudem dosyć skomplikowaną umowę dotyczącą wydobycia szmaragdów. I chciał, żeby Smoktunowicz był na miejscu i jej dopilnował. Zresztą żona Rudolfa też z nami poleciała.

Widzieliśmy kiedyś u Skowrońskiego zdjęcia z tej wyprawy. Uczty, zabawy na koniach.

Te zawody konne, nazywane buzkaszi, urządził wtedy Mohammad Fahim. Był ministrem spraw wewnętrznych, a po śmierci Masuda został szefem Sojuszu Północnego. Byliśmy zaprzyjaźnieni z jego bratem Hasinem, który zajmował się biznesem. Przez te pięć lat podróżowania w obie strony, w latach 1997–2001, właściwie zaprzyjaźniłem się ze wszystkimi, którzy mieli jakieś znaczenie w układzie Masuda.

Podczas tych wypraw towarzyszyli wam dziennikarze, między innymi Henryk Suchar. Po co?
Rudolf doceniał znaczenie prasy, więc chciał, żeby ta działalność Inter Commerce była nagłaśniana. Dlatego jeździli z nami dziennikarze, co oczywiście w niczym mi nie przeszkadzało.

Powiedz, dlaczego Masud nie rozwalił Bin Ladena. Nie miał możliwości?
Miał. W każdej chwili można było to zrobić. Masud umieścił swoje źródła w ochronie Bin Ladena i wśród talibów.

Co stało na przeszkodzie?
Masud uważał, że jeśli zabije Bin Ladena, to Amerykanie przestaną się wahać i uznają rządy talibów. Przypominam wam, że od 2000 roku, po ataku Al-Kaidy na amerykański niszczyciel USS „Cole", bardzo mocno naciskali na reżim talibów, by wydał Saudyjczyka. Masud wiedział, że jeśli do tego nie dojdzie, nie będzie normalizacji na linii Amerykanie–talibowie. On takiej normalizacji oczywiście nie chciał, bo talibowie byli jego wrogami. Gdyby Bin Laden został wyeliminowany, Amerykanie olaliby Masuda i żeby mieć święty spokój w Afganistanie, uznaliby tych, którzy reprezentują tam siłę. Czyli talibów. Masud doskonale zdawał sobie z tego sprawę.

Rozmawiałeś o tym z Masudem?
Tak, mówił mi to osobiście. „Dlaczego – zapytałem go – nie dasz Amerykanom głowy Bin Ladena, skoro jest dla nich najważniejszy? Będziesz miał u nich wszystko załatwione". A on

odpowiedział: „Będę miał załatwione w CIA, ale jest jeszcze Kongres, Biały Dom. Za pół roku by mnie nie było".

Przed wrześniem 2001 roku polskie służby były zainteresowane tym, co się dzieje w Afganistanie?
Nie. Polskie zainteresowanie było żadne. Informacje dostawali Amerykanie. Zresztą wkład polskich służb był zerowy. W sensie logistycznym czy finansowym cały ciężar spoczywał na plecach Inter Commerce. Latałem do Afganistanu na koszt firmy, wszystko robiłem na jej koszt.

Wywiad ci nie płacił?
Mnie nie. Przez te kilka lat Amerykanie dali w sumie dwadzieścia pięć tysięcy dolarów na opłacanie informatorów. I ja te pieniądze przekazywałem Afgańczykom.

Skromna kwota.
Śmiech na sali.

Kiedy wracałeś do Warszawy, odbywałeś jakieś rozmowy w ambasadzie amerykańskiej? Jak to wyglądało?
Zdawałem relacje oficerom naszego wywiadu, pisałem notatki. Oni to przekazywali ludziom z placówki CIA w Warszawie. A potem szło to do różnych komórek Agencji. Na przełomie 1999 i 2000 roku Amerykanie doszli do wniosku, że Masud ma ogromną wiedzę. I wysłali do niego misję łącznikową. Masudowi oczywiście chodziło o to, żeby mieć stały bezpośredni kontakt z wywiadem amerykańskim. Można powiedzieć, że byłem katalizatorem tych kontaktów. I w 2000 roku Amerykanie powiedzieli naszemu wywiadowi: „Dziękujemy, my już damy sobie radę sami". Tak że w sprawach afgańskich rozstałem się z wywiadem w 2000 roku. Ostatnia informacja, którą przyniosłem, mówiła o przygotowaniach do ataku na amerykański okręt w Zatoce Perskiej. Co potem się potwierdziło, bo zamachowcy uderzyli w USS „Cole".

Ale podtrzymywaliście kontakt z Masudem?

Tak, kontynuowaliśmy działalność biznesową. Miałem oczywiście cały czas jakieś informacje, bo przecież spotykałem się tam z wpływowymi ludźmi, ale ze strony polskiego czy amerykańskiego wywiadu nie było najmniejszego zainteresowania.

A kiedy biznes się skończył?

Biznes się skończył na dobrą sprawę wraz ze śmiercią Masuda, atakami na Amerykę i inwazją na Afganistan. Siłą rzeczy wszyscy byli tak zajęci wojną, że do biznesu nikt nie miał głowy.

Rozumiemy, że wywiad zgłosił się do ciebie jedenastego września?

Po południu. Zadzwonił do mnie oficer, który był łącznikowym, gdy trwała nasz współpraca. I zadzwonił też Siemiątkowski.

Co powiedział?

To już było po wyborach. SLD miało zaraz objąć władzę i było wiadomo, że Siemiątkowski będzie koordynatorem do spraw służb albo szefem wywiadu. Zaprosił mnie na spotkanie z Leszkiem Millerem, który lada dzień miał objąć urząd premiera. Przybliżyłem mu sytuację. Dysponowałem dokładnymi informacjami, że za tym zamachem stoi Bin Laden, bo szykował się do tego od dłuższego czasu. Powiedziałem to Millerowi, to samo powtórzyłem na spotkaniu z przedstawicielem wywiadu. Wywiad na bazie moich słów sporządził notatkę, która trafiła do prezydenta Kwaśniewskiego i premiera Buzka. Zresztą przez te parę lat, gdy SLD było w opozycji, od czasu do czasu spotykaliśmy się z Siemiątkowskim i wymienialiśmy poglądy. Opowiadałem mu, co się dzieje w Afganistanie, bo był tym zainteresowany.

Rozumiemy, że po jedenastym września macie dość kłopotliwą sytuację biznesową. Nawieźliście tam sprzętu…

No tak, ale nawieźliśmy do Doliny Pandższeru, a tam było bezpiecznie.

Zabity został Masud, wasz główny partner w biznesie.

To akurat nie spowodowało szczególnych problemów, ponieważ sukcesja była ustawiona już od wielu lat. Wiadomo było, że Masud może stać się ofiarą zamachu lub zginąć w walce. Ustalono więc, że jeśli do tego dojdzie, to jego miejsce zajmie Mohammad Fahim. Zatem po śmierci Masuda, który zginął dziewiątego września 2001 roku, na czele Sojuszu Północnego stanął Fahim. I dokonało się to bez żadnych rozgrywek i walk frakcyjnych. Bardzo dobrze znaliśmy Fahima i byliśmy zaprzyjaźnieni z jego bratem.

Powstała ciekawa sytuacja, bo nagle twoja wiedza i kontakty nabrały wyjątkowej wartości.

Tak, Sojusz Północny zdobywa Kabul i z dnia na dzień ci moi znajomi, górnicy i partyzanci, zostają kluczowymi postaciami w państwie – jeden szefem sztabu, drugi ministrem spraw wewnętrznych, kolejny burmistrzem Kabulu. W 2002 roku moje możliwości wywiadowcze w Afganistanie są ogromne. Praktycznie nie ma informacji, której nie mógłbym tam pozyskać.

Poczekaj, do zdobycia Kabulu jest jeszcze chwila. Rozumiemy, że we wrześniu zaczynacie spotykać się z Siemiątkowskim i rozmawiać o tym, jak można wykorzystać twoją wiedzę i kontakty. Jak to wygląda?

To wszystko odbywa się w szerszym kontekście. SLD zaczyna przemeblowywać służby. Znikają UOP i Zarząd Wywiadu, powstają ABW i Agencja Wywiadu. Siemiątkowski ma wtedy ambicje ogromne, chce zostać wicepremierem do spraw bezpieczeństwa i zarządzać wszystkimi służbami. To się rozgrywa na kanwie wydarzeń z jedenastego września. Miller absolutnie nie chciał się na to zgodzić. Tym bardziej że Siemiątkowski wpadł na pomysł, że skanibalizuje w Agencji Wywiadu WSI. To znaczy zabierze im wywiad wojskowy. Jednak ministrem obrony został Jerzy Szmajdziński, którego pozycja w SLD była mocna. I on się absolutnie na żadne rozmontowanie WSI nie godził. Zwłaszcza że było już w miarę jasne, że nasze wojsko pojedzie do tego Afganistanu razem z Amerykanami. Szmajdziński chciał mieć osłonę własnej służby.

W tamtym okresie ludzie z Pałacu Prezydenckiego nie prosili cię o jakieś konsultacje?
Na przełomie 2001 i 2002 roku miałem rozmowę z Markiem Dukaczewskim, który kilka tygodni wcześniej został szefem WSI. Poprzednio funkcjonował w prezydenckim Biurze Bezpieczeństwa Narodowego. Myślę więc, że to on przekazywał informacje Kwaśniewskiemu.

Znałeś wcześniej Dukaczewskiego?
Nie, poznałem go dopiero wtedy. Przyjął mnie u siebie, w siedzibie WSI, w jakimś mikroskopijnym gabinecie. Wezwał szefa wywiadu wojskowego Krzysztofa Surdyka. Posługuję się nazwiskiem, bo i tak figuruje ono w Raporcie z likwidacji WSI. I rozkręciliśmy współpracę. Oczywiście później się okazało, że za każdym razem, gdy wyjeżdżam z Polski, to mam trzepanie na granicy.

Siemiątkowski nie mógł ścierpieć, że poszedłeś do wojskowych?
Dwa czy trzy razy byłem poddawany na granicy rewizji osobistej. Wyjeżdżam z Bednarzem w 2002 roku. Jedziemy za granicę na jakieś spotkanie. Daję paszport przy kontroli i proszą mnie, żebym stanął z boku. Stoję tak dziesięć minut, przychodzi przełożony zmiany i mówi, że będę poddany rewizji osobistej, bo on ma takie polecenie. Na co Bednarz się wyrywa: „Ale, panowie, to jest pułkownik!". A tamten facet: „Może dlatego!". Oczywiście ustaliłem sobie, że zleceniodawcą jest Agencja Wywiadu. Napisałem do premiera Millera list ze skargą. Poprosiłem ministra Szmajdzińskiego, żeby go dostarczył. No i rewizje na granicy się skończyły.

Ale o co chodziło z tym Siemiątkowskim? Dlaczego się starliście? Czego on od ciebie chciał? Przekazania afgańskich źródeł?

To było bardziej skomplikowane, ale nie chcę o tym mówić, bo to są tajemnice. Starliśmy się i nie przyjął tego po męsku. Dlatego doszło do słynnego spotkania we czwórkę w lokalu konspiracyjnym WSI: on, Szmajdziński, Dukaczewski i ja.

Trudno się dziwić, że Siemiątkowski był wkurzony. Nagle Afganistan stał się jednym z kluczowych miejsc na świecie. On ma pod ręką faceta, który dużo tam może, a ten facet zaczyna kooperować z konkurencją w mundurach.

Był wkurzony, bo przez te kilka lat udało się tam zdobyć kilka dobrych kontaktów. Moi znajomi z Doliny Pandższeru zostali nagle najważniejszymi ludźmi w państwie.

A jak ty się dostałeś do Dukaczewskiego? Jaka była droga? Przez Oziębałę, którego znałeś z rezydentury w Rzymie?
On spełnił rolę pośrednika.

A ty chciałeś działać? Byłeś zdeterminowany, żeby ruszać do akcji?
Mogłem działać, ale nie chciałem działać z ludźmi, którzy nie potrafią profesjonalnie funkcjonować. Bo to jest taki rejon świata, gdzie albo robisz to z zawodowcami, albo w ogóle. Ta misja szybko nabierała wojskowego charakteru. Na początku 2002 roku w Bagram było już stu żołnierzy polskich – saperów, logistyków, inżynierów. I nie ulegało wątpliwości, że to zaangażowanie z naszej strony będzie rosło.

Poleciałeś tam dość szybko.
Była okazja, bo Szmajdziński miał wizytę w Kabulu. Chciał między innymi spotkać się z Fahimem, który był już wtedy ministrem obrony. Polecieliśmy samolotem rządowym przez Taszkent do Kabulu. Tam się spotkałem ze wszystkimi znajomymi, zorientowałem się, jakie stanowiska zajmują, w jakich są ministerstwach. I zacząłem wprowadzać przedstawiciela wywiadu wojskowego, majora DS, w różne relacje. Dałem mu na

przykład kontakt na generała Aghbera, który był wtedy szefem afgańskiego wywiadu wojskowego.

Dukaczewski też z wami poleciał?
Tak. Oni mieli swoją agendę. Ja tam zostałem przez dwa tygodnie.

Chcieliście w Afganistanie założyć spółkę ochroniarską, prawda?
Mocno się nad tym zastanawialiśmy. Wiadomo było, że takie usługi mogą być potrzebne, ale w 2002 roku to jeszcze nie był dobry czas, bo w Afganistanie trwała zawierucha wojenna.

Ale mieliście tutaj Konsalnet, czyli jakby przygotowanie, a tam poparcie polityczne?
No tak, pamiętajcie jednak, że w Afganistanie jest społeczeństwo klanowe. Sojusz Północny sam się chronił. A jeszcze nie działały tam firmy, które wymagały ochrony. Biznes dopiero powoli się rozkręcał. Na razie na pewno większe pieniądze były w Polsce. Zwłaszcza w tym dziale usług ochroniarskich, który był związany z cash processingiem, czyli przewożeniem pieniędzy.

Byłeś założycielem Konsalnetu?
Nie. To była spółka założona przez Wiesława Bednarza, Tomasza Banaszkiewicza i profesora Jerzego Koniecznego.

Banaszkiewicz w latach osiemdziesiątych pracował jako oficer wywiadu w USA.
Z Bednarzem.

A Konieczny to były szef UOP i minister spraw wewnętrznych.
Kiedy skończył urzędowanie na stanowisku ministra, bo podziękował mu premier Cimoszewicz, to wtedy we trzech założyli Konsalnet. Ja nabyłem w nim udziały może jakieś dwa lata później.

A skąd Konieczny w tym interesie?

No, chyba nie bardzo miał pomysł, co dalej robić. Nie znam okoliczności zakładania firmy, bo wtedy zajmowałem się Afganistanem.

Wróćmy jeszcze do Rudolfa Skowrońskiego. Jego losy potoczyły się dziwnie. Na początku pierwszej dekady naszego wieku przepadł jak kamień w wodę. Zniknął. Co się z nim stało?
Rudolf wszedł w konflikt z francuskim Carrefourem, dla którego załatwiał lokalizacje pod hipermarkety. Jego kondycja finansowa stawała się coraz słabsza.

Pamiętamy go z tamtego okresu. Wyglądał wtedy na człowieka przeżywającego kłopoty.
Nie wykluczam, że zaczęła się wokół niego zaciskać finansowa pętla. Może ktoś wyrządził mu krzywdę w związku z jakimiś rozliczeniami finansowymi. A może Rudolf odłożył ładną sumkę i postanowił na trwałe ulotnić się z Polski. Nie wiem tego.

Czy nie jest tak, że Rudolf odgrywał jakąś rolę dla wywiadu i kiedy grunt zaczął mu się palić pod stopami, wysłano go na koniec świata? I dziś Rudolf nie jest już Rudolfem, tylko na przykład Johnem Smithem w Nowej Zelandii?
Od 1990 roku nie pracowałem w resorcie. Nie byłem zatrudniony. I nawet gdyby hipoteza, którą snujecie, była prawdziwa, to nikt nie informowałby mnie o podobnych szczegółach. Nie jestem dobrym adresatem takich pytań.

19
Wojna z terroryzmem

Polowanie na Az-Zawahiriego – Firma przykrywkowa – Macierewicz przerywa akcję

Mieliście informacje o tym, co dzieje się u talibów czy w Al--Kaidzie?
Po klęsce w 2001 roku byli zajęci lizaniem ran, ukrywali się. Praktycznie pierwsza poważna notatka wywiadowcza, jaką uzyskałem od swoich źródeł na temat Al-Kaidy, pochodziła z grudnia 2003 roku. Od razu dotyczyła Usamy Bin Ladena. Otóż w listopadzie, w pakistańskiej miejscowości Chajbar przy granicy z Afganistanem, UBL miał spotkanie z grupą dwudziestu współpracowników. Omawiano na nim duży atak terrorystyczny. Chodziło o zamachy na terytorium USA lub Wielkiej Brytanii. Gdyby to okazało się niemożliwe, w grę wchodziło zaatakowanie któregoś z najbliższych sojuszników. Usama miał na to niemały budżet – osiem milionów dolarów.

Sądziłeś, że tym „najbliższym sojusznikiem" może być Polska?
Tak, było takie prawdopodobieństwo. Do operacji zamierzano wprowadzić Saudyjczyka, który miał bardzo dobre kontakty w Europie Wschodniej. W Rosji, Rumunii i w Polsce.

Dżamszid, piszesz o nim w książce *Tropiąc Bin Ladena*, która ukazała się w 2012 roku nakładem Czarnej Owcy.
Tak. Bin Laden w jednym z wariantów zamachu zakładał, że cały sprzęt potrzebny do jego przeprowadzenia zostanie

zakupiony właśnie w naszej części Europy, tak więc zagrożenie było realne. Zresztą niedługo potem, w marcu 2004 roku, przekazałem informację, że Bin Laden podjął decyzję o przeprowadzeniu zamachów wymierzonych w Polskę i Ukrainę. Odpowiedzialny za operację miał być Mohammad Dżunos Afez. W czasach rządów reżimu talibów podlegały mu słynne afgańskie linie lotnicze Ariana, zajmował się także kanałami przerzutu narkotyków. Wytypowano nawet potencjalnych zamachowców, między innymi dwóch Arabów mieszkających w Nowej Zelandii. Al-Kaida powoli odbudowywała struktury. Otrząsnęli się z szoku, odkopali broń, znów zaczęli zarabiać na narkotykach. Pojawiły się pieniądze i możliwości przeprowadzania zamachów. W każdym razie od początku 2004 roku zacząłem dostawać i przekazywać wywiadowi wojskowemu coraz więcej informacji.

Jak na to wszystko reagowało wojsko?
Każdą notatkę, którą dostawali, od razu starali się weryfikować z Amerykanami i Brytyjczykami. Informowali też innych sojuszników – wiem, że wiadomość dotycząca zagrożenia kontyngentu niemieckiego została przesłana bezpośrednio do zainteresowanych, a później się potwierdziła. To znaczy Niemcy mieli podobne sygnały wywiadowcze, że wokół nich coś może się zacząć dziać. Wojskowi jak to wojskowi. Są bardzo skrupulatni. U nich wszystko musi mieć ręce i nogi. Powiem zresztą, że wojsko mile mnie zaskoczyło profesjonalizmem, pieczołowitością, starannością. Moim prowadzącym był major DS, ale też spotykałem się regularnie z szefem wywiadu wojskowego Krzysztofem Surdykiem. Chodziło w końcu o nasz kontyngent, o bezpieczeństwo, więc Surdyk, który sam pilnował wszystkich spraw afgańskich, oprócz przekazywanych mu notatek często chciał znać moją interpretację, zadać kilka dodatkowych pytań. Papier, wiadomo, nie zastąpi kontaktu z żywym człowiekiem.

Wojskowi często zadawali szczegółowe pytania?

Tak. Zresztą to normalne w naszej pracy. Służba chce pogłębić wiedzę, ustalić szczegóły, prosi, żebyś dopytał źródła. Ma to także inne znaczenie – sprawdzając znane skądinąd szczegóły, sprawdza się także wiarygodność informacji i informatorów. Jednak z czasem zacząłem mieć wrażenie, że już gdzieś to ćwiczyłem.

Gdzie?
Z wywiadem cywilnym. Wojskowi też przekazywali informacje CIA, a Amerykanie tradycyjnie zadawali dziesiątki pytań. Odpowiedzi na nie wymagały wytężonej pracy. Tyle że nikt ich nie czytał, bo Amerykanie mieli w nosie, co ustalą służby jakiegoś małego kraju z Europy Wschodniej. Oni byli przekonani, że wszystko wiedzą najlepiej.

Kiedy pojawił się pomysł, żeby zapolować na czołówkę Al-Kaidy?
W styczniu 2006 roku dostałem bardzo szczegółową informację na temat miejsca pobytu Ajmana az-Zawahiriego.

Opowiedział ci o tym twój najlepszy informator o kryptonimie „X-Man".
Już wcześniej dostarczał ciekawych informacji o czołówce Al-Kaidy. Między innymi o relacjach Az-Zawahiriego i Bin Ladena. Jednak tym razem to było coś zupełnie innego: gdzie jest, kto go chroni, jakie ma zwyczaje. X-Man miał też na oku grupę, która mogłaby dokonać zamachu. Potrzebował tylko gwarancji, że dostanie kasę, czyli wyznaczoną przez Amerykanów nagrodę – dwadzieścia pięć milionów dolarów. Przekazałem to do Warszawy, Warszawa do CIA. Niedługo potem USA dokonały ataku samolotem bezzałogowym na pakistańską wioskę Domadola, gdzie miał być na tajnej naradzie Az-Zawahiri. Rozwalili pół wsi, ale go nie zabili, bo on tam nie dotarł.

A zatem pomysł eliminacji według waszej koncepcji był ciągle aktualny.

Właściwie przez całą pierwszą połowę 2006 roku dostaliśmy trzy czy cztery informacje o dokładnym miejscu jego pobytu. Gdzie przebywa i dokąd zamierza się udać, jak działa jego ochrona, kto jest za co odpowiedzialny, jakie zasady bezpieczeństwa są stosowane. Działało kilka kręgów zabezpieczenia w promieniu dwudziestu pięciu kilometrów od miejsca jego pobytu. W zasadzie już w tej odległości nie mógł pojawić się nikt obcy.

Co mówiła Warszawa?

Informowałem o sprawie DS oraz szefa wywiadu wojskowego Krzysztofa Surdyka, ten szefa WSI, generała Marka Dukaczewskiego, ten zaś z kolei ministra obrony Radka Sikorskiego, który zapowiedział, że nie będzie żadnej decyzji bez zgody zwierzchnika sił zbrojnych, czyli prezydenta Lecha Kaczyńskiego. Przy okazji nasza wiedza trafiała do Amerykanów. Surdyk zapraszał ich rezydenta do siebie, informował i pytał: „Potwierdzacie czy nie potwierdzacie?". Oni nie byli w stanie tego zrobić. Po pewnym czasie przyznali, że zwyczajnie nie wiedzą. Za to jak zwykle przysyłali miliony pytań: „Jaki samochód miał Az-Zawahiri? A jakie gumy w tym samochodzie? Ile dzieci z nim jechało?". Tak się przepychaliśmy z Amerykanami i nie było żadnej decyzji.

A tymczasem dwadzieścia pięć milionów dolarów leżało na stole. Miałeś informacje, grupę kilerów. Nie zaświtała ci myśl, by zgarnąć tę forsę niezależnie od decyzji politycznej w Polsce czy USA? Nie kusiło cię, żeby zarobić te pieniądze?
To Amerykanie wypłacają wykonawcom nagrodę. W jaki sposób doprowadzić do tego, pomijając amerykańskie służby?

Twoi koledzy zdjęliby Az-Zawahiriego, a ty w plecaku przywiózłbyś jego głowę do Warszawy. Kasa do podziału.
Piękna koncepcja. Tylko życie jest bardziej skomplikowane. Tak się składa, że nie mieliśmy w planie zamachu samobój-

czego. Ataku miała dokonać grupa ludzi. Po zakończeniu misji musieliby się wycofać z Afganistanu, i to z rodzinami. A więc operacja byłaby dość kosztowna. Zresztą nie chodziło mi po głowie, żeby robić na tym biznes. Raczej zabiegałem o gwarancje, że wykonawcy dostaną swoją dolę.

Czyli?
Dodam jeszcze, że uzyskaniem tych gwarancji byłem osobiście zainteresowany. Nie miałem bowiem ochoty do końca życia oglądać się za siebie, gdyby moi afgańscy koledzy zdjęli cel i z jakiegoś powodu nie dostali zapłaty. Wstępne uzgodnienia były takie, że gwarantem będzie wywiad wojskowy. Czyli wywiad gwarantuje, że Amerykanie wypłacą nagrodę, gdy zostanie im przedstawiony dowód śmierci Az-Zawahiriego.

Co miało być tym dowodem?
Procedura jest taka: dowód śmierci jest przedstawiany, akceptuje go wydział operacyjny CIA i przekazuje wniosek o wypłatę do działu finansowego. Ten z kolei ma swoje procedury potwierdzania. Chodzi o to, żeby przypadkiem się nie okazało, że ktoś z wydziału operacyjnego zrobił „biznes" na boku.

Nie odpowiedziałeś na pytanie. Jaki miał być wasz „dowód śmierci"?
Jednym z pomysłów grupy wykonawczej było zabicie Az-Zawahiriego w miejscu publicznym. To znaczy w obecności zupełnie niezależnych świadków. Rozwiązanie dość sprytne i wygodne – nie trzeba byłoby się wozić z jakimiś testami DNA.

Jaka była motywacja Afgańczyków?
Głównie zarobić. Drugi, mniej istotny czynnik, który grał rolę, to zemsta za zamordowanie Masuda. Nie mogli wówczas odstrzelić Bin Ladena, więc niech będzie Az-Zawahiri.

Mówiłeś, że o wszystkim wiedzieli i minister Sikorski, i prezydent Kaczyński.

Gdy tylko pojawiła się sprawa eliminacji Az-Zawahiriego, Sikorski wezwał majora DS i Surdyka. Dwukrotnie byli u Lecha Kaczyńskiego.

Po co?

Sikorskiemu bardzo się spodobał pomysł operacji. Jednak uznał, że musi mieć zgodę prezydenta, bo rzecz jest poważna. Gdyby Az-Zawahiri został odstrzelony i wyciekła informacja, że polskie służby miały coś z tym wspólnego, nasz kraj mógłby stać się celem odwetowych ataków terrorystycznych.

Co na to prezydent?

Przedstawili mu sprawę. Powiedzieli też, że Amerykanie są zainteresowani. No i Kaczyński dał zielone światło. Z tego, co mi opowiadano, był bardzo przejęty. Zwłaszcza możliwością reperkusji ze strony terrorystów. Dlatego trzykrotnie – tak mi mówiono – zaprzysięgał swoich rozmówców na wszelkie świętości. Kazał absolutnie trzymać rzecz w tajemnicy. Nalegał, by to, co zostało powiedziane, zostało tylko w tym gronie. Zabronił sporządzania jakichkolwiek dodatkowych raportów. Mieli wiedzieć tylko ci, co byli u niego, no i wykonawcy. Prezydent zdawał sobie sprawę, jak poważne byłyby konsekwencje, gdyby prawda wyszła na jaw.

Mówiłeś, że Sikorskiemu plan operacji się podobał. Czy znalazło to odbicie w jego działaniach?

On to rzeczywiście popychał. Załatwił poparcie prezydenta, a we wrześniu 2006 roku spotkał się w Stanach Zjednoczonych z sekretarzem do spraw obrony Danielem Rumsfeldem. Rozmowa była konkretna. Radek pytał, co jest grane, bo CIA milczy: chcecie, żeby go kropnąć, czy nie chcecie? A jakby co, to płacicie czy nie płacicie? Rumsfeld coś tam w biegu posprawdzał i wyraził zgodę. Oświadczył, że jeśli zachowamy wszelkie procedury, te „dowody śmierci" itd., to nagroda zostanie wypłacona. I on daje gwarancję, że nie będzie tu żadnych trików. No ale, jak wiadomo, skończyło się na niczym, bo akurat we wrześniu Antoni Macierewicz zaczął rozwalać całą operację.

Wróćmy na chwilę do naszego kontyngentu. Czy twoje afgańskie znajomości jakoś mu się przydały?
Znacznie poprawiły się możliwości wywiadowcze. Można było załatwić konkretne sprawy dla naszego wojska. Przekazałem majorowi DS wszystkie kontakty, dzięki czemu miał dojścia nie gorsze niż Amerykanie czy Anglicy. Zresztą DS bardzo dobrze zaaklimatyzował się w Afganistanie. W sumie spędził tam kilka lat.

Jeździłeś z majorem DS do Afganistanu?
Naturalnie. On się z tymi moimi źródłami spotykał, w imieniu wywiadu wręczał im pieniądze. Miał możliwość dokładnej weryfikacji i źródeł, i mojej działalności czy uczciwości. Zdarzało się, że przebywał z moimi źródłami sam na sam. Mógł na przykład zapytać, czy dostali ode mnie pieniądze, czy nie. Były to klasyczne spotkania kontrolne.

Raport z likwidacji WSI mówi o stu tysiącach dolarów i trzydziestu tysiącach złotych, które zarobiłeś przy tej sprawie.
Nie było takiej możliwości, żeby Makowski wziął sto tysięcy dolarów i poupychał je sobie po kieszeniach. Kasa poszła przede wszystkim na wynagrodzenie źródeł i na podróże. Przelot jednej osoby z Polski do Afganistanu kosztował dziesięć tysięcy złotych. A myśmy wykonali sporo takich lotów. Myślę, że jedną z najistotniejszych rzeczy, jakich udało nam się dokonać razem z DS, było spotkanie w czerwcu 2006 roku z marszałkiem Fahimem, szefem Sojuszu Północnego. Był on wówczas najpotężniejszym człowiekiem w Afganistanie. Za nim stał Sojusz i kilkadziesiąt tysięcy luf. Ponieważ było wiadomo, że w przyszłym roku wyląduje tam nasz kontyngent, chcieliśmy zaaranżować takie spotkanie. Pomógł nam w tym jego brat Hasin, nasz przyjaciel.

Dlaczego zależało wam na tym spotkaniu?
Chodziło o to, żeby w gronie szefów resortów siłowych zostało powiedziane, że administracja afgańska ma chronić polski kontyngent. Któregoś dnia po prostu pojechaliśmy do wielkiej willi, gdzie przyjął nas Fahim. Byli tam ministrowie służb i spraw wewnętrznych. DS w imieniu MON przedstawił prośbę, żeby administracja afgańska zaangażowała się w pomoc kontyngentowi i jego ochronę. Oni się na to zgodzili.

Pamiętasz tę willę i okoliczności spotkania?
To była dzielnica willowa. Trzy ulice wokół były zamknięte. Na pierwszych posterunkach policja i wojsko, na kolejnych samo wojsko. Na dwóch ostatnich już wyłącznie ochroniarze Sojuszu Północnego, wybrani ludzie od Fahima. Wielcy jak stodoły. No i oczywiście stały tam blokady z płyt kamiennych, między którymi trzeba było jechać slalomem. Samo spotkanie okazało się bardzo pożyteczne. DS był zadowolony. Ważni ludzie odpowiedzialni za bezpieczeństwo w Afganistanie zostali publicznie zobowiązani przez Fahima do pomocy Polakom.

A kiedy zrodził się pomysł założenia w Kabulu firmy przykrywkowej?
To się rodziło przez jakieś dwa lata. Dyskutowaliśmy o tym z DS i z Surdykiem.

Po co ta firma?
Szykowano przyjazd większego kontyngentu wojskowego z Polski. Byłoby fatalnie, gdyby WSI odstawiały tam partyzantkę, to znaczy w dzień oficerowie chodziliby po Bagram w mundurach, a wieczorem w cywilu spotkali się ze źródłami. Poronione. A ponieważ nie było tam placówki dyplomatycznej, należało zorganizować jakieś przykrycie, bazę. Normalnie działająca firma miała być legendą, która pozwalałaby realizować zadania wywiadowcze.

Konsalnet miał w to wejść?

Nie, takiego pomysłu nie było.

To miała być budowlanka?
To miało być pośrednictwo, doradztwo: w budowlance, w ochronie. Na przykład można by ściągnąć byłych żołnierzy GROM-u, żeby doradzali przy ochronie konwojów z paliwem, które szły z Uzbekistanu.

To mógł być poza tym niezły biznes, nie?
Naturalnie, mogliśmy zawiązać joint venture z Hasinem.

To pociągałoby za sobą koszty dla państwa polskiego?
Myślę, że państwo by na tym jeszcze zarabiało. Pomysł był taki, żeby wziąć kredyt na rozruch w miejscowym banku. Były już zaawansowane rozmowy na ten temat. Tak to wymyśliłem, żeby MON nie musiał wykładać ani złotówki. Szpiedzy i wojsko najczęściej nie rozumieją biznesu. To miała być w pełni samowystarczalna firma.

Jak wyglądałaby jej działalność?
Mnie nie byłoby w tej firmie. Potrzebnych było trzech, czterech oficerów WSI, co najmniej jeden z doświadczeniem biznesowym. I oni by zasuwali na miejscu. Na pewno można było pozyskać od razu co najmniej jeden kontrakt, na doradztwo przy ochronie konwojów paliwa z Uzbekistanu. Potem firma mogłaby się rozkręcać. Ci oficerowie funkcjonowaliby na miejscu i przy okazji realizowali swoje zadania. To typowa przykrywka, stosowana przez wszystkie wywiady świata, bo nie zawsze można występować pod szyldem Czerwonego Krzyża.

To było klepnięte przez kogoś na wyższym szczeblu?
Cała koncepcja ochrony polskiego kontyngentu, z tą spółką przykrywkową włącznie, została przedstawiona przez wywiad wojskowy w kompleksowym raporcie przekazanym ministrowi obrony Radosławowi Sikorskiemu, który zaakceptował ją na przełomie sierpnia i września 2006 roku. Dowiedziałem się

o tym w pierwszym tygodniu września od szefa wywiadu wojskowego i DS, którzy oświadczyli, że mamy brać się do roboty. No to złapałem za telefon i zacząłem ustawiać spotkania. Po czym zadzwonili za tydzień i powiedzieli, że wszystko zostało wstrzymane, bo Antoni Macierewicz przegląda akta WSI i dopatrzył się, że Makowski to „ten Makowski". Mój styk z afgańską operacją zakończył się w połowie września.

Czy w działalność tej firmy przykrywkowej miał być zaangażowany Konsalnet?
Nie było takiego pomysłu. Wszystkie siły Konsalnetu były nastawione na działanie w Polsce. I biznes szedł dobrze. Podam wam przykład. Około 2005 roku banki chciały pozbyć się kontaktu z gotówką. Wchodził tak zwany cash processing, czyli liczenie pieniędzy, konwojowanie, dostarczanie do odbiorców. Konsalnet w tamtym czasie wygrał przetarg na świadczenie takich właśnie usług dla jednego z największych banków. W związku z tym musiał zbudować w Polsce piętnaście czy szesnaście skarbców i ośrodków liczenia pieniędzy. Nie było możliwości, czasu ani chęci wchodzenia do Afganistanu.

Czy oprócz tego, co robiłeś w Afganistanie, byłeś mocno zaangażowany w Konsalnecie?
Tak, byłem prezesem chyba dwóch firm, wiceprezesem innych. Byłem jednym z głównych udziałowców.

Odszedłeś, gdy ujawniono cię w Raporcie z likwidacji WSI…
Udziałów się nie pozbywałem. Po prostu zrezygnowałem ze wszystkich funkcji. Zdjąłem się z afisza, bo założyliśmy, że zaraz przyjdą i będą sprawdzać firmę. Zresztą i tak kontrwywiad wojskowy zaczął chodzić wokół Konsalnetu.

Ale przecież potem sprzedaliście firmę?
Wpuściliśmy inwestora strategicznego, żeby firma mogła się dalej rozwijać. Zbytnio nie mogę się nad tym rozwodzić, bo to są tajemnice handlowe.

Ciągle macie tam udziały? Częściowo to jest wasza firma, tak?
Tak.

A prezesem jest Adam Pawłowicz, człowiek z innej bajki, kiedyś związany ze środowiskiem prawicowych pampersów.
Z innej bajki, ale on ma przetarcie biznesowe. Był szefem Ruchu. Relacje są normalne. Konsalnet jest największą firmą w branży i żeby taką pozostał, musiał wejść inwestor strategiczny, który dysponował środkami finansowymi. Po to między innymi, by przejmować kolejne firmy z tej branży.

Jaki był sądowy finał ujawnienia w Raporcie operacji WSI i ciebie jako współpracownika służb?
Pozwałem ministra obrony narodowej i zażądałem przeprosin. Proces trwał dwa lata. W imieniu ministra występowała Prokuratoria Generalna, która przegrała w pierwszej instancji i w apelacji. Sądy nakazały mnie przeprosić i podyktowały formułę przeprosin, które ukazały się w 2013 roku w „Rzeczpospolitej". Z mojego punktu widzenia sprawa została zakończona. Sąd stwierdził, że wszelkie sugestie w Raporcie – jakobym był hochsztaplerem, złodziejem, naciągaczem – są niezgodne z prawdą. Z tego wyroku wynika, że autorzy Raportu, z Antonim Macierewiczem na czele, kłamali, konfabulowali i wprowadzali odbiorców w błąd. Według mnie Macierewicz, ujawniając szczegóły operacji specjalnej w Afganistanie, mógł wziąć udział w obcym wywiadzie.

O czym mówisz? W jaki sposób?
Zgodnie z definicją artykułu 130 par. 2 kodeksu karnego w obcym wywiadzie bierze udział ten, kto ujawnia informacje mogące szkodzić Rzeczpospolitej. Aby wziąć udział w obcym wywiadzie, nie trzeba mieć żadnego związku organizacyjnego czy konspiracyjnego z obcą służbą. Ujawniając informacje o tajnych działaniach w Afganistanie, ujawniając całemu światu informacje o tym, że byłem współpracownikiem wywiadu,

Macierewicz de facto przekazał je wywiadowi Al-Kaidy i innym służbom zagranicznym. Takie działanie ma swoją potoczną nazwę – zdrada stanu. Tak to określił profesor Andrzej Rzepliński tuż po publikacji Raportu w 2007 roku, a ponieważ doszedł w 2010 roku do stanowiska prezesa Trybunału Konstytucyjnego, to należy zakładać, że wie, co mówi.

Ale dla ciebie sprawa jest zamknięta?
Zrobiłem tyle, na ile pozwalało mi prawo. Z tego, co wiem, w Prokuraturze Apelacyjnej w Warszawie jest prowadzone postępowanie przeciw Macierewiczowi i innym autorom Raportu. Śledczy już dwa razy wystąpili do prokuratora generalnego z wnioskiem, by ten złożył do Sejmu pismo w sprawie odebrania Macierewiczowi immunitetu. Prokurator generalny z niezrozumiałych dla mnie powodów zwrócił te wnioski do Prokuratury Apelacyjnej.

Masz własne, osobiste pretensje do Macierewicza?
Trudno to rozpatrywać w takich kategoriach. Patrzę na to w kategoriach szkody wyrządzonej państwu. Jeżeli podczas wojny ujawnia się oficerów i współpracowników wywiadu, to wyrządza się taką właśnie szkodę. Kto chce pracować ze służbą państwa, które ujawnia swoich agentów? Gdyby nie Raport Macierewicza, pewnie kontynuowalibyśmy operację w Afganistanie. I opierając się na tym, co tam przygotowaliśmy, mogę zakładać, że w trakcie tej misji zginęłoby kilku żołnierzy mniej.

Po ujawnieniu Raportu pojechałeś od razu do Afganistanu. Po co?
Raport ukazał się w lutym 2007, ja pojechałem w kwietniu. Uważałem, że ludzie, z którymi tam współpracowałem, powinni dowiedzieć się ode mnie, na czym cała ta sprawa polega. Wychodziłem z założenia, że im się to należy

I co im mówiłeś?
Mówiłem, że to wewnętrzna rozgrywka polityczna. I tyle.

I jak te tłumaczenia zostały przyjęte? Ktoś miał do ciebie pretensje?

Ludzie, z którymi tam pracowałem, mają doświadczenie trzydziestu lat wojny, najpierw z Rosjanami, potem domowej. Różne rzeczy widzieli i byli świadkami różnych zdrad. Pretensji nie mieli, próbowali za to podtrzymać mnie na duchu.

Aneks
Szefowie wywiadu cywilnego

Pułkownik Witold Sienkiewicz (1950–1961) był najdłużej urzędującym szefem wywiadu. Po stworzeniu MSW kierował Departamentem I do 1961 roku. Wcześniej, od czerwca 1950 roku, stał na czele Departamentu VII, czyli wywiadu w strukturze Ministerstwa Bezpieczeństwa Publicznego. Był dezerterem z Armii Andersa. Potem służył w Armii Czerwonej, walczył w partyzantce – zrzucono go na spadochronie w okolicach Wilna w 1942 roku. Pracował w wydziale zagranicznym KC PPR, trafił więc do resortu nie z linii bezpieczniackiej, lecz partyjnej.

W 1954 roku, podczas kolejnych zmian strukturalnych, awansował na wiceszefa Komitetu Bezpieczeństwa Publicznego. W wywiadzie zastąpił go na krótko (jako pełniący obowiązki) pułkownik Józef Czaplicki – postać wyjątkowo ponura. Urodzony jako Izydor Kurc, był typowym oficerem tamtych czasów. Przedwojenny komunista, członek KPP. Szlify zdobywał w partyzantce radzieckiej w lasach w okolicach Orła. Nosił wówczas pseudonim „Sasza", na piersi miał przypięte ordery Czerwonego Sztandaru i Czerwonej Gwiazdy. Był między innymi szefem Departamentu III MBP odpowiedzialnym za walkę z „bandytyzmem". Słynął z nienawiści do żołnierzy AK, czego wyrazem był niechlubny przydomek „Akower".

Sienkiewicz wkrótce wrócił do wywiadu. Przetrwał wiele burz – przede wszystkim destalinizację – w resorcie i zawsze był oceniany jako silny szef.

Mimo że kierował wywiadem od 1950 roku, Gomułka mu zaufał. W październiku 1956 roku Sienkiewicz osobiście czyścił Departament ze stalinowców, szczególnie tych pochodzenia żydowskiego. Zbigniew Siemiątkowski tak mówił w wywiadzie dla „Przeglądu": „Przytaczam opinię moich respondentów [czyli oficerów Jedynki], którzy mówią: chwała dyrektorowi wywiadu Witoldowi Sienkiewiczowi, że «odżydził» po 1956 roku wywiad. Mówią to bez żadnego zażenowania".

Starał się chronić młodszych oficerów, wysyłając ich na studia, na przykład na SGPiS, i zarządził poszukiwania kadr do Jedynki na wyższych uczelniach.

Uchodził za niezłego szefa, który co jakiś czas odwiedzał podwładnych w ich pokojach, żeby pogadać i wypalić papierosa.

Sienkiewicz zapłacił stanowiskiem za dwie głośne dezercje z wywiadu – Michała Goleniowskiego i Władysława Mroza.

Goleniowski był szefem Wydziału VI, czyli wywiadu naukowo-technicznego. Uważany za wtyczkę NKWD i KGB, miał pozycję trzeciej osoby w resorcie. Od 1958 roku jako podwójny agent przesyłał informacje do CIA. W styczniu 1961 roku zgłosił się w Berlinie Zachodnim do rezydenta Agencji, dostarczając przy okazji dane o wszystkich znanych mu siatkach szpiegowskich. W PRL został skazany zaocznie na karę śmierci, ale do dziś wielu analityków uważa, że jego ucieczka była grą operacyjną KGB. W 1963 roku otrzymał obywatelstwo amerykańskie, a potem… nieco odjechał. Głosił, że jest synem cara Mikołaja II i cudem uniknął rozstrzelania. Zmarł w USA w 1993 roku.

Sienkiewicz znacznie mocniej przeżył dezercję kapitana Mroza, który był jego zaufanym, a nawet przez pewien czas adiutantem. Mróz z polecenia szefa organizował pion nielegałów i wykładał w szkole oficerskiej wywiadu. Do Francji wyjechał z żoną i dwójką dzieci jako nielegał oraz oficer nadzorujący siatkę wywiadowczą. Tam zgłosił się do kontrwywiadu, poprosił o azyl i ujawnił między innymi całą agenturę we Francji, w tym dane nielagałów i francuskich oficerów współpracujących z wywiadami zza żelaznej kurtyny. „Sprzedał" także system łączności z agenturą i dodatkowo kilku współpracowników wywiadu polskiego w Wielkiej Brytanii i Izraelu.

Nie było procesu Mroza. Sienkiewicz osobiście zatwierdził plan likwidacji. Zbiegły oficer został zastrzelony w Paryżu w październiku 1960 roku.

Sienkiewicz zmarł w 1990 roku. Po odejściu z Departamentu nie sprawował żadnych funkcji.

Pułkownik Henryk Sokolak (1961–1969) był drugim pod względem długości stażu szefem Departamentu I. Wcześniej zastępował Sienkiewicza. Urzędowanie rozpoczynał w cieniu skandalu z dezercjami oraz „afery kurierskiej". Wyszło bowiem na jaw, że kurierzy dyplomatyczni, oficerowie Jedynki, przemycali złoto i dewizy, a potem sprzedawali je paserom z Łodzi i Warszawy. Zastępca szefa Departamentu, pułkownik Zbigniew Dybała, popełnił wówczas samobójstwo w swoim gabinecie.

Sokolakowi na pierwszego zastępcę narzucono ambitnego oficera z kontrwywiadu, Mirosława Milewskiego, drugim zastępcą został Eugeniusz Pękała, zaufany Mieczysława Moczara. Był to ewidentny odwrót od Października. Jednak w czasach Sokolaka największy wpływ na wywiad miał wiceminister Franciszek Szlachcic, wywodzący się także z grupy Moczara, ale stawiający na młodych i dobrze przygotowanych oficerów.

Sokolak urodził się w 1921 roku jako Henryk Mikołajczyk. Całą wojnę, od 1939 do 1945 roku, spędził w obozie koncentracyjnym w Buchenwaldzie, gdzie działał w konspiracji. Po wyzwoleniu pracował w wydziale propagandy partii oraz w wojewódzkim Urzędzie Bezpieczeństwa Publicznego w Poznaniu. Z wywiadem związany od 1949 roku, był między innymi wykładowcą oraz komendantem szkoły kadr wywiadu w Rembertowie. Pracował także w misji wojskowej w Berlinie

Zachodnim. Szczególnie dobrze orientował się w tematyce niemieckiej. Miał też – jako przedwojenny członek Komunistycznej Patrii Niemiec – doskonałe kontakty. Ciekawe, że jako dyrektor Jedynki sam siebie wysyłał na misje wywiadowcze do Niemiec.

W 1969 roku został przeniesiony do MSZ, gdzie powierzono mu stanowisko wicedyrektora i dyrektora Departamentu Europy Zachodniej. Podobno był to typowy „kopniak w górę", żeby odciąć go od wywiadu, niemniej Sokolak nie był dyplomatą malowanym – miał odpowiednią wiedzę i własne zdanie, szczególnie na temat układania stosunków z Bonn. W czasach gdy był dyrektorem, rozwijała się afera „Żelazo", która trwała w najlepsze jeszcze po jego odejściu, oraz afera „Zalew", także polegająca na rabowaniu kosztowności na Zachodzie.

Po oficjalnym opuszczeniu wywiadu był przez krótki czas radcą w ambasadzie w Berlinie, pozostając jednak na etacie niejawnym w Departamencie I. W końcu lat siedemdziesiątych został ambasadorem w Tunezji.

Generał Mirosław Milewski (1969–1971) był protegowanym Mieczysława Moczara. To właśnie przywódca betonowej frakcji w PZPR wstawił go do wywiadu i zrobił zastępcą szefa Departamentu. Kiedy zaś po antysemickich czystkach w 1968 roku urósł w siłę, załatwił swojemu protegowanemu stanowisko szefa Jedynki. Milewski budował swoją pozycję, opierając się na ówczesnym sekretarzu KC PZPR Stanisławie Kani oraz na układach z rezydentem KGB i towarzyszami radzieckimi.

Gdy po grudniu 1970 roku do władzy doszła ekipa Edwarda Gierka, awansował na wiceministra spraw wewnętrznych. Był to efekt intrygi Franciszka Szlachcica, człowieka Gierka, który został ministrem spraw wewnętrznych i awansował Milewskiego po to, żeby przejąć kontrolę nad wywiadem. Faktycznie odciął go od Departamentu I. Przynajmniej do 1974 roku, gdy jego kariera zaczęła się chwiać.

Wówczas Milewski odzyskał wpływy. Początkowo był w doskonałych stosunkach z ekipą Jaruzelskiego, który wyrażał się o nim w samych superlatywach i nie miał zastrzeżeń, gdy Kania zaproponował go w 1980 roku na ministra spraw wewnętrznych. W następnym roku Jaruzelski dał Milewskiemu „kopa w górę" i awansował na sekretarza KC, a resort oddał Kiszczakowi. Powodem był strach, że Milewski spiskuje przeciw wojskowym z Moskwą. Ostatecznie „zamordowano" generała, wyciągając na światło dzienne aferę „Żelazo".

Karierę wywiadowcy Milewski zaczynał w 1944 roku, mając siedemnaście lat, w powiatowym UB w Augustowie. Awansował do wojewódzkiego UB w Białymstoku, gdzie doszedł do stanowiska naczelnika. Przeniesiony do Warszawy, do komendy wojewódzkiej MO, dopiero w 1959 roku trafił do ministerstwa, gdzie został jednym z naczelników Departamentu III, zajmującego się zwalczaniem działalności antypaństwowej.

Józef Osek (1971–1974) miał trzydzieści osiem lat, gdy z nadania Szlachcica został dyrektorem wywiadu. Był to złoty okres dla służby. Otworzono szkołę w Kiejkutach, rekrutowano do niej wyróżniających się absolwentów wydziałów prawa i stosunków międzynarodowych oraz dyplomowanych inżynierów. Gierek nie żałował pieniędzy, gdyż przekonano go, że nowoczesny wywiad będzie przynosił ogromne korzyści. Osek przez całe życie pracował w wywiadzie i miał opinię bardzo dobrego oficera operacyjnego. Biegle władał angielskim i francuskim. Pracował w rezydenturach w Tel Awiwie i Paryżu. Dla młodszego pokolenia oficerów wywiadu jego powołanie było sygnałem, że pokolenie wojenne powoli odchodzi i teraz przed nimi otwierają się drzwi do kariery.

Osek odnosił się z dużą rezerwą do Milewskiego i współpracy z przyjaciółmi z ZSRR. By sprawniej „wyczyścić resort" ze starych funkcjonariuszy, w 1971 roku ujawniono aferę „Zalew" – czyli dokonywane przez ludzi z kontrwywiadu MSW rabunki złota i dewiz na Zachodzie. Łup przemycano do Polski, a jego część oficerowie ukrywali na działkach nad Zalewem Zegrzyńskim.

Po odejściu z Departamentu Osek został wiceprezesem Głównego Urzędu Ceł.

Kiedy Jan Słowikowski (1974–1981) zostawał szefem Departamentu, miał czterdzieści siedem lat. Jego nominacja była zaskoczeniem, podobno także dla niego. Zaczynał karierę w rzeszowskim UB. Brał udział w walkach z podziemiem. Do wywiadu trafił po szkole w Legionowie, gdzie na swoim roku był prymusem. Zaliczył placówki w Nowym Jorku i Tel Awiwie. Spędził tam w sumie dziewięć lat, więc nie miał kiedy uczestniczyć w resortowych intrygach. W centrali był naczelnikiem kontrwywiadu zagranicznego.

Podczas urzędowania wycinał przeciwników Milewskiego, który dbał o to, żeby wszelkie informacje natury wywiadowczej przechodziły przez jego biurko. Słowikowski nie sprzeciwiał się, nie miał też szczególnych ambicji kontaktowania się z władzą. Zainteresowany był wyłącznie pracą w Departamencie. Milewski żądał wprawdzie informowania o wszystkich ważnych operacjach, jednak nie wtrącał się do bieżącego zarządzania Departamentem. Słowikowski uchodził za sprawnego dyrektora. W jego czasach działał w USA Marian Zacharski. Generał Jaruzelski osobiście wysłuchiwał relacji na ten temat. Pod koniec lat siedemdziesiątych Słowikowski przyjmował do wywiadu ludzi z protekcji, między innymi swojego zięcia. Mówiono, że o wysłaniu na ważną placówkę bardziej decydują chody niż umiejętności i doświadczenie.

Musiał odejść, gdy MSW przejęli wojskowi. Po odejściu ze stanowiska był między innymi ambasadorem w Teheranie. Z placówki odwołano go po ujawnieniu afery „Żelazo". Słowikowski miał pełną świadomość tego, co się dzieje – w 1975 roku informował ministra spraw wewnętrznych, ile wywiad na

„Żelazie" zarobił. W jego czasach, w 1977 roku, przygotowywano zamach na Adama Michnika w RFN.

Fabian Dmowski (1982–1983), najkrócej sprawujący funkcję szef Jedynki, karierę rozpoczynał w kontrwywiadzie w 1959 roku. Do wywiadu przeszedł w 1964. Pracował w wydziale VI, odpowiedzialnym za wywiad naukowo-techniczny. Przeszedł przez rezydentury we Francji i Włoszech.

Był dyrektorem przejściowym. Lojalny wobec Milewskiego, który go sprowadził do wywiadu, z lekceważeniem odnosił się do generała Władysława Pożogi, który jako wojskowy wiceminister miał nadzorować wywiad. W tej sytuacji było jasne, że Dmowski długo w Departamencie miejsca nie zagrzeje. Generał Pożoga wziął rewanż. Dmowski wyleciał za korzystanie z resortowego transportu do budowy domu letniskowego. Potem dołożono mu jeszcze za dezercje i skandale obyczajowe w wywiadzie. Tak wojskowi przejęli kontrolę nad wywiadem.

Mianowanie Zdzisława Sarewicza (1983–1989) było szokiem dla Departamentu. Sarewicz nie miał nic wspólnego z wywiadem. Całą karierę służył w kontrwywiadzie, gdzie doszedł do stanowiska dyrektora. Był absolwentem Szkoły Głównej Dyplomatycznej. Ale Kiszczakowi chodziło właśnie o kogoś, kto byłby spoza wywiadu. Pracę Departamentu osobiście nadzorował generał Pożoga, który wzmacniał Wydział XI, przeznaczony do walki z opozycją. W sprawach operacyjnych Sarewicz dawał wolną rękę zastępcom. Wojskowi zaś interesowali się głównie Jedenastką.

Za czasów Sarewicza nastąpiła ostateczna rozprawa z Milewskim. W 1984 roku wyszła na jawa afera „Żelazo". Rozliczono także dezercje Waldemara Mazurkiewicza, szyfranta z Nowego Jorku (1980), oraz pracownika pionu naukowo-technicznego, Jerzego Korycińskiego, który zbiegł w 1983 roku, ale miał odpowiadać za ujawnienie działalności Mariana Zacharskiego, aresztowanego w USA w 1981 roku. Po ujawnieniu skandali Sarewicz otrzymał zadanie uspokojenia sytuacji w wywiadzie i przywrócenia normalnej pracy.

Jednocześnie w latach 1985–1986 wojskowi przygotowywali się do rozmów z opozycją. Kiszczak zaczął interesować się wywiadem naukowo-technicznym. Jego naczelnikiem Sarewicz mianował zdolnego oficera Henryka Jasika, który wkrótce miał go zastąpić. Sarewicz dał podwładnym zielone światło do rozpoczęcia rozmów z CIA. Po 1989 roku – choć skończył pięćdziesiąt pięć lat – wyjątkowo nie został wysłany jak inni na emeryturę. W Zarządzie Wywiadu UOP służył do 1997 roku.

Henryk Jasik (1989–1992) w wywiadzie naukowo-technicznym przeszedł wszystkie szczeble kariery. Pracował między innymi w rezydenturze w Kolonii. Skutecznie wprowadził Departament do nowej rzeczywistości. Jako człowiek o nienagannych manierach, nie za bardzo „umoczony w system", nadawał się do tego najlepiej. To dzięki Jasikowi weryfikacji nie przeszło tylko trzech oficerów – wszyscy z Wydziału XI. Z tysiąca pracowników Departamentu sześciuset przyjęto do służby w UOP. Jasik pozostał dyrektorem Zarządu I UOP do roku 1992, potem awansował na wiceministra spraw wewnętrznych.

Janusz Luks (1992–1994) wywodził się z wydziału amerykańskiego. „Bystry, inteligentny, o dużej wiedzy na temat USA" – opisuje jeden z oficerów, którzy się z nim zetknęli. Po odejściu ze stanowiska przeszedł do biznesu. Był długoletnim doradcą sejmowej Komisji do spraw Służb Specjalnych.

Marian Zacharski (1994), chyba najkrócej urzędujący szef wywiadu, przetrwał na stanowisku pięć dni w sierpniu 1994 roku. Zrezygnował, gdy przeciw objęciu przez niego stanowiska zaczęli protestować Amerykanie. Sytuacja była rzeczywiście schizofreniczna. Polska aspirowała do NATO, blisko współpracowała z USA, a szefem wywiadu miał zostać oficer z amerykańskim wyrokiem za szpiegostwo. W 2008 roku Zacharski mówił nam: „Zrzucanie mnie ze stanowiska było niemal klasyczną wewnętrzną polsko-polską wojenką, a wyjątkową aktywnością w tym pojedynku wykazywali się szef dyplomacji Andrzej Olechowski i ówczesny szef UOP Gromosław Czempiński. To im w dużym stopniu należy zawdzięczać, że Amerykanie w końcu zdecydowali się i złożyli notę protestacyjną".

Postać Zacharskiego budzi silne kontrowersje. Z wielu powodów. Jedni uważają go za autora jednego z największych sukcesów w historii wywiadu. W 1977 roku Zacharski zdobywa w Kalifornii przyjaźń Williama Bella, elektronika z zakładów zbrojeniowych Hughes Aircraft Company. Zaczyna kupować od Amerykanina, który ma problemy finansowe, największe sekrety przemysłu zbrojeniowego, między innymi dokumentację systemu radarowego uniemożliwiającego wykrycie amerykańskich samolotów przez naziemne stacje radiolokacyjne, systemu radarowego przeznaczonego dla czołgów, eksperymentalnego systemu radarowego dla US Navy, a także dokumentację rakiet powietrze–powietrze Phoenix. Zdrada Bella kosztuje Amerykę miliardy dolarów, sam inżynier otrzymuje od polskiego wywiadu około stu siedemdziesięciu tysięcy dolarów w gotówce i złotych monetach. Zacharski i Bell zostają złapani w 1981 roku. Polak dostaje dożywocie. Z więzienia udaje się go wyciągnąć po czterech latach. Bell dostaje tylko ośmioletni wyrok, bo współpracuje z FBI. Wychodzi po czterech latach i w 1986 roku zapija się na śmierć.

Część środowiska szpiegowskiego podważa zasługi Zacharskiego. Podnoszone są argumenty, że nie był zawodowcem, przeszkolenie przeszedł dopiero, gdy miał już kontakty z Bellem. A oficerem został zaocznie, jak Amerykanie wsadzili go do więzienia. Zarzuca mu się również, że szarżował, mimo ostrzeżeń z centrali, przez co doszło do wpadki. Niektórzy oficerowie uważają, że FBI od pewnego momentu monitorowało relacje Bella z Zacharskim. I podrzucało Amerykaninowi lekko spreparowane dokumenty, by sprowadzać na manowce radziecki przemysł zbrojeniowy. Kiedy Zacharskiego udało się wyciągnąć z amerykańskiego więzienia, w PRL był fetowany jak bohater narodowy. Wygłaszał wykłady dla adeptów szpiegostwa, był szefem Pewexu. Po epizodzie na stanowisku szefa wywiadu Zacharski wziął udział w drugiej słynnej akcji, również jako główny bohater. Chodzi o sprawę „Olina", która do dziś budzi kontrowersje. Zapewne już nigdy jej kulisy nie zostaną wyjaśnione. Zacharski i jego stronnicy dowodzą, że udało się zebrać dowody na agenturalne powiązania czołówki lewicy, w tym premiera Józefa Oleksego. Sceptycy oceniają, że afera „Olina" była inspirowana przez Rosjan, którzy chcieli doprowadzić do zamieszania w Polsce. Zwolennicy tej teorii podkreślają, że dyplomata i szpieg Gieorgij Jakimiszyn (źródło Zacharskiego) tak naprawdę nie zdradził. Wrócił do Rosji i nie spotkała go żadna krzywda. W dodatku został szefem rosyjsko-angielskiej firmy, a nawet ławnikiem w procesie rosyjskiego naukowca Igora Sutiagina oskarżonego o szpiegostwo. W konsekwencji sprawy „Olina" Zacharski opuścił Polskę. Od 1996 roku mieszka poza krajem. Zajmuje się między innymi pisaniem wspomnień.

Bogdan Libera (1994–1996 i 1997–2001), kolega Aleksandra Makowskiego z pierwszego kursu w Kiejkutach, podobnie jak Jasik wywodził się z wywiadu naukowo-technicznego, którego zadaniem było ściąganie do Polski technologii objętych embargiem. Libera był „niemieckojęzyczny" i kraje, w których mówiło się tym językiem, znajdowały się w obszarze jego zainteresowania. Jego pierwsze szefowanie wywiadem przypadło na gorący okres sprawy „Olina". W konsekwencji tej operacji Libera odszedł ze stanowiska wiosną 1996 roku. Wrócił na jesieni następnego roku (po objęciu władzy przez AWS) i pozostał szefem wywiadu do 2001 roku. Potem pełnił rolę doradcy w jednej z komisji śledczych parlamentu, był też doradcą sejmowej Komisji do spraw Służb Specjalnych.

Wojciech Czerniak (1996–1997) miał „uspokoić" sytuację po aferze „Olina". Był nominatem lewicy. „W PRL był oficerem, który zajmował się Radiem Wolna Europa i paryską «Kulturą»" – mówi jeden z jego kolegów z wywiadu. Potem był między innymi konsulem w Wiedniu. Po latach, gdy przestał być szefem wywiadu, jeden z autorów niniejszej książki spotkał się z nim na Mokotowie. Czerniak miał biuro w firmie Andrzeja Kuny i Aleksandra Żagla. Ci dwaj słynni w latach dziewięćdziesiątych biznesmeni utrzymywali przyjacielskie kontakty ze sławnym Władimirem Ałganowem, jednym z bohaterów afery „Olina". „Zapewne Czerniak miał z nimi kontakty, gdy pracował w Austrii. Kuna i Żagiel urzędowali przecież na co dzień w Wiedniu" – mówi nasz rozmówca z wywiadu.

Zbigniew Siemiątkowski (2002–2004), polityk SLD, minister spraw wewnętrznych, z wykształcenia politolog, w latach dziewięćdziesiątych należał do grupy najbardziej znanych działaczy postkomunistycznej lewicy. Przez kilka kadencji zasiadał w ławach poselskich SLD, był między innymi rzecznikiem jego klubu parlamentarnego. W 1996 roku piastował stanowisko ministra spraw wewnętrznych. Siemiątkowski uznawany był przez lata za polityka bliskiego Aleksandrowi Kwaśniewskiemu. Z czasem wyspecjalizował się w tematyce związanej ze służbami specjalnymi: był między innymi członkiem sejmowej Komisji do spraw Służb, a w 1997 roku rządowym koordynatorem do spraw służb. W 2001 roku przygotował dla idącej po władzę lewicy reformę służb, która zaowocowała rozwiązaniem UOP i powołaniem w jego miejsce ABW oraz Agencji Wywiadu. Siemiątkowski stanął na czele tej ostatniej w czerwcu 2002 i pozostawał jej szefem do 2004 roku. Miał kilka poważnych wpadek. W 2007 roku został skazany na rok więzienia w zawieszeniu za przetrzymywanie w domu tajnych dokumentów UOP. Podobny wyrok usłyszał później za przekroczenie uprawnień związane z zatrzymaniem przez służby w 2001 roku prezesa Orlenu, Andrzeja Modrzejewskiego. W 2012 roku prokuratura postawiła mu zarzuty związane z wyrażeniem zgody na powołanie w Kiejkutach tajnej bazy CIA, w której przetrzymywano i torturowano podejrzewanych o terroryzm. Od 2005 roku Siemiątkowski nie zajmuje się polityką. Poświęcił się pracy naukowo-dydaktycznej, między innymi na Uniwersytecie Warszawskim. W 2009 roku wydał książkę *Wywiad a władza: wywiad cywilny w systemie sprawowania władzy politycznej PRL.*

Andrzej Ananicz (2004–2005), polityk, naukowiec i dyplomata, na czele wywiadu stał w sumie dwa razy. Po raz pierwszy w latach 2004–2005. Wtedy powołał go na to stanowisko premier Marek Belka. Drugi raz przejściowo kierował służbą w 2008 roku na wniosek premiera Donalda Tuska. Ananicz budził kontrowersje nie tylko na lewicy, lecz także po prawej stronie politycznej sceny. Współpracował z ministrem Krzysztofem Skubiszewskim, prezydentem Lechem Wałęsą i premierem Jerzym Buzkiem. Zanim trafił do polityki (potem zresztą również), wykładał na Uniwersytecie Warszawskim. Jego specjalność to orientalistyka. Ananicz włada pięcioma językami, między innymi perskim i tureckim. W PRL działał w Solidarności. Do 1991 roku redagował kwartalnik społeczno-polityczny „Obóz" (do 1989 roku w drugim obiegu), poświęcony krajom Europy Wschodniej. Założył go z młodymi pracownikami naukowymi i studentami UW – między innymi z Jerzym Targalskim i Wojciechem Maziarskim. W latach 1982–1983 wykładał gościnnie literaturę słowiańską i filologię polską na Uniwersytecie Indiany. Po przełomie ustrojowym, za czasów ministrowania Krzysztofa Skubiszewskiego, trafił do resortu spraw zagranicznych. Zajmował się krajami Europy Wschodniej, między innymi jako dyrektor Departamentu Europy. Kierował również zespołem negocjującym polsko-rosyjski traktat o przyjaznej i dobrosąsiedzkiej współpracy, który został podpisany w 1992 roku. W 1994 roku Ananicz przeniósł się do Pałacu Prezydenckiego. Był doradcą do spraw międzynarodowych Lecha Wałęsy, a następnie podsekretarzem i sekretarzem stanu w Kancelarii Prezydenta, odpowiedzialnym za sprawy zagraniczne. Po prezydenckiej przegranej Wałęsy Ananicz został wiceprezesem fundacji Instytut Lecha Wałęsy. W 1997 roku premier Jerzy Buzek powołał Ananicza na wiceministra w resorcie spraw zagranicznych. Jako wiceprzewodniczący zespołu negocjował on warunki członkostwa Polski w Unii Europejskiej. Po jedenastym września 2001 roku kierował zespołem monitorującym zagrożenie terrorystyczne. Następnie został ambasadorem w Turcji.

W sierpniu 2004 roku premier Marek Belka powołał Ananicza na szefa Agencji Wywiadu. Zrobił tak mimo oporu wielu posłów SLD, którym nie podobało się, że na czele wywiadu stanie polityk silnie kojarzony z Wałęsą. Po zmianie władzy i przejęciu jej przez PiS, w listopadzie 2005 roku, premier Kazimierz Marcinkiewicz odwołał Ananicza ze stanowiska. Politycy PiS podnosili, że Ananicz pozwolił na umieszczenie w aneksie do polsko-rosyjskiego traktatu z 1992 roku artykułu zezwalającego na tworzenie polsko-rosyjskich spółek na terenach dawnych baz radzieckich. Zarzucali mu też współpracę z Wałęsą i służbami specjalnymi przy tak zwanej inwigilacji prawicy w pierwszej połowie lat dziewięćdziesiątych. Ananicz odpierał zarzuty. „Te zarzuty [dotyczące traktatu] pojawiły się już w latach dziewięćdziesiątych. Nie rozumiem, jak można twierdzić, że dyrektor departamentu w MSZ, którym wtedy byłem, może podejmować tak ważne decyzje, szczególnie w sprawach o najwyższym poziomie drażliwości" – tłumaczył w 2004 roku. Nie przyjmował również zarzutu dotyczącego jego udziału w inwigilacji prawicy.

Po dymisji Ananicz wrócił do pracy na Uniwersytecie Warszawskim. Po zakończeniu rządów PiS, w 2008 roku, premier Donald Tusk znów na krótko powierzył mu stanowisko szefa wywiadu, do czasu znalezienia odpowiedniego kandydata. Po trzech miesiącach Ananicz zwolnił fotel i został dyrektorem Akademii Dyplomatycznej Polskiego Instytutu Spraw Międzynarodowych.

Zbigniew Nowek (2005–2008) był szefem Agencji Wywiadu za rządów PiS. Działacz opozycji demokratycznej, potem funkcjonariusz UOP i szef tej instytucji w latach 1998–2001, po odejściu ze stanowiska szefa Agencji Wywiadu został zastępcą szefa BBN w kancelarii Lecha Kaczyńskiego.

Nowek z wykształcenia jest prawnikiem, studiował również historię. W trakcie studiów w latach osiemdziesiątych zaangażował się w działalność opozycyjną, między innymi w wydawnictwie Alternatywy, w którym w sierpniu 1980 roku drukowano ulotkę w obronie Anny Walentynowicz. W latach 1980–1981 był przewodniczącym Niezależnego Zrzeszenia Studentów na Uniwersytecie Mikołaja Kopernika w Toruniu. Po studiach kontynuował działalność opozycyjną, organizując druk i rozprowadzanie wydawnictw drugiego obiegu. Karierę w służbach rozpoczął w 1990 roku w nowo utworzonym Urzędzie Ochrony Państwa. W latach 1990–1997 był szefem delegatury UOP w Bydgoszczy. Gdy wybory wygrały AWS i Unia Wolności, został zastępcą szefa UOP, potem szybko awansował oczko wyżej.

Nowek miał bardzo silne poglądy antykomunistyczne. Czyścił UOP z funkcjonariuszy, którzy służyli w PRL-owskich organach bezpieczeństwa państwa. Za jego kadencji z UOP wyleciało ponad tysiąc czterystu funkcjonariuszy. Był za to znienawidzony przez SLD. Osobistego wroga miał też w prezydencie Kwaśniewskim. Poszło o proces lustracyjny tego ostatniego. Wedle informacji przekazywanych przez Nowka w archiwach UOP miały się znajdować dokumenty potwierdzające współpracę Kwaśniewskiego z SB. Sąd lustracyjny uznał jednak, że Kwaśniewski nie był tajnym współpracownikiem. Za kadencji Nowka UOP odnosił też sukcesy. W 1999 roku przyczynił się do rozpracowania trzech wysokich rangą żołnierzy WSI pod zarzutem szpiegostwa na rzecz Rosji. W styczniu 2000 roku wydalono z Polski dwunastu zdemaskowanych przez UOP funkcjonariuszy wywiadu rosyjskiego działających pod przykryciem dyplomatycznym. W październiku 2001 roku Nowek odszedł ze stanowiska, protestując w ten sposób przeciw reformie służb przygotowanej przez SLD, które przejęło wówczas władzę. Za rządów lewicy, czyli w latach 2002–2005, Nowek współpracował w Sejmie z posłami PiS – był ekspertem Komisji do spraw Służb Specjalnych i tak zwanej komisji orlenowskiej. Ścierał się wtedy ostro z Siemiątkowskim, podważając jego kompetencje i przygotowanie do kierowania służbami.

W listopadzie 2005 roku, gdy wygrało PiS, Nowek objął stanowisko szefa Agencji Wywiadu. Piastował je przez dwa i pół roku. Nie afiszował się, nie uczestniczył, jak wcześniej, w publicznych starciach. Miał silne poparcie Pałacu Prezydenckiego, gdzie często gościł. W marcu 2008 roku został odwołany przez premiera Tuska. Dymisja nie była oczywista. Za Nowkiem ujmował się między innymi marszałek Bogdan Borusewicz, który znał go jeszcze z czasów działalności w opozycji. Po odejściu z Agencji Wywiadu Nowek został wiceszefem Biura Bezpieczeństwa Narodowego u Lecha Kaczyńskiego.

Maciej Hunia (od 2008), pierwszy generał służb z tak zwanego solidarnościowego naboru, w czasach studenckich działał w NZS na Uniwersytecie Jagiellońskim. Dorabiał, pracując na wielkich wysokościach – między innymi malował kominy. Do tworzonego UOP przyszedł w 1990 roku wraz z „grupą krakowską" skupioną wokół Jana Rokity. Z Bartłomiejem Sienkiewiczem i Konstantym Miodowiczem z tego samego zaciągu łączyła go wspólna pasja – wspinaczka wysokogórska. „Większość z nas «rozbiła sobie jakoś ryj na tych służbach». Po kolei odchodziliśmy. I nagle okazało się, że z naszego pokolenia największy sukces osiągnął właśnie Maciek – mówił kilka lat temu w «Dzienniku» Sienkiewicz. – Może właśnie dlatego, że nie wali pięścią w stół, ale zachowuje spokój. Tak samo było w górach. Kiedy jakaś ściana mu nie szła, odpuszczał. Nie walczył, aż opadł z sił, tylko odpoczywał i próbował ponownie".

Hunia przeszedł i szkolenie kontrwywiadowcze, i roczny kurs w szkole wywiadu w Kiejkutach. Do połowy lat dziewięćdziesiątych pracował w delegaturze UOP w Krakowie. Ale do centrali awansował w 1997 roku za rządów SLD. Zastąpił Konstantego Miodowicza, który odszedł z UOP z tak zwaną grupą Milczanowskiego po sprawie Oleksego.

Sławę zdobył za rządów AWS. Kontrwywiad, którym kierował, ujawnił dwunastu rosyjskich szpiegów, wydalonych następnie z Polski. Rozpętała się międzynarodowa afera. Rząd AWS i ówczesny szef UOP Zbigniew Nowek przedstawiali to jako sukces. Opozycja krytykowała.

Kariery „łowcy szpiegów" nie przerwała ani opinia „człowieka Nowka", ani zmiany w służbach przeprowadzone przez SLD. Kiedy w miejsce UOP powstały ABW i Agencja Wywiadu, Hunia nadal kierował kontrwywiadem. Zbigniew Siemiątkowski i Andrzej Barcikowski mówią o Huni w samych superlatywach.

Tej zażyłości z „czerwonymi" i dobrych relacji z kolejnymi szefami nie mogli darować Huni niedawni koledzy. Nadali mu nawet obraźliwe ksywki, z których jedna miała podkreślać jego lizusostwo, a druga – jeszcze bardziej obraźliwa – powstała z przekręcenia jego nazwiska.

Na karierze Huni jest poważna skaza. Kierowany przez niego kontrwywiad oskarżył o szpiegostwo Macieja Tylickiego, asystenta członka komisji orlenowskiej Józefa Gruszki. Był marzec 2005 roku. Rządziło SLD, a komisja śledcza odkrywała działania kompromitujące tę partię i prezydenta Aleksandra Kwaśniewskiego. Posłowie uznali działania ABW za prowokację wobec komisji, a wkrótce sąd uniewinnił Tylickiego.

Ówczesny szef ABW z nadania SLD, Andrzej Barcikowski, bronił Huni: „Ustalenia kontrwywiadu były jednoznaczne – Tylicki zadeklarował współpracę z obcym wywiadem. Decyzja sądu nie zmienia oceny Huni i mojej" – mówił.

Za rządów PiS Hunia został „zesłany" na placówkę do Czech. Wrócił w 2007 roku po wygranych przez Platformę wyborach. Został szefem Służby Wywiadu Wojskowego. Pół roku później, w czerwcu 2008 roku, zastąpił Ananicza na stanowisku szefa Agencji Wywiadu.

Z generałem Władysławem
Pożogą, 1984.

Tłumacz. Etiopia,
połowa lat 80.

Etiopia, połowa lat 80.

Spotkanie plenarne z Hajle Mengistu. Etiopia, połowa lat 80.

Prezent dla ministra Kiszczaka od jego etiopskiego odpowiednika.

Z bratem w szkole
brytyjskiej, 1958.

Na poligonie w Morągu,
studium wojskowe, 1972.

Z przyjacielem ojca,
początek lat 70.

Prezentacja łupów Wydziału XI, 1985.

Z szefem wywiadu
czeskiego, 1985.

Nasz kierowca. Afganistan, 1997.

Surowe szmaragdy. Afganistan, 1997.

Od lewej: Rudolf, Mohammad Fahim, Henryk Suchar. Afganistan, 1997.

Z Mohammadem Fahimem i jego bratem Hasinem. Dolina Pandższeru, 1998.

roń pancerna Masuda. Afganistan, 1999.

Z Masudem i górnikami. Afganistan, 1999.

ndal zata-
kręgi. W
orezydent
szych in-
redakcji i
ajcie dal-
prowadzę
z Watykan
a". Tak też
ano.
rientowa-
jest zwią-
vspomina
Wraz ze
u Rydzyk
szerzenie
iskopacie.
ko metro-
elgus mógł
ynałem i
źniejszym
Kościoła.
orzeciwko
– wypo-
zarzuca
vi.
iewicz pi-
óry publi-
akuje Ry-
ielgusa. I
dotyczące
cku. Pisze
kach" pe-
kleryków
i duchow-
ch zjawi-
donosili
ji" – pisze.
o ingresie
tu u arcy-
ostał cięż-
o dzienni-
ej«, oskar-
zbrodnie,
z tymi
szych ro-
ch powie,
listu po-

z prawicowych dziennikarzy wspierała starania o cyfrową koncesję dla Trwam. 17 czerwca Rydzyk wydał oświadczenie: „Nie współpracujemy z panem redaktorem Tomaszem Sakie-

na TV Republika. Ma to być także reakcja Rydzyka na publikacje piętnujące skandale homoseksualne w seminarium duchownym .w Sosnowcu. – Rydzyk zawsze nas atakował,

ojciec na widok redaktora zakrzyknął tylko „Wielgus, Wielgus!" i nie podał mu ręki. A ostatnio, gdy znów przypadkiem się spotkali, powiedzieli sobie „Szczęść Boże". ▪

REKLAMA   0736289/A/KRUP1

Minister Obrony Narodowej

jako reprezentant Skarbu Państwa

przeprasza Pana Aleksandra Makowskiego za doznaną przez niego krzywdę w związku z zamieszczeniem w Raporcie Komisji Weryfikacyjnej (tzw. Raport Macierewicza) informacji dotyczących jego osoby, w tym: imienia, nazwiska, szczegółów realizowanych przez Pana Aleksandra Makowskiego działań wykonywanych na rzecz wywiadu WSI oraz ujawnieniem w Aneksie nr 24 Raportu faktu współpracy Pana Aleksandra Makowskiego z wywiadem cywilnym RP, a także użyciem w treści Raportu sformułowań sugerujących, że Pan Aleksander Makowski był biznesmenem podejrzewanym o hochsztaplerstwo, lekceważył instrukcje operacyjne, wprowadzał w błąd najwyższe organy państwowe, uzyskując z tytułu działalności wywiadowczej korzyści majątkowe, a także, że był autorem operacji „ZEN" i inspirował działania WSI podejmowane ze szkodą dla bezpieczeństwa, autorytetu i interesów Państwa Polskiego

Minister Obrony Narodowej przeprasza. „Rzeczpospolita", 28-30.06.2013.